TECHNIQUES

d'IMPACT

en psychothérapie,

relation d'aide

et santé mentale

| De la même auteure |

Techniques d'Impact en classe, Québec, Éditions Académie Impact, 2001.

Une centaine de trucs simples pour améliorer vos relations avec votre enfant (11 ans et moins), Québec, Éditions Académie Impact, troisième édition, 2001.

Une centaine de trucs simples pour améliorer vos relations avec votre adolescent (11 ans et plus), Québec, Éditions Académie Impact, troisième édition, 2001.

Techniques d'Impact pour grandir : illustrations pour développer l'intelligence émotionnelle chez les enfants, Québec, Éditions Académie Impact, 2000.

Techniques d'Impact pour grandir : illustrations pour développer l'intelligence émotionnelle chez les adolescents, Québec, Éditions Académie Impact, 2000.

Techniques d'Impact pour grandir : illustrations pour développer l'intelligence émotionnelle chez les adultes, Québec, Éditions Académie Impact, 2000.

Cures de rajeunissement pour vos relations sexuelles, Québec, Éditions Académie Impact, 2000.

Mille feuilles à l'encre et à la crème : 500 lettres et suggestions pour les événements heureux, avec la collaboration de Célyn Bonnet, Québec, Éditions Académie Impact, 1998.

Mille feuilles à l'encre et à la crème : 500 lettres et suggestions pour les événements malheureux, avec la collaboration de Célyn Bonnet, Québec, Éditions Académie Impact, 1998.

Toutes ces publications sont disponibles chez :

1020-B, boul. du Lac, C.P. 4157, Lac-Beauport (Québec), G0A 2C0

Tél. : (418) 841-3790 | **Sans frais :** 1-888-848-3747 | **Téléc. :** (418) 841-4491
Courriel : academie-impact@qc.aira.com | **Site Web :** www.academie-impact.qc.ca

Danie Beaulieu, Ph.D.

TECHNIQUES
d'IMPACT

en psychothérapie,

relation d'aide

et santé mentale

Éditions
Académie
IMPACT

Données de catalogage avant publication (Canada)

Beaulieu, Danie, 1961-

Techniques d'impact en psychothérapie, relation d'aide et santé mentale

2e éd. rev. et corr.
Publ. antérieurement sous le titre: Techniques d'impact pour intervention en psychothérapie, relation d'aide, santé mentale. c1997.
Comprend des réf. bibliogr. et un index

ISBN 2-922762-24-6

1. Psychothérapie. 2. Counseling 3. Comportement d'aide. I. Titre. II.
Titre: Techniques d'impact en psychothérapie, relation d'aide et santé mentale

RC480.B33 2002   616.89'14   C2002-941049-5

Éditrice : Marie-Claude Malenfant
Illustrations : Christian Daigle
Conception graphique : Marianne Tremblay
Correction : Patrick Guay

© Danie Beaulieu, Ph.D.

© Éditions Académie Impact
1020-B, boul. du Lac, C.P. 4157
Lac-Beauport (Québec), G0A 2C0
Téléphone : (418) 841-3790 • Télécopieur : (418) 841-4491
Courriel : academie-impact@qc.aira.com • Site Web : www.academie-impact.qc.ca

ISBN 2-922762-24-6
(Première édition-1997 ISBN 2-9805292-0-6)

Dépôt légal : 3e trimestre 2002
Bibliothèque nationale du Québec
Bibliothèque nationale du Canada

Société
de développement
des entreprises
culturelles
Québec

*Pour leur programme de publications, les Éditions Académie Impact reçoivent
l'aide de la Société de développement des entreprises culturelles (SODEC).*

Je dédie chaleureusement ce livre à tous mes collègues qui partagent ma passion d'aider les gens à devenir pleinement eux-mêmes.

| Table des matières |

CHAPITRE 2

Techniques d'Impact impliquant une interaction avec des objets 81

CHAPITRE 3

Techniques d'Impact utilisant des chaises **127**

CHAPITRE 4

Techniques d'Impact utilisant des mouvements 181

CHAPITRE 5

Techniques d'Impact utilisant des métaphores et des fantaisies mentales 225

C H A P I T R E   6

Techniques d'Impact utilisant l'expression, l'écriture et les graphiques **243**

| Préface |

J'ai donné une formation portant sur la thérapie de groupe au mois de novembre 1991 à Montréal. À la fin de l'atelier, une femme énergique est venue vers moi pour me remercier et s'est dite très intéressée d'en apprendre davantage sur mon approche. Au printemps suivant, j'ai reçu un appel de cette femme me demandant si je maintenais la formation d'été dont j'avais fait mention lors de mon passage à Montréal. Je lui ai répondu que oui et elle s'est immédiatement inscrite. Après notre bref entretien, je me suis dit : « Cette femme est spéciale, elle est différente. Elle semble très motivée et assoiffée de connaissances. »

Mon intuition était exacte. Danie Beaulieu est venue à mon Institut à l'été 1992 et a suivi une semaine d'études supplémentaires avec moi au Colorado. Ce fut le début d'une relation professionnelle riche et nourrissante. Depuis, Danie est devenue une précieuse collaboratrice. Nous partageons fréquemment nos idées concernant la thérapie, la formation et la rédaction entourant la Thérapie d'Impact. Elle a contribué à l'élaboration de mes livres sur les Techniques Créatives et sur la Thérapie d'Impact.

Je suis heureux qu'elle soit une disciple et Maître Certifiée de l'Association de Thérapie d'Impact. Je rêve qu'elle ait un jour son propre Institut de formation au Québec, où elle pourra continuer d'enseigner aux thérapeutes l'art d'intervenir en groupe et en rencontre individuelle. Danie Beaulieu est sans aucun doute l'une des plus talentueuses thérapeutes et présentatrices que j'ai vues au cours de mes trente années de profession. Je suis vraiment enchanté qu'elle ait maintenant écrit un livre en français qui présente beaucoup d'idées et de techniques de la Thérapie d'Impact, dans ses mots et son propre style. Ce fut intéressant de dialoguer avec Danie durant la période où elle écrivait son livre, alors qu'elle désirait produire un ouvrage pratique, terre à terre, passionnant, qui engloberait l'essentiel de la Thérapie d'Impact. Sans aucun doute, elle est parvenue à ce résultat en utilisant plusieurs techniques, exemples et illustrations.

Bonne lecture à tous et bonnes interventions !

Dr Ed Jacobs, Ph.D.
Université de West Virginia

| Avant-propos |

Dès ma première journée de formation en Thérapie d'Impact, j'ai su que j'avais trouvé ce qui me permettrait de devenir la psychologue que j'avais toujours voulu être. Peu de temps après avoir obtenu mon diplôme de Master Trainer, je suis devenue une formatrice dévouée, voyageant beaucoup pour partager les connaissances acquises avec mes collègues. Les réponses que j'ai obtenues auprès d'eux ont été des plus enthousiastes. Des milliers de professionnels, cherchant à devenir plus efficaces dans leur travail, ont assisté aux ateliers et aux autres activités de formation et se sont sentis inspirés et stimulés par ces idées innovatrices. Lorsque l'on considère à quel point la Thérapie d'Impact défie certains fondements axiomatiques de la psychothérapie, il est d'autant plus étonnant d'avoir récolté des réactions aussi éloquentes.

Depuis le début, je nourris le projet d'offrir des livres sur cette approche pour permettre tant aux prosélytes qu'aux dilettantes de mieux en connaître les multiples facettes. Voici donc le premier volume d'une longue série.

Le but de ce livre n'est pas de présenter les théories de base de l'approche d'Impact ni de traiter des théories sous-jacentes aux problématiques décrites. Il se limite exclusivement aux Techniques d'Impact. L'objectif est clair : fournir une hétérogénéité d'outils pour engager le client et le thérapeute dans le processus thérapeutique d'une façon synergique, accessible, dynamique et efficace.

Vous constaterez, cependant, que le choix des Techniques d'Impact découle de théories. Compte tenu du fait que la Thérapie d'Impact est vraiment une école très éclectique (incorporant la Théorie Émotivorationnelle, la Thérapie de la Réalité, l'Analyse Transactionnelle, certaines techniques de Gestalt, la Programmation Neurolinguistique, la Psychothérapie Orientée vers les Solutions), je suis persuadée que vous trouverez facilement une manière d'adapter les exemples présentés en fonction de vos besoins spécifiques, tout en respectant votre école de pensée.

Les cas décrits sont véridiques ; seuls les noms et prénoms ont été changés pour assurer l'anonymat. Je me suis efforcée de sélectionner des exemples variés, rejoignant une multitude de clientèles et de problématiques, et ce, autant pour l'intervention individuelle que pour celle en groupe, en couple ou en famille. À vous de laisser libre cours à votre imagination pour les personnaliser à votre guise.

Il est difficile de surmonter le défi de la concision tout en ne sacrifiant rien du côté de la clarté. Les cas exposés ont été expliqués succinctement. Il importe toutefois de garder en mémoire que chaque technique peut être développée davantage de manière à faire ressortir le contenu cognitif et émotif qu'elle fait émerger. Parfois, un simple objet peut être exploité tout au long d'une rencontre, voire davantage.

Les Techniques d'Impact présentées sont divisées en six chapitres, selon une classification basée sur leur ressemblance physique (techniques utilisant des objets, des chaises, des mouvements, des métaphores et fantaisies mentales, l'expression, l'écriture et des graphiques). Un septième chapitre ajoute des astuces, des devoirs et des réponses aux questions qui me sont le plus souvent adressées lors des séminaires que j'anime. L'introduction du livre décrit d'une façon mi-heuristique, mi-passionnée, les concepts de base de l'utilisation des Techniques d'Impact. Je vous incite vivement à y apporter une attention particulière ; elle comporte plusieurs questionnements intéressants au sujet de notre profession.

Cet endroit me semble le mieux choisi pour clarifier deux autres points. Le premier porte sur le genre employé dans le texte. J'ai récemment été initiée à la féminisation lors d'un atelier animé par Lenore Walker (experte au procès d'O.J. Simpson), fervente animatrice de séminaires sur le féminisme. Malgré mon enthousiasme vis-à-vis de son approche, j'ai opté pour la simplicité. En conséquence, le masculin prévaut dans le texte, et ce, dans l'unique but d'en alléger la lecture.

Par ailleurs, je me suis permis d'utiliser trois ou quatre anglicismes, du fait que je n'ai pas réussi à trouver d'équivalents français. Ainsi, vous trouverez régulièrement le mot *coaching* qui signifie supervision et entraînement apportés à quelqu'un dans le but de l'aider à raffiner un comportement quelconque. Un autre emprunt à la langue anglaise que j'aime beaucoup est le terme *modeling* que je traduis par « fournir un modèle à quelqu'un ». Par exemple, il m'est arrivé de donner un *modeling* à un client pour l'aider à développer certaines habiletés d'affirmation et, par la suite, je lui ai fourni du *coaching* pour peaufiner ses nouvelles acquisitions. Le mot « expériencer » n'a pas son pareil non plus. Il provient de l'anglais *experiencing* que je traduirais par « vivre intensément une expérience ». Finalement, je n'ai pu m'empêcher d'employer « leader » pour nommer la personne qui dirige un groupe. Vous rencontrerez donc ces termes, de temps à autre, au cours de votre lecture.

Je me permets de prendre quelques lignes pour exprimer ma gratitude à ceux et celles qui m'ont aidée à publier ce livre. Mon premier remerciement va au D^r Ed Jacobs, créateur de la Thérapie d'Impact. Ed est plus qu'un professeur au charisme hors du commun ; il est aussi un ami formidable. La confiance, l'affection et les opportunités professionnelles qu'il m'offre ainsi que son enseignement continuel sont les ingrédients de base de ce livre. Je lui dois beaucoup, de mon équilibre personnel à la richesse de ma vie professionnelle.

Plusieurs personnes m'ont aidée à faire fructifier l'ensemble des connaissances que j'avais acquises. Je parle des nombreux collègues qui ont assisté à mes séminaires. Par leurs questions et nos discussions concernant les difficultés qu'ils rencontraient avec leurs clients, j'ai pu développer de nouvelles Techniques d'Impact plus variées et polyvalentes. Certains m'ont même fait profiter de leurs inventions. Merci à vous, chers consoeurs et confrères.

Mes clients m'ont également servi d'inspiration pour accroître ma créativité et pour créer des moyens qui les aideraient encore plus efficacement. Plusieurs de leurs histoires se retrouvent dans ce livre et font maintenant partie de ma vie ; elles sont le moteur de ma foi en mon travail, ainsi que de mon amour et de mon enthousiasme pour ce beau métier.

Je souhaite aussi offrir mes plus sincères remerciements à mes correctrices et correcteurs pour leur patience et leur dévouement. Ils ont tous grandement contribué à améliorer la qualité du produit final.

J'espère que vous trouverez dans ce livre, chers lecteurs, non seulement des instruments d'intervention, mais aussi une manière de rendre votre travail encore plus intéressant et motivant.

Bonne lecture.

Danie Beaulieu, Ph.D.
Janvier 1997

| Introduction |

En tant que psychologue, je tressaille chaque fois que j'entends des propos dénigrants ou des histoires de déconvenues en rapport avec la psychothérapie. Mais, il faut bien se rendre à l'évidence : la thérapie n'est pas aussi efficiente qu'on le souhaiterait. La recherche scientifique entretient même des doutes sérieux concernant « l'industrie » de l'aide dans son ensemble (Egan, 1987 ; Ellis, 1984 ; Eysenck, 1984 ; Hariman, 1984 ; Weiner-Davis, 1993).

Mais, qu'est-ce qui nous manque ? De quelles manières serait-il possible d'aider plus efficacement l'ensemble de nos clients ?

Peut-être devrions-nous d'abord retourner aux questions de base. Comment les gens changent-ils ? Comment évoluent-ils ? Comment pourrions-nous accéder plus rapidement à leurs mémoires néfastes et les modifier ?

Sans pouvoir fournir de réponses définitives à ces interrogations légitimes, la Thérapie d'Impact propose un certain nombre d'éléments qui, tout au moins, devraient être pris en considération au moment de notre questionnement.

L'être humain vit et bâtit sa réalité par la cénesthésie de ses sens

Nous savons depuis toujours que l'être humain, peu importe son âge, son statut socio-économique ou son ethnie, apprend et change à partir de ce qu'il entend (sens auditif), de ce qu'il voit (sens visuel), de ce qu'il sent (sens olfactif) et de ce qu'il ressent (sens kinesthésique). Chacun de ces sens, tout en étant unique et différent, possède ses propres circuits neurologiques, ses mémoires distinctes, son langage spécifique. Leur cénesthésie construit notre réalité :

> Chaque organe des sens propose une image spécifique qui devient une image globale lorsque tous les sens ont « dit leur mot » et que le schéma corporel les a « mis d'accord ». (Isnard, 1990, p. 79.)

Or, les aidants naturels et/ou professionnels, en général, se limitent au langage verbal dans l'aide qu'ils apportent. Ne pourraient-ils pas augmenter leur efficacité, simplement en respectant les modalités multisensorielles qui caractérisent l'humain ?

La théorie des modalités perceptivo-cognitives, mieux connue sous le nom de Principe de Lafontaine, divise les êtres humains en deux classes distinctes : les auditifs et les visuels (Meunier-Tardif, 1985).

Selon cette approche, chacun possède sa « déformation » quant à sa manière d'assimiler les informations extérieures.

L'auditif, dit-on, palpe l'environnement à partir de ce qu'il entend. On croit qu'il a moins besoin de vivre les expériences que son complémentaire, le visuel. Ce dernier est plutôt de type tactile, volubile et se sert davantage de ses yeux pour prendre contact avec ce qui l'entoure. Il aime l'action, le concret et le court terme. On suggère même de passer par un objet pour nouer une relation avec lui.

Il est courant dans certains milieux, notamment dans le réseau scolaire, de s'en remettre aux moyens qui découlent du Principe de Lafontaine pour améliorer le rendement des élèves en difficulté. En basant les méthodes d'enseignement sur la configuration spécifique du mode de perception des écoliers, les professeurs constatent une amélioration des résultats scolaires. Y aurait-il là une stratégie gagnante qui nous aurait échappé ?

Guillemette Isnard, neurobiologiste et auteure connue, semble indiquer que nous aurions tout intérêt à multiplier les outils visuels dans nos interventions. Selon elle, la vision est le maître incontesté de toute perception sensorielle. La vue est l'organe sensoriel le plus perfectionné, le plus complexe et s'impose à tous les autres sens (Isnard, 1988). Les ophtalmologistes affirment d'ailleurs que 60 % de toute l'information qui entre au cerveau provient des yeux.

On sait, par exemple, que les champions de lecture rapide sont des lecteurs visuels. Leur exploit provient du lien direct qu'ils établissent entre les yeux et le cerveau. Ils n'ont pas à verbaliser intérieurement le matériel écrit pour le comprendre (Scheele, 1993). Lorsque l'on se souvient d'une manière visuelle, l'image entière surgit d'un seul coup dans l'esprit. On a alors directement accès aux données recherchées.

Combien de gens ont de la difficulté à retenir des numéros de téléphone ? La majorité tente de les mémoriser en se les répétant verbalement. Même chose pour les tables de multiplication. Même si on arrive à se les remémorer, le processus est beaucoup plus long par la voie auditive parce qu'il faut réciter tous les chiffres pour accéder à la réponse : « 6, 8, 2... 4 X 8 = 32 ». C'est beaucoup plus rapide de se les rappeler visuellement. Ne dit-on pas qu'une image vaut mille mots ?

De plus, ce n'est pas seulement vrai pour les nombres. Par exemple, même si je consacrais un chapitre, voire plusieurs, à vous décrire physiquement mon petit garçon bien-aimé, vous n'auriez de lui qu'un portrait dressé par votre imaginaire qui serait loin d'être aussi net que si vous le rencontriez.

Plusieurs personnes considérées « lentes » apprennent en fait de façon auditive. En leur enseignant avec une approche plus visuelle, elles parviennent à dépasser leurs propres limites (Bandler, 1985). La question se pose : pourrions-nous aider plus de clients et, de façon plus rapide, si nous ajoutions un bon nombre d'applications visuelles dans notre répertoire, si nous apprenions à parler non seulement à leurs oreilles, mais aussi à leurs yeux et même à leur corps ?

Que dire en effet de cette dimension kinesthésique ? Lorsque nous recourons aux mouvements, nous générons une cascade de réactions intérieures.

> Il nous faut alors chercher au plus profond du squelette, muscles, tendons, articulations. En effet, tout mouvement ou rotation exigent contraction et relâchement de muscles antagonistes, cohésions mécaniques des os et articulations.
> (Isnard, 1990, p. 36.)

De ce fait, nous devrions tirer profit de cette source d'information précieuse en mettant régulièrement le client en action.

Chaque sens possède son individualité propre. Chacun détient sa spécialité. En diversifiant les types d'intervention, nous respectons davantage le mode d'apprentissage de chacun et nous augmentons aussi la richesse du processus.

La psychothérapie doit se faire amie du cerveau

Notre pensée et nos mémoires, celles qui nous perturbent et celles qui perpétuent un bien-être, sont liées à la matière. Elles sont emmagasinées dans des kilomètres de circuits neuronaux. En définitive, la psychothérapie nécessite l'activation du cerveau, autant pour réveiller ses éléments enfouis que pour lui permettre d'assimiler de nouvelles données. Un bon thérapeute doit donc être d'abord un bon « activateur », capable de mettre en circulation les données intrinsèques et extrinsèques pertinentes à l'évolution du client. Mais alors, comment pourrions-nous devenir de meilleurs « activateurs » ?

Gerald Edelman, médecin, neurologue honoré par le prix Nobel et auteur de *The Remembered Present* et *Bright Air, Brilliant Fire,* répond en partie à cette question. Sa théorie stipule que les mémoires ne sont pas entreposées dans des zones géographiques limitées et restrictives, mais qu'elles sont recréées chaque fois qu'on y accède.

En fait, lorsque nous nous souvenons d'un événement, nous produisons d'abord le contexte mental d'une idée et nous y entrons de nouveau des bribes d'informations importantes qui lui sont reliées. Par la suite, les empreintes des expériences passées qui sont activées servent de fil conducteur au cerveau pour qu'il s'engage sur ces voies neurologiques spécifiques. Lorsque suffisamment d'éléments ont été entrés et que les bonnes voies nerveuses ont été stimulées, les idées et les images que l'on veut se remémorer ne sont pas retirées d'un « tiroir » mental. Elles sont recréées par l'incorporation des éléments fournis par tous les neurones impliqués dans l'embrasement des aires associatives.

Lorsque l'on applique cette vision à la psychothérapie, on comprend mieux l'intérêt d'éveiller l'ensemble de la géographie neuronale. Les stimulations électriques à travers les aires motrices, visuelles, auditives et kinesthésiques entraînent le cerveau vers une décantation plus physiologique que cognitive. Cette exposition physique à la grandeur du cerveau ouvre simultanément plusieurs réseaux neurologiques qui peuvent, par la suite, faciliter certaines connexions mentales ou y conduire.

Le résultat mène à une plus grande rapidité, familiarité et facilité de compréhension. Le client peut alors se mettre en liaison avec les plus importants renseignements qu'il possède presque instantanément, au lieu d'essayer de les reconstituer en « parlant et en analysant ». Le thérapeute n'a pas non plus à investir autant dans la relation thérapeutique pour pénétrer le « tiroir » secret de l'inconscient. Il s'efforce plutôt de fournir au client un maximum de stimulations multisensorielles pour éveiller les réseaux en cause dans l'évolution de son cheminement. Plusieurs pensent qu'il s'agit là d'un accès privilégié aux données inconscientes.

> Ce que nous appelons « inconscient » l'est-il vraiment ou cela fait-il partie d'un autre niveau de conscience qui, bien que non verbal, n'en est pas moins autonome, logique et réfléchi ? (Isnard, 1990, p. 93.)

Installer un climat propice aux changements

La théorie d'Edelman apparaît peut-être comme une interprétation un peu filandreuse de ce que Scheele (1993) appelle l'état d'apprentissage accéléré ou de ce qui est connu d'Erickson comme étant une transe « facilitatrice » (Zeig, 1988). En entrant dans cet état mental et physique, on met en activité l'hémisphère droit (reconnu comme étant plus intuitif que son voisin, l'hémisphère gauche, le rationnel, le logique, le verbal). On le prédispose ainsi favorablement à l'émergence et à l'assimilation de contenus pertinents.

Ces états privilégiés sont atteints lorsqu'on « occupe » le conscient pendant que l'autre partie du cerveau (je ne sais plus si on devrait l'appeler l'inconscient, le subconscient, l'hémisphère droit ou simplement « l'autre partie » !) continue à travailler.

Pendant que le client se trouve dans cet état privilégié, il a accès à des données riches sur lui-même et sur la somme de ses apprentissages. Il existe plusieurs méthodes pour distraire le conscient. La méditation choisit de l'occuper en le fixant sur quelque chose de précis (comme la respiration, une pensée, un mantra, une image). Erickson, quant à lui, préférait la confusion. Roxanna, sa fille, me confiait que son père ne lui répondait jamais directement par un oui ou un non. Il lui racontait une histoire qui, bien que complètement dépourvue de sens et éloignée de sa demande, était pourtant porteuse de sa réponse !

En Thérapie d'Impact, le client est rapidement subjugué par la scène que l'on recrée à l'aide de différents outils visuels et/ou de techniques kinesthésiques. Le client devient envahi et obnubilé par une foule de sensations, d'images et d'émotions, appartenant tantôt au passé, tantôt au présent ou au futur. Le cerveau et l'être tout entier entrent en ébullition. Les techniques utilisées deviennent donc des alliées pour créer cette transe et agissent aussi pour la maintenir. En expérimentant cette approche multisensorielle, jamais je n'ai autant saisi ce que Jeffrey Zeig (étudiant élite de Milton Erickson) appelle la transe client-thérapeute. Comme le thérapeute est le réalisateur dans la mise en scène multisensorielle, il partage et vit intensément cette magie qui devient réalité.

Un des chercheurs les plus influents dans le domaine de l'apprentissage accéléré est le psychologue bulgare, Georgi Lozanov (1978). Le docteur Lozanov a publié plusieurs articles démontrant que nous n'utilisons que 10 % de notre capacité cérébrale. Lui et son équipe de chercheurs sont d'avis que chacun peut apprendre à utiliser l'autre 90 %. Il a démontré que la capacité d'apprentissage augmente de façon exponentielle lorsque l'on réussit à faire travailler et à orchestrer les deux hémisphères.

La mémoire décuple ses capacités lorsqu'on la nourrit d'applications multisensorielles

Toujours selon Guillemette Isnard, nous avons dans notre mémoire bien plus que ce que nous pouvons exprimer en mots. Chacune de nos mémoires porte un vestige du ou des sens qui l'ont intégrée. Or, comme le processus thérapeutique exige de rassembler le passé, nos connaissances du fonctionnement de la mémoire pourraient s'avérer déterminantes.

Il est recommandé, lorsqu'on veut vraiment se rappeler d'un prénom, par exemple, de le lier avec quelque chose d'unique dans l'un des trois systèmes principaux de représentation. Pendant que vous entendez un prénom, portez attention au ton sur lequel il a été prononcé, retenez ce qui vous frappe le plus dans la personne que vous voyez et aussi remarquez les sensations que vous ressentez lorsque vous lui serrez la main. Puisque cet exercice vous fournira une empreinte dans tous les systèmes sensoriels principaux, vous aurez trois façons différentes de vous souvenir de l'identité de la personne concernée.

À titre d'exemple, un de mes clients ne pouvait pas prendre contact avec sa colère parce qu'il devenait aussitôt envahi par la peur. Cette association découlait des nombreuses scènes de violence dont il avait été témoin, où sa mère, terrassée par la frayeur, subissait les mauvais traitements de son mari. Ces deux émotions avaient été couplées et l'étaient restées depuis.

Nous connaissons tous des histoires comme celle-là. Elles reflètent réellement les mécanismes naturels du cerveau qui sont de joindre les idées, en branchant ensemble les différentes associations plutôt que de procéder par logique linéaire.

> Ainsi, la mémoire n'est pas l'auxiliaire du langage comme on le croirait volontiers. Elle préexiste aux mots et leur survit. Une mémoire éveillée rendra plus facile l'accès au langage [...]. Le langage ne conduira que difficilement, ou pas du tout, aux portes de la mémoire. (Isnard, 1990, p. 8.)

Guillemette Isnard avance même l'idée qu'une mémoire vivante a pour toile de fond une synesthésie active et que l'exactitude de nos souvenirs, la profondeur de notre pensée et la communication de nos connaissances s'appuient sur les correspondances entre les sens (*ibid.*). Les enfants utilisent d'ailleurs de façon tout à fait naturelle les stratégies multisensorielles pour accomplir leur tâche titanesque d'apprentissage. Ces informations soulèvent beaucoup de questions quant à l'efficacité des approches thérapeutiques basées exclusivement sur des échanges verbaux.

Le fait de réunir les expériences sensorielles en thérapie permettrait, d'une part, d'extraire des informations plus denses et plus riches et, d'autre part, faciliterait un meilleur recouvrement mnésique entre les rencontres.

Les enfants apprennent par *modeling*... et les adultes aussi

Quel pourcentage de l'aide que nous apportons à nos clients provient de ce que nous leur disons et lequel résulte simplement de notre personnalité ?

Milton Erickson, célèbre psychiatre américain dont la philosophie a inspiré et guidé un nombre incalculable de thérapeutes partout dans le monde, pense que ce que nous sommes prédomine largement sur ce que nous disons. C'est un peu comme cet autre qui disait à un homme silencieux : « Tais-toi, tu parles trop fort! » Et ce n'était pas une blague !

Erickson affirme que ce que l'on capte par notre hémisphère droit l'emporte sur tout ce que l'hémisphère gauche peut interpréter.

Prenons l'exemple d'une rencontre avec une voisine. Au moment de vous séparer elle vous dit : « J'ai bien aimé notre soirée. Ça a été plaisant. J'espère qu'on recommencera ! » Jusque-là, il est bien possible que vous consentiez à lui consacrer de nouveau quelques heures. Mais si elle vous tient ce même discours d'un air forcé et avec un sourire artificiel, j'ai bien peur que vos relations ne s'interrompent abruptement. Pourquoi ? Parce que ce que vous aurez ressenti avec votre hémisphère droit aura dominé sur les informations verbales traitées dans votre cerveau gauche.

Les échanges entre humains sont ainsi influencés par le verbal et le non verbal. Qu'est-ce que le non verbal de nos échanges avec nos clients leur enseigne ? Quels messages laissons-nous à leur hémisphère droit ?   '

Nous voulons qu'ils s'engagent, qu'ils participent, mais nous demeurons retirés et désengagés (« C'est à toi de te prendre en main ! »). Nous voulons qu'ils bougent, qu'ils s'activent, qu'ils engendrent du changement, et nous nous maintenons assis à les écouter. Nous souhaitons qu'ils expriment leurs émotions, leur réalité ; cependant, nous adoptons la neutralité. Nous leur enseignons à s'affirmer, à croire en eux, à dire qui ils sont, mais nous restons distants et impersonnels. S'agit-il vraiment d'un *modeling* sain ?

J'ai rencontré beaucoup d'intervenants lors de mes séminaires d'une ville à l'autre. Je suis toujours un peu triste de constater que plusieurs modifient délibérément leur comportement spontané face à leurs clients. Ils étouffent un éclat de rire, s'efforcent de cacher leur impuissance ou camouflent leur colère pour endosser « l'uniforme » de ce qu'ils croient être le parfait thérapeute. Cette observation m'amène à me questionner tant sur le message qu'une telle attitude transmet aux clients que sur le bien-être et l'efficacité de l'intervenant dans la pratique de sa profession, du moins à moyen terme.

Selon Egan (1987), un aidant efficace sait faire appel à son imagination, se montrer spontané et toujours disposé à dire ce qu'il pense et ce qu'il ressent, pourvu que ce soit dans l'intérêt de son client. J'ajouterais qu'il doit aussi posséder une panoplie d'outils diversifiés pour pouvoir pénétrer les multiples représentations perceptives de son client.

Personnellement, je définis la santé mentale par une simple locution : être soi-même. Si vous partagez mon point de vue, alors nous devrons réfléchir ensemble à savoir : est-ce que notre façon d'intervenir nous permet d'être pleinement nous-mêmes ?

Est-ce que notre façon d'aider le client nous amène aussi à avoir du plaisir dans notre travail, de manière à communiquer au client la joie de changer, de grandir et d'apprendre ? Comme le dit si bien l'adage américain : « Everything you have fun at, you'll be good at. » (Ce que vous avez du plaisir à faire, vous excellerez à le faire.)

Cette maxime me rappelle un peu les paroles de Paul Watzlawick lors d'un séminaire à San Francisco en décembre 1996. Il disait : « Il est impératif que ce que vous faites avec vos clients soit aussi sain pour votre santé mentale que pour la leur, parce qu'eux ne sont là que pour quelques rencontres alors que, vous, vous y êtes pour la vie ! »

Sur la route de la thérapie, qui mène vraiment ?

Devons-nous guider le client ou plutôt le suivre ?

Sans doute serai-je plus explicite sur ce sujet dans un autre livre qui traitera de la Thérapie d'Impact. Pour l'instant, je vais me limiter à quelques commentaires.

Il y a ceux qui disent que le respect du client est de le laisser mener et que l'aidant modèle doit s'efforcer de l'accompagner. À mon avis, le respect du client, quand ce dernier paie ou coûte aux contribuables un dollar la minute - et souvent même davantage - pour venir nous voir, est de lui dire le plus rapidement possible de changer de direction quand nous réalisons qu'il roule sur l'autoroute 20 Ouest alors qu'il souhaite se rendre à Gaspé. Sinon, nous risquons de nous retrouver aussi perdus que lui ; dans ce cas, il faudrait au moins avoir le professionnalisme de nous arrêter pour demander des indications.

Je pense aussi qu'avant de consulter, le client a souvent fait le tour de ses ressources personnelles pour résoudre ses difficultés, mais sans succès. Le rôle du professionnel est d'être actif pour lui offrir des moyens variés, basés sur la connaissance de son fonctionnement intrinsèque, pour l'aider à accéder aux solutions qu'il possède ou pour ajouter de nouveaux outils à son répertoire.

Ce qui ne signifie nullement que nous devrions lui imposer nos façons de faire et ne pas respecter son rythme personnel. Mais la simple archéologie psychologique basée sur l'écoute active et les reformulations ne fournissent pas les résultats escomptés (Hendrix, 1990).

Avez-vous entendu parler de la nécessité de varier le format de l'entrevue ?

Pourtant, il y a longtemps que les professeurs le savent : si on ne varie pas le format des cours, la personne concernée se lasse et part. Ou alors, son fusible, trop sollicité, grille et devient inopérant. Mais... il n'était pas prêt, dit-on !

La majorité des écrits sur la pédagogie arrive à un consensus sur la nécessité de diversifier les formes d'interactions pour optimiser le rendement. En se limitant au verbal — lorsqu'on l'utilise ! —, il est beaucoup plus difficile de se conformer au GBS (gros bon sens).

Les techniques qui vous seront présentées dans ce livre tiennent compte des différents éléments qui viennent d'être discutés. Ce sont notamment ces réflexions qui m'ont amenée à choisir la Thérapie d'Impact comme approche de base en intervention. La Thérapie d'Impact prend réellement en considération les mécanismes naturels du cerveau, tout en permettant au thérapeute de s'utiliser pleinement, ce que je ne sacrifierais pour rien au monde. Les pages qui suivent vous aideront à mieux saisir le fonctionnement de ce mode de thérapie.

Je laisse le mot de la fin à Guillemette Isnard. Son expertise en matière de neurobiologie m'a été d'un grand secours pour mieux comprendre et expliquer les mécanismes en cause dans la Thérapie d'Impact. Une chose demeure, dit-elle :

> [...] mettre en activité ou en correspondance des milliers de neurones ne peut qu'accroître la performance d'un cerveau, en aucun cas la diminuer. Cela ne peut qu'établir des communications privilégiées entre nos organes des sens et nos aires corticales et ajuster de ce fait l'interprétation, la perception que nous avons du monde extérieur [et intérieur]. (*Ibid.*, p. 115.)

Techniques d'Impact
utilisant des objets

CHAPITRE 1

*Les défauts du vocabulaire projettent l'obscurité
jusque dans la pensée.*

Marcel Proust

L'utilisation d'outils visuels concrétise la thérapie et facilite la concentration du client sur un thème spécifique. À cela s'ajoutent au moins deux autres avantages. Le premier est que le thérapeute sélectionne toujours des objets visuels qui se retrouvent régulièrement dans la vie quotidienne. Le fait que le client les revoie entre les rencontres accentue les bénéfices de l'intervention. Le second est que ces objets sont généralement accessibles et peu coûteux. En conséquence, le thérapeute peut s'équiper à peu de frais, et même faire cadeau de l'un ou l'autre de ces objets au client pour favoriser la poursuite de ses réflexions après la session.

▪▪▪ Feuille de papier

Une feuille peut servir à représenter la relation entre deux personnes. Lisse et propre, elle symbolise une relation agréable et satisfaisante, tandis que froissée, déchirée ou tachée, elle équivaut à une relation malsaine et pernicieuse.

| Le coût de la colère |

Le thérapeute reçoit Charles, un client qui a d'importantes difficultés à gérer sa colère. Charles dit ne pas comprendre les réactions démesurées de sa femme lorsqu'il s'emporte.

Charles :

Elle sait bien que je ne suis pas méchant. J'éclate comme ça, mais après, c'est fini. C'est toujours pareil ! Elle dit qu'elle n'en peut plus et que si je ne change pas, elle va me quitter.

Thérapeute :

Si je comprends bien, Charles, vous vous défoulez sur Huguette en lui disant un tas de choses que vous ne pensez pas vraiment. Vous les oubliez aisément. Mais, vous ne comprenez pas pourquoi elle n'adopte pas la même attitude. Est-ce bien cela ?

Charles :

Oui, c'est exact !

Thérapeute :

Prenons cette feuille. Vous voyez, elle est bien lisse, bien propre. Disons qu'elle représente votre relation avec Huguette. Je vais donc y écrire Charles et Huguette (le thérapeute inscrit ces deux prénoms). Quel chiffre me donneriez-vous, sur une échelle de 0 à 10, pour exprimer votre attachement à cette relation ?

Charles :

Ah ! c'est un bon 10 !

Thérapeute :

Maintenant, regardons ce qui se passe lorsque vous êtes en colère. (Le thérapeute se base sur les informations connues pour imiter un accès de colère de Charles tout en froissant vigoureusement le papier). « Écoute, je t'avais dit de préparer mon souper pour 18 h à cause de ma réunion ; tu n'as pas de tête. Tu le savais que c'était important pour moi, tu aurais pu te forcer pour une fois. Qu'est-ce qu'il va falloir que je fasse pour te rentrer un peu de génie dans la caboche ? » (La feuille est complètement froissée, et même, quelque peu déchirée.)

Charles :

(Perplexe, il observe attentivement.)

Thérapeute :

(Reprend le rôle du client et tente de défroisser la feuille le plus possible tout en s'excusant.)

Ah ! Excuse-moi, ce n'était pas ce que je voulais dire. Tu le sais bien que cette réunion m'énerve. Oublie ça maintenant, c'est fini ! (La feuille demeure encore chiffonnée malgré de sérieux efforts pour la remettre lisse. Charles reste bouche bée, manifestement touché par cette analogie.) Que pensez-vous de cette démonstration, Charles ?

Charles :
Je comprends beaucoup mieux pourquoi Huguette réagit comme elle le fait si elle se sent de cette façon...

Thérapeute :
J'ai l'impression que c'est exactement ce qu'elle essaie de vous dire depuis un certain temps. Vous savez, c'est humain d'être en colère ; on a beau faire des efforts de compréhension, je ne pense pas qu'il soit possible de ne jamais en ressentir. Mais il est très utile d'apprendre à la gérer d'une façon saine. Est-ce que cela vous intéresse ?

Charles :
(Convaincu.) Oui, absolument !

EXEMPLE 2
| Évaluation de la relation entre une fille et son père |

La mère se présente pour obtenir de l'aide pour sa fille de huit ans. Les parents sont divorcés depuis environ quatre mois et la garde de leur enfant unique a provoqué tout un remue-ménage. La mère prétend que le père est violent et que, même s'il n'a pas encore frappé l'enfant, il serait capable de la tuer. La collection d'armes à feu que son ex-mari continue à développer l'inquiète beaucoup. Compte tenu du fait que la mère n'a aucune preuve pour appuyer ses soupçons, la petite doit quand même aller chez son père une semaine sur deux. Chaque fois, elle revient de chez lui perturbée et y retourne avec effroi. Son angoisse, qui semble s'accentuer à chaque visite, est rendue à un point tel qu'elle a de la difficulté à dormir ainsi qu'à se concentrer en classe et qu'elle développe de multiples problèmes psychosomatiques. Dans l'exemple ci-dessous, la thérapeute est seule en entrevue avec l'enfant et elle tente de découvrir si les faits présentés par la mère sont réels ou amplifiés.

Julie :
Papa est un peu spécial. Il ne peut pas faire deux choses en même temps.

Thérapeute :
Que veux-tu dire par là ?

Julie :

Par exemple, quand j'arrive de l'école, il ne peut pas me parler parce qu'il dit qu'il doit cuisiner. Quand on est à table, il ne veut pas me parler non plus parce qu'il dit qu'il mange. Et après, c'est la même chose quand on nettoie la table.

Thérapeute :

Regarde, Julie. Disons que cette feuille représente ton sentiment quand tu es avec ton père. (Froisse légèrement un coin de la feuille.) Est-ce que c'est un peu comme cela que tu te sens lorsque tu vas chez lui ?

Julie :

Oh non ! quand je vais chez lui, c'est comme ça que je me sens. (Julie prend la feuille des mains de la thérapeute et la chiffonne complètement.) Et quand je reviens chez maman, je n'ai pas le temps de me défroisser que je dois déjà retourner chez papa (l'enfant est manifestement apeurée).

———————

Cet exemple démontre clairement à quel point un simple morceau de papier peut permettre de clarifier l'état d'une relation.

■.■ Pâte à modeler

La pâte à modeler peut être mélangée, démêlée, remodelée. Elle possède aussi une texture collante et agglutinante, tout comme certains de nos souvenirs. Elle s'avère donc très appropriée pour illustrer le processus thérapeutique.

EXEMPLE 1

| Ceux qui veulent tout régler en une seule rencontre, malgré de graves problèmes |

Gérard a 62 ans et a connu un passé lourd et douloureux. Malgré son existence insatisfaisante en général, il se présente en thérapie avec, comme motif de consultation, le désir d'être aidé pour régler la situation avec sa femme. Selon les dires du client, elle s'oppose à la plupart de ses projets, crie après lui toute la journée, l'humilie et l'accuse pour des broutilles dès qu'elle en a l'occasion. De son côté, le client subit silencieusement. Par ailleurs, il offre des résistances concernant l'exploration de son passé et en livre le contenu au compte-gouttes. Malgré tout, le thérapeute arrive à glaner suffisamment d'information pour mettre en évidence la nécessité d'élargir le contrat d'intervention.

Thérapeute :
Gérard, voici ma lecture de votre situation. (Le thérapeute sort différentes couleurs de pâte à modeler et s'exprime avec douceur.) Vous avez été placé dans un orphelinat à l'âge de sept ans, tandis que vos frères et sœurs sont demeurés à la maison. Est-ce que le sentiment que vous avez éprouvé à cette époque est similaire à celui que vous me décrivez aujourd'hui avec votre épouse ? Est-ce cette même impression de rejet, de n'être ni écouté ni respecté dans vos besoins et dans vos valeurs ? (Le client fait un hochement de la tête, mi-d'accord, mi-neutre, alors que le thérapeute s'empare d'une boule de pâte à modeler pour représenter cet événement.) Et quand l'accident où vous avez perdu un oeil est survenu et que tous les petits gars et les petites filles de votre âge se moquaient de vous, diriez-vous que vous aviez un peu l'impression que ce même sentiment vous poursuivait ? (Par la réaction émotive du client, bien que très discrète, le thérapeute voit qu'il a touché quelque chose. Il ajoute alors une autre couleur de pâte à modeler qu'il mélange à la précédente.) Lorsqu'on vous a renvoyé du boulot malgré tous les efforts accomplis et toutes les heures supplémentaires travaillées, n'avez-vous pas eu de nouveau ce même sentiment de n'être jamais compris, jamais reconnu ? (Le client est visiblement ému. Le thérapeute ajoute alors une troisième boule de pâte à modeler aux deux autres.)

Vous savez, Gérard, je crois qu'il y a eu ainsi plusieurs événements de votre vie qui ont contribué à alourdir votre quotidien parce que vous n'avez jamais reçu d'aide adéquate pour les liquider. (Le thérapeute ajoute en même temps de nouvelles couleurs à l'amas de pâte à modeler déjà agglutiné, de manière à former une grosse boule multicolore.) L'insatisfaction vis-à-vis de votre femme ne représente probablement qu'un petit morceau de cet ensemble. (Une fois de plus, le thérapeute ajoute un morceau de pâte à modeler à la grosse boule finale, tout en restant attentif aux réactions du client.) On pourrait travailler exclusivement sur les problèmes conjugaux que vous me signalez. (Le thérapeute enlève la dernière petite partie qu'il venait d'ajouter et conserve le reste dans sa main.) Mais, je dois vous dire que je ne crois pas que cela vous apportera la libération que vous souhaitez. Qu'en pensez-vous ?

Gérard :

(Camoufle maladroitement ses larmes.) C'est du passé tout cela. On ne peut rien y faire !

Thérapeute :

Je ne suis pas d'accord. On peut aider le gamin de sept-dix ans à mieux comprendre ce qui lui est arrivé, parce qu'il n'a pas vraiment eu de parents pour le lui expliquer.

Gérard :

(Sanglote.)

Thérapeute :

Ce gamin a cru qu'il valait mieux se taire et foncer. Il a été vraiment courageux. Mais je crois qu'il aurait moins souffert s'il avait eu des armes pour ne pas se laisser rejeter de façon aussi cavalière. Voulez-vous continuer avec les méthodes de ce petit garçon de sept ans ou souhaitez-vous en apprendre de plus efficaces ?

Le reflet multisensoriel, exprimé par le thérapeute à l'aide de la pâte à modeler, amène une compréhension beaucoup plus rapide des données du problème de la part du client et favorise l'établissement d'une relation de confiance.

EXEMPLE 2
| **Explication du processus thérapeutique** |

Le thérapeute reçoit un adolescent qui se dit très troublé. Il ne sait plus ce qu'il veut faire de sa vie, il ne comprend pas ses changements d'humeur et il se sent inauthentique avec les gens qu'il côtoie. Une partie de l'origine du problème semble liée au fait qu'il est très influencé par tous ceux qui l'entourent. Il cherche à correspondre à ce que chacun attend de lui.

Thérapeute :

(Prend une boule de pâte à modeler.) Essayons de comprendre d'où vient ton malaise. Disons que cette boule jaune représente ta couleur, ton identité, tes idées, tes opinions. (Le client hoche la tête et se montre intéressé par cette expérience « spéciale ».) Maintenant, disons que cette boule verte représente ta mère, ses idées, ses opinions. Elle exerce une influence sur toi, n'est-ce pas ? (Le thérapeute mélange les deux couleurs.) Cette fois, ce sont les caractéristiques de ton père qui se mêlent aux tiennes. (Il ajoute une nouvelle couleur aux deux précédentes.) Puis, il y a les amis qui veulent que tu sois un peu plus comme ceci ou comme cela. (Il continue à mélanger un tas de couleurs à la couleur initiale, en reprenant les consignes de ses amis, de sorte que le jaune disparaît peu à peu.) Tu sais, quand je regarde cette boule, cela ne m'étonne plus que tu sois tellement désorienté. On ne t'y voit presque plus ! Qu'en penses-tu ?

(Compte tenu qu'en général, les adolescents sont très empressés d'avoir des résultats, le thérapeute peut remettre le tout au client pour l'amener à réfléchir sur le temps nécessaire au traitement.)

Thérapeute :

Maintenant, je te donne le reste de la rencontre pour démêler les couleurs de cette boule et en extraire le jaune !

Client :

(Manifestement décontenancé.) Je n'y arriverai jamais !

Thérapeute :

Effectivement, je ne crois pas que ce soit réaliste. Je voulais seulement te faire réaliser qu'il est possible de t'aider à te retrouver, mais il faudra un peu plus de temps que ce que tu prévoyais pour distinguer ce qui t'appartient de ce qui ne t'appartient pas et aussi pour apprendre à respecter ce que tu es, tes besoins, tes idées, etc. Te sens-tu prêt pour cette démarche ?

Le côté concret de l'exercice permet à l'adolescent de comprendre le but et le déroulement de la thérapie. Le thérapeute pourra aussi se référer à la pâte à modeler pour remettre constamment le client sur la bonne piste.

EXEMPLE 3

| Pour le deuil |

L'exemple suivant s'applique à un père de famille qui vit un deuil chronique à la suite du décès de son fils âgé de dix-sept ans. Ce dernier s'est suicidé par pendaison dans le sous-sol de la résidence familiale, six mois avant l'entrevue. Le père n'est toujours pas retourné au travail à cause de ses symptômes qui sont trop aigus. Chaque nuit, il se réveille en état d'hyper-ventilation, croyant entendre la voix de son fils. Il a complètement cessé d'investir dans ses relations avec son entourage, allant de ce fait jusqu'à menacer son couple. Tout dans sa posture trahit son incommensurable langueur.

Bernard :

Je ne sais pas ce que je fais ici ! (Silence.) Mon fils est mort et, de toute façon, il n'y a personne qui puisse me le rendre. (Silence.) Il est trop tard. (Totalement abattu.)

Thérapeute :

(Doucement et avec empathie.) Bernard, laissez-moi vous montrer ce qu'il est possible de faire ensemble. Voyez-vous cette grosse boule de pâte à modeler ? (Le thérapeute la dépose dans les mains du client.) Disons qu'elle représente le poids qui vous oppresse depuis que votre fils est décédé. Je veux vraiment que vous y mettiez tout le poids que vous ressentez depuis le suicide de votre garçon.

Maintenant, il y a une partie de ce poids (le thérapeute enlève une petite partie de la pâte à modeler à la grosse boule et la place sur le bureau) qui représente la culpabilité que vous ressentez quand vous vous dites : « J'aurais dû le savoir, j'aurais dû être là ». On peut vous aider pour cette partie. Il y a un autre morceau qui correspond à votre colère envers votre ex-femme parce qu'elle a refusé de recevoir votre fils cette fameuse fin de semaine. (Le thérapeute soutire en même temps un autre morceau de la boule et le place sur le bureau. Chaque fois qu'il enlève un fragment de la boule, le client ressent en même temps un soulagement, un allégement.) Une autre partie de cette boule provient de... (Le thérapeute poursuit en décomposant chaque élément impliqué dans le deuil, tout en réduisant parallèlement la grosseur de la boule

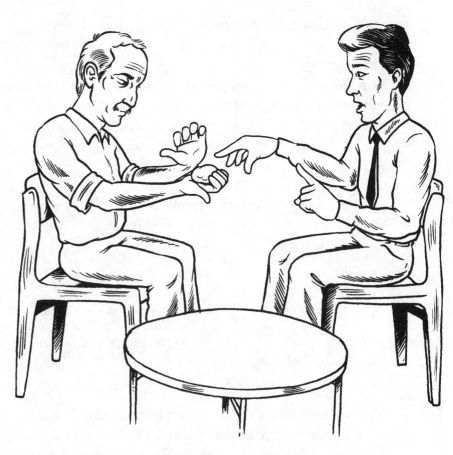

jusqu'à ce qu'il ne reste plus qu'une infime portion de la boule initiale dans le creux de la main du client.) Et vous avez raison, il y a effectivement une partie que personne ne pourra jamais vous enlever (il referme la main du client emprisonnant ainsi la petite partie de pâte à modeler qui lui restait). Cette partie représente les souvenirs que vous avez de votre fils, l'amour que vous avez pour lui, les projets que vous aviez avec lui. Personne ne pourra jamais vous enlever cela. Mais, cela ne vous empêchera ni de travailler, ni de dormir, ni d'aimer votre femme actuelle. (Le client pleure à chaudes larmes, se sentant rejoint dans son vécu. Le thérapeute lui laisse le temps nécessaire pour reprendre son calme.) Voulez-vous que l'on vous aide à vous libérer de ces autres parties, Bernard ? (Pointant les autres boules sur le bureau.)

Cette technique peut être utilisée pour intervenir en tout genre de deuil (deuil d'un emploi, d'une relation amoureuse, etc.). Selon la problématique concernée, le thérapeute peut aussi choisir de demander au client d'identifier lui-même les composantes contenues dans la boule, leur couleur et même leur grosseur.

EXEMPLE 4

| Pour engager davantage le client dans le processus thérapeutique |

La cliente arrive pour son quatrième rendez-vous. Les trois premières rencontres avaient été similaires. Elle parlait de ses problèmes d'une manière indifférente et ne semblait pas déterminée à vouloir les régler.

Thérapeute :
Sonia, je pense qu'il serait utile que nous prenions quelques minutes pour faire un bilan de ce qui s'est passé durant nos dernières rencontres. Voyez-vous cette grosse boule de pâte à modeler ? Admettons qu'il s'agisse de l'ensemble des problèmes dont vous souhaitez discuter avec moi. Prenez-la. La première semaine, vous m'avez parlé de votre père (le thérapeute demande à la cliente de prendre une partie de la pâte à modeler et de la lui remettre). La semaine suivante, vous m'avez parlé de votre travail (encore une fois, il lui demande d'en retirer une partie et de la lui donner). La semaine dernière, vous m'avez confié vos frustrations concernant votre excès de poids (de nouveau, il lui demande d'en extraire une partie et de la lui confier). Que remarquez-vous ?

Sonia :
Je remarque que la majorité des morceaux que je tenais dans mes mains sont maintenant dans les vôtres.

Thérapeute :

Oui, c'est bien cela. Mais dites-moi, vous sentez-vous mieux qu'au moment de notre première rencontre ?

Sonia :

(Sur un ton un peu embarrassé.) Non, pas vraiment !

Thérapeute :

Pourriez-vous m'en expliquer la cause ?

Sonia :

Euh !... Je pense deviner ce que vous essayez de me transmettre. Je devrais garder les morceaux entre mes mains.

Thérapeute :

En effet. Je peux vous aider en vous donnant des outils pour que vous fassiez des changements dans votre vie, mais je ne peux pas les accomplir à votre place. En d'autres termes, il est nécessaire que vous repreniez chacun de ces morceaux, un à la fois, et que nous nous concentrions ensemble sur chacun de ces problèmes de façon à les régler définitivement. (Le thérapeute lui a redonné tous les morceaux qu'il tenait.) Je crois que vous commencerez à vous sentir mieux à partir du moment où vous travaillerez concrètement pour régler les problèmes qui vous préoccupent. Comprenez-vous ?

Sonia :

Oui. Cela m'aide effectivement à mieux réaliser ce que j'ai fait jusqu'à présent et ce qu'il me reste à faire. Vous savez, en y pensant bien, j'ai l'impression que j'ai aussi tendance à répéter ces comportements avec ma famille et mes amis !

■.■·| Cassette audio

Plus on se conforme aux réalités d'ordre psychologique qui ont été décrites antérieurement et qui servent de fondement aux Techniques d'Impact, plus l'on cherche à être concret, à utiliser des éléments tangibles, visuels, pour mieux rejoindre le client dans son mode d'apprentissage et de transformation, et plus on devient réceptif aux outils que le client nous fournit. Par exemple, quel thérapeute n'a pas entendu un client parler du « *tape* », ou dire « j'étais assis avec eux, et là, la cassette est repartie encore une fois ! » ? Mais combien d'entre nous ont eu l'idée de sortir cette fameuse cassette pour maintenir l'attention du client sur le thème abordé et lui permettre d'approfondir davantage sa réflexion ? Les clients nous indiquent souvent les images qui les rejoignent et les objets à exploiter pour entrer dans leur univers privé ; à nous d'être à l'affût de ces indices !

| La fameuse cassette de notre enfance |

La technique de la « fameuse cassette de notre enfance » sera probablement utile à la majorité de vos clients puisque, très souvent, la source de leurs problèmes provient justement de leurs perceptions d'enfant. Il s'agit d'une technique simple, mais qui a prouvé son efficacité plus d'une fois.

Dans le cas suivant, la cliente manifeste un vif mécontentement dès son arrivée. Un événement semble l'avoir perturbée.

———————

Louise :
Ouais ! Je suis allée à un meeting AA hier soir (avec un air mi-furieux, mi-déçu).

Thérapeute :
Tu n'as pas l'air très enchanté de ta soirée ! Comment s'est-elle passée ?

Louise :
Il y avait un gars près de la porte. D'habitude, on se serre la main ou au moins on se salue. Mais hier, il ne m'a même pas regardée ! Alors là, la cassette est encore repartie ! Je n'ai pas été capable de m'en débarrasser. J'ai complètement perdu mon temps.

Thérapeute :
Que disait cette cassette ?

Louise :
Ah ! toujours les mêmes rengaines : « Personne ne veut de toi, tu n'es qu'une bonne à rien, tu ne feras jamais rien de ta vie ! »

Thérapeute :
(Sort une cassette usagée.) Tiens, Louise, regarde ta fameuse cassette. Elle porte les dates suivantes : de 1961 (soit l'année de la naissance de Louise) à 1998. (La thérapeute écrit ces deux dates ainsi que le prénom de la cliente sur la cassette.) Tu l'as écoutée durant toute ta vie. Maintenant, quelle note obtiens-tu sur une échelle de 0 à 10 quant à ton degré de satisfaction ?

Louise :
Oh ! un 2 tout au plus !

Thérapeute :
Très bien, alors mettons 2/10. (Il inscrit ce résultat dans le coin supérieur droit de la cassette.) Cela signifie que cette cassette contient huit dixièmes de faussetés. (Il marque 8/10 dans le

coin supérieur gauche. Il est à noter que cette intervention, préalablement expliquée à la cliente, s'insère dans le cadre de la Théorie Émotivorationnelle.) Maintenant, Louise, quels seraient les mots que tu emploierais pour qualifier cette partie de ta vie ?

Louise :

(D'un air concentré.) Isolement... échec... peur... alcoolisme.

Thérapeute :

(Le thérapeute écrit ces mots sur la cassette.) Dis-moi une autre chose, Louise. Qui est l'auteur de cet enregistrement ?

Louise :

(Toujours en grande réflexion.) Je dirais que certaines de ces paroles viennent de mes parents, d'autres, de jeunes qui venaient à l'école avec moi. Probablement que certaines sont de moi-même.

Thérapeute :

De toi-même, à quel âge ?

Louise :

Oh ! probablement très jeune. Six ou sept ans !

Thérapeute :

Louise, j'aimerais que tu me donnes un chiffre pour représenter l'équilibre psychologique de tes parents. Attention ! Je ne te demande pas de me dire s'ils étaient gentils ou non, s'ils étaient travailleurs ou non, ou si ta mère faisait de la bonne cuisine ou non. Je veux savoir comment tu les évaluerais par rapport au fait de se respecter et de respecter les autres. Étaient-ils épanouis et équilibrés ? Étaient-ils à l'aise avec leurs propres problèmes et leur propre enfance ? Comprends-tu ?

Louise :

Ah, mon Dieu ! Je dirais qu'ils étaient tous les deux à peu près à 2.

Thérapeute :

Pourquoi dis-tu 2 ?

Louise :

Les deux étaient alcooliques. Ils s'entre-détruisaient et étaient très violents. Pas avec nous, mais entre eux, ça chauffait ! J'ai été placée à plusieurs reprises. Maman a tenté de se suicider plus d'une fois. Mon père ne parlait pas, il buvait.

Thérapeute :

Disons donc un généreux 2 ! Maintenant, dis-moi : si la santé mentale de tes parents valait un 2, pourquoi accordes-tu une valeur de 10 à ce qu'ils t'ont dit ? Pourquoi gardes-tu sur ta cassette, comme s'ils étaient véridiques, les messages qu'ils ont pu te communiquer ? Penses-tu qu'ils soient valables ?

Louise :

(Plutôt ébranlée par cette question.) Je ne sais pas. Je n'ai jamais pensé à cela !

Thérapeute :

Quant aux remarques de tes petits amis de l'école ou aux réflexions que tu as pu faire sur toi-même ou sur ton avenir alors que tu étais toute petite, crois-tu qu'ils sont valides à 10/10 ?

Louise :

(De nouveau chamboulée par ce raisonnement.)

Thérapeute :

Chaque fois que tu écoutes ces messages et que tu les tiens pour acquis, c'est une enfant de six ou sept ans ou l'un de tes parents qui mène ta vie et non toi, la femme de 34 ans. Tu vois, Louise, je pense qu'il est grand temps que tu fasses un grand ménage dans les données qui sont sur ta cassette. Ici, par exemple (elle sort une partie du ruban de la cassette), le message est : « Tu ne feras jamais rien de ta vie ! » Ne provient-il pas de ton père ? (La cliente fait signe que oui.) Et que me répondrait-il si je lui demandais : « Pourquoi, monsieur, croyez-vous que votre fille ne fera jamais rien de sa vie ? »

Louise :

(Toujours concentrée sur la cassette reliée à son histoire personnelle.) Il disait cela quand il était soûl et en colère parce que je refusais d'aller au dépanneur lui chercher d'autres bières.

Thérapeute :

Alors, je pense qu'il serait temps de te débarrasser de cette partie du ruban. Qu'en dis-tu Louise ? (À la suite de l'approbation de la cliente, la thérapeute coupe une certaine partie de la bande magnétique et la jette à la poubelle. Elle aurait pu aussi la remettre sur une chaise qui aurait représenté le père.)

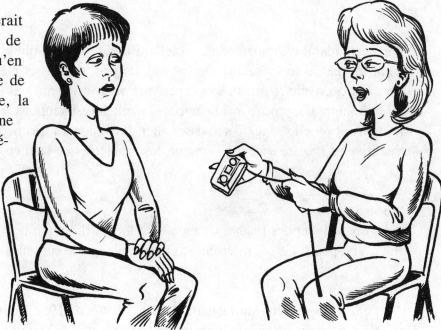

Le thérapeute poursuivra la rencontre de manière à retrouver l'information emmagasinée sur le ruban, à l'analyser et à la contester. Certaines sections peuvent être modifiées alors que d'autres devront être complètement rayées. Il est également possible de confier comme devoir une partie de cette démarche au client pour qu'il l'exécute au cours de la semaine.

Plusieurs variantes pourront être ajoutées, entre autres, celle de demander au client de mettre la cassette sur son oreille, de l'écouter et de dire comment il se sent. Cet exercice réveille généralement une foule d'indications kinesthésiques significatives. Le thérapeute peut faire la même chose avec la nouvelle cassette (qui ne contiendra que des données véridiques) et utiliser ces réactions physiques comme élément de renforcement du changement.

■.■| Cassette vidéo

Chez certains clients, la source de leur insatisfaction ne provient pas des paroles et des messages qui surgissent dans leur tête, mais plutôt des comportements qui semblent se manifester de façon tout à fait automatique dans certaines situations. Dans ce cas, il est plus utile de recourir à une vidéocassette.

E X E M P L E   1

| Souvenirs douloureux persistants |

Ginette se plaint d'insatisfaction sexuelle. En fait, il s'agit plutôt d'abstinence sexuelle. Elle se dit incapable de sensualité, de volupté, de jeux sexuels et même de plaisirs sexuels. Les mots qui décrivent le mieux son expérience sont « raideur » et « dégoût ». Elle se fige dès qu'un homme l'approche, même avec les meilleures intentions, et elle se dégoûte elle-même au moment où elle songe à se laisser aller. Il est apparu très nettement que des expériences répétitives d'inceste étaient à l'origine des problèmes de la cliente.

Ginette :
Je revois souvent des images de mon père lorsqu'il voulait que je le masturbe et que j'embrasse son pénis. Ce qui m'écœure le plus, c'est que je suis sûre que parfois cela m'excitait.

Thérapeute :
(Sort une vidéocassette sur laquelle il écrit Ginette, de 1958 à 1968, soit les années d'inceste qu'elle a connues.) Regarde, Ginette, je voudrais que tu imagines que cette cassette contient

tous les épisodes reliés aux rapports sexuels que tu as connus avec ton père. (Il lui laisse une ou deux minutes pour lui permettre d'effectuer le transfert de son passé à la cassette.) Même si généralement tout se passait en silence, pourrais-tu me donner quelques mots clés pour me signifier ce que cette cassette évoque pour toi, un sous-titre qui résumerait la cassette ?

Ginette :
(La cliente se retrouve dans une sorte de transe durant laquelle elle revoit des images de son passé. Elle tremble légèrement.) Je dirais culpabilité... putain... cochonne... responsable... dégoût... responsable.

Thérapeute :
Je pense qu'il est temps de changer ces sous-titres pour améliorer le vidéo et pour le rendre plus véridique, plus réel. (Tout doucement.) Moi, je mettrais : « Victime », « peur », « peine », « révolte », « solitude », « incompréhension » et « plaisir », mais un plaisir forcé par l'adaptation à une situation où tu étais impuissante.

Ginette :
(Émue.)

Thérapeute :
À ton avis, lequel de ces deux groupes de sous-titres correspond le plus à la réalité ?

Ginette :
(Contrôle difficilement sa peine.) La seule fois où j'ai essayé d'en parler à maman, elle m'a dit que c'était de ma faute. Elle me disait : « Tu as juste à t'arranger pour ne pas être dans ses pattes. »

Thérapeute :
(Sur un ton empathique.) Ginette, je pense que ta mère ne savait pas vraiment quoi faire. Mais, si elle avait eu des moyens pour agir, elle t'aurait certainement serrée dans ses bras et elle t'aurait dit : (s'adresse à une petite chaise comme si la jeune Ginette s'y trouvait) « Ma fille, je suis heureuse que tu te confies à moi. Je suis désolée pour ce qui est arrivé avec ton père et je vais m'occuper de régler cela. C'est une question que maman doit régler avec papa, entre adultes. Je ne veux pas, tu entends, je ne veux jamais que tu te sentes responsable de ce qui est arrivé entre toi et ton père. Ce n'est pas de ta faute. Tu n'as rien à voir là-dedans et je vais m'assurer que ça ne se reproduise plus jamais. Promets-moi de toujours te confier à moi si jamais quelqu'un essaie encore de te faire du mal. Promis ? Et n'oublie pas que je serai toujours là pour t'écouter. »

Ginette :
(En larmes.)

Thérapeute :
(Elle laisse à Ginette tout le temps voulu pour se calmer.) Crois-tu qu'effectivement, si elle avait pu, c'est ce qu'elle t'aurait dit ?

Ginette :

(Fait signe que oui de la tête, affiche à la fois des larmes et un sourire. Elle marque une pause, puis reprend.) Je me sens mieux.

Thérapeute :

Il est important que tu te débarrasses de l'ancienne version vidéo. (Ginette sourit tout en essuyant ses larmes.) N'est-ce pas suffisamment honnête de ne vouloir croire que la vérité, Ginette ? Même s'il ne se dit pas grand-chose sur cette cassette, la petite Ginette a établi plusieurs équations. (Elle écrit les équations ci-dessous sur la cassette de Ginette.)

$$sexualité = mauvais$$
$$sexualité = culpabilité$$
$$sensualité = putain$$
$$pénis = dégueulasse$$
$$homme = agresseur$$

Est-ce qu'il y a des ressemblances avec cela ?

Ginette :

(Après un court silence.) C'est tout à fait cela !

Thérapeute :

Je crois qu'il est temps que l'on redonne cette cassette à la petite Ginette. Mais peut-être serait-il préférable d'y faire quelques corrections au préalable. (Elle raye les équations sur la cassette et la pose sur la petite chaise qui désigne la cliente lorsqu'elle était jeune.) Crois-tu que la petite Ginette puisse remplacer ces équations par ce que sa mère aurait dû lui dire ?

Ginette :

Je crois que oui.

Thérapeute :

Je suppose que tu auras probablement à le lui répéter quelques fois. (Fait ici allusion à la dissociation entre l'enfant et l'adulte.)

Ginette :

(Manifeste son accord en essuyant ses larmes.)

Thérapeute :

(Remet une cassette vidéo vierge à la cliente.) Cette cassette date de l'année en cours. Ce sera la cassette de ta vie sexuelle pour les vingt prochaines années. Que dirais-tu de titres tels que :

sexualité	=	besoin sain et naturel
sensualité	=	épanouissement, plaisir
pénis	=	organe géniteur
homme	=	être vivant

(Elle peut aussi juger plus efficace de laisser sa cliente décider des nouveaux titres à inscrire sur la cassette.)

Ginette :
(Un peu incrédule devant cette nouvelle appréciation de sa vie sexuelle.) Cela me fait un peu peur... je ne sais pas si j'y arriverai. Mais, je me sens plus grande, plus forte. J'ai l'impression d'avoir trouvé une façon de reprendre un certain contrôle sur ma vie.

Thérapeute :
Tu auras vraisemblablement besoin de soutien. Il faudra aussi accepter que les premiers passages de ta nouvelle cassette ne représentent pas exactement l'apogée de ton épanouissement sexuel.

Ginette :
(Sourit, comme apaisée par ce dernier commentaire.)

———————

Le cas de cette cliente a été décrit très succinctement. Le travail qui reste à faire est encore très important. Néanmoins, ce bref exemple vous amène à découvrir différentes options qui peuvent être intégrées à cette technique de la vidéocassette.

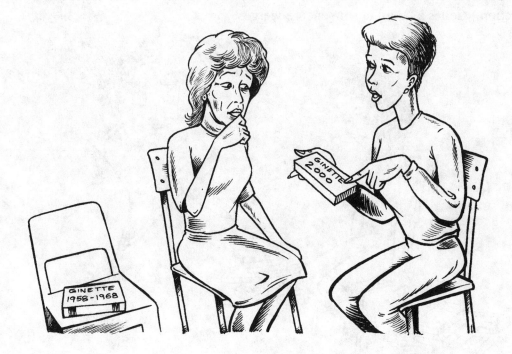

| Retour à l'essentiel |

L'insatisfaction de Renée serait plus justement nommée déception : déception personnelle de ne pas oser faire ce qui lui plaît, notamment de ne pas devenir choriste. Après un cours universitaire brillamment réussi dans ce domaine, elle a fait quelques démarches pour se trouver un emploi, mais a fini par y renoncer puisque rien de concret ne s'offrait à elle. Elle travaille à présent dans une école primaire où elle enseigne la musique. Malheureusement, elle s'en trouve peu satisfaite. Le renoncement à son rêve lui coûte très cher sur les plans de l'estime d'elle-même et de la satisfaction relative à sa vie en général.

Thérapeute :

(Place six cassettes vidéo à la gauche de la cliente et une dizaine à sa droite. Il lui en remet également une entre les mains. Psitt ! passez le mot à vos amis pour qu'ils vous gardent leurs vieilles cassettes !) Renée, les cassettes à ta gauche sont déjà enregistrées. Elles contiennent tes 32 années de vie. Elles ne peuvent être changées. Certaines sont sûrement acceptables, par contre, d'autres le sont peut-être moins. Quel chiffre me donnerais-tu, sur une échelle de 0 à 10, pour me résumer ta satisfaction envers ce que tu y as enregistré ?

Renée :

(S'efforce de faire un bilan honnête en revoyant un tas d'images dans sa tête.) Je dirais 3 !

Thérapeute :

Trois… (Laisse délibérément un moment de silence pour que la cliente s'imprègne de son insatisfaction.) Celles à ta droite sont encore vierges.

Tu pourras mettre ce que tu veux dessus, en commençant par celle que tu as entre les mains. C'est toi qui décides. Tu peux simplement faire une copie de celles de gauche sur celles de droite et tu te retrouveras avec un 3 dans 15 ans - lequel sera probablement réduit à 1, d'ici là ! Mais, c'est ton choix. (La cliente sent très bien son passé à sa gauche et tout ce qui lui reste à créer à sa droite. L'expérience lui apporte de nouvelles indications d'ordre kinesthésique tout en la plaçant au cœur de son problème et en l'incitant à l'action. Le thérapeute peut amplifier cette réaction en poursuivant de la manière suivante.) Mais, j'y pense, peut-être qu'il ne te reste que cinq cassettes à enregistrer. (Il s'empare des cassettes superflues à droite, les met dans un placard et referme la porte. La cliente réalise qu'il lui reste moins de temps que prévu pour atteindre ses objectifs.) Mais voyons, peut-être qu'il ne t'en reste que 3, va donc savoir. (Il répète la même action en ne laissant que deux cassettes à la droite de la cliente.) Alors, tu pourras mettre sur ces cassettes tout ce que tu souhaites, en faire un 2, un 5, ou un 10 quant à ton degré de satisfaction. Et s'il ne t'en restait plus qu'une ? (Une fois de plus il retire les cassettes à la droite de la cliente et ne lui laisse que celle qu'elle tient entre ses mains.) Qu'est-ce que tu pourrais y mettre, Renée, pour en faire un 10 ? (Silence.) Si j'étais à ta place, je ne prendrais pas de chance ; il ne t'en reste peut-être que la moitié d'une !

EXEMPLE 3

| Oui aux changements |

Dans un groupe de jeunes toxicomanes, le thérapeute a recours aux cassettes vidéo pour permettre aux participants de mieux cerner le thème discuté.

Leader :

(Place une cassette vidéo usagée sur une chaise.) J'aimerais que vous imaginiez que cette cassette vidéo représente votre vie au cours de la dernière année (il est souvent plus efficace de donner des dates précises ; par exemple, si la rencontre se déroule le 15 août 2000, le thérapeute dirait que la cassette représente l'enregistrement de leur vie du 15 août 1999 au 15 août 2000). Je voudrais que vous réfléchissiez pendant quelques instants à un chiffre, sur une échelle de 0 à 10, que vous pourriez inscrire sur cette cassette et qui représenterait votre degré de satisfaction ou de bien-être au cours de cette année. (Cette question amène généralement les participants à passer en revue les images ou épisodes qui les ont le plus marqués au cours de la période mentionnée.) J'aimerais entendre le résultat de chacun.

1er Participant :

2 !

2e Participant :

3 !

Thérapeute :

(Fait le tour des participants pour entendre leur réponse. Si un membre n'est pas encore fixé, il le passe pour y revenir plus tard.) Maintenant, prenez quelques instants pour trouver des qualificatifs à ce vidéo. Est-ce un roman d'amour, un film d'action ou un échec monumental ? Comment le qualifieriez-vous ?

3ᵉ Participant :

(Après un certain temps de réflexion.) Je dirais « pas drôle et échec ».

4ᵉ Participant :

Pour moi, c'est un film plein d'aventures, mais pas drôle.

Thérapeute :

(Tente de recueillir les commentaires de tous les membres.) Maintenant, voici une cassette vierge ; ce sera la vôtre du 15 août 2000 au 15 août 2001. L'enregistrement va commencer dans quelques minutes. Vous êtes l'acteur principal, le metteur en scène, le scénariste et le réalisateur. Vous pouvez faire de cette nouvelle cassette un autre échec ou un succès ! Si votre dernière cassette ne vous plaît pas, que devriez-vous mettre sur celle-ci pour que vous en soyez satisfait ? (Une autre façon de formuler la question est : « Si la cassette précédente a donné un 2, que devriez-vous changer sur la prochaine pour qu'elle atteigne une évaluation de 10 ? »)

2ᵉ Participant :

(Songeur.) Il faudrait vraiment que, d'abord, j'arrête de consommer de la drogue et qu'ensuite, je sois persistant dans mon abstinence.

Thérapeute :

Comment pourrais-tu faire cela ? (Le thérapeute peut poser la même question à l'ensemble du groupe.) Que devriez-vous encore changer ?

Il arrive de temps à autre que les réponses formulées résonnent un peu comme une ritournelle que le client s'est répétée des dizaines de fois dans sa vie : « Il faudrait que j'arrête de consommer de la drogue, il faudrait que je fasse ceci ou cela ». Une façon de confronter le client avec ses « promesses du jour de l'An » est de procéder de la façon suivante.

Thérapeute :

Dites-moi, mettrez-vous ces changements sur votre prochaine cassette (il pointe celle du 15 août 2000 au 15 août 2001) ou attendrez-vous de les inscrire sur celle du 15 août 2005 au 15 août 2006 ? (Il présente une nouvelle cassette aux clients.) Quand allez-vous réellement commencer ? (Silence.) Comment allez-vous vous y prendre ?

| Regarder la vérité en face |

L'exemple porte sur un groupe d'hommes pédophiles dont plusieurs avaient de la difficulté à admettre leur diagnostic. Ceux-ci se disaient plutôt des « initiateurs » et s'estimaient empreints de bonne volonté pour enseigner les rudiments de la sexualité à de jeunes enfants.

Thérapeute :

(Dépose une cassette sur une chaise.) Cette cassette renferme la vie d'un pédophile. Qu'y verrait-on si on la projetait sur un grand écran ?

1er Participant :

On verrait un gars en train de faire des attouchements sexuels à un enfant.

2e Participant :

(Il a de la difficulté à croire qu'il est lui-même pédophile.) Oui, mais il serait aussi agressif ou utiliserait des menaces pour le cerner.

3e Participant :

Pas nécessairement !

2e Participant :

Bien sûr que si. Un vrai pédophile use d'agressivité pour cerner le gosse !

4e Participant :

Moi, je ne pense pas. Il peut le manipuler de diverses façons en lui offrant des bonbons ou en employant d'autres procédés.

Thérapeute :

(Il est important qu'il oriente ses questions de manière à rejoindre la réalité des membres du groupe. Son objectif est de démontrer que les comportements des participants sont bel et bien de la pédophilie. Après avoir fait le tour, il sort une nouvelle cassette vidéo.) Cette cassette est la vôtre depuis les trois dernières années. Quelles différences y a-t-il entre celle-ci et celle-là ? (Il pointe d'abord la cassette représentative de la pédophilie, puis la leur.)

Si les questions ont été bien menées, les participants réfractaires seront obligés de reconnaître que leur diagnostic est véridique puisqu'ils ne peuvent établir de différence entre les deux vidéocassettes. Le même exercice peut être utilisé dans les cas d'alcoolisme, de toxicomanie, de violence ou autres.

| Distinguer l'enfant de l'adulte en soi-même |

Lorsque quelque chose ne va pas, Julie a l'habitude de se replier sur elle-même jusqu'à ce que la personne qui subit son retrait l'approche en s'excusant. Son conjoint, le principal persécuté, se plaint des bouderies de sa femme qui se prolongent parfois pendant deux ou trois semaines. L'entrevue décrite ci-dessous se déroule de façon individuelle.

Thérapeute :

Julie, imaginons que cette cassette vidéo contienne le vécu de votre enfance. (Il la dépose sur une petite chaise d'Enfant.) Dites-moi, lorsque Julie était enfant, qu'avait-elle l'habitude de faire lorsqu'elle vivait de la peine ou de la colère ?

Julie :

(Retrouve les souvenirs de son enfance.) Elle boudait.

Thérapeute :

Pourquoi boudait-elle ?

Julie :

(Surprise par cette question.) Je ne sais pas ! Je pense qu'elle était trop émotive pour réagir autrement. Elle avait peur d'éclater en sanglots devant les autres.

Thérapeute :

Dites-moi, Julie, est-ce que la stratégie de la petite Julie de se replier sur elle-même était efficace pour régler sa peine ou sa colère ?

Julie :

Non ! au contraire, je pense qu'elle se faisait encore plus de mal.

Thérapeute :

(Sort une nouvelle cassette qu'il dépose sur une chaise d'Adulte.) Cette cassette représente celle d'un Adulte, c'est-à-dire qu'on y retrouve des moyens empreints de maturité pour faire face aux problèmes. En vous y référant, voyez-vous de quelle façon l'Adulte règle un désaccord ou un problème interpersonnel ? Prenons, par exemple, l'incident qui est survenu la semaine dernière entre vous et votre mari concernant le fait qu'il a oublié votre anniversaire de mariage. Vous avez bien utilisé la première cassette pour faire face à cette situation, n'est-ce pas ? (Pointe celle de la petite Julie.) Qu'auriez-vous fait de différent si vous aviez utilisé les stratégies contenues sur la nouvelle ? (Montre celle de l'Adulte.)

Julie :

(Fixe la nouvelle cassette un bon moment.) Je ne sais pas trop !

Thérapeute :

Que pensez-vous de : « Chéri, je suis vraiment déçue et peinée que tu aies oublié notre anniversaire de mariage. Cette fête est tellement importante et significative pour moi. J'ai l'impression que la seule explication logique à cet oubli est que tu ne m'aimes pas assez et que nous deux, ce n'est pas important pour toi. »

Julie :

Non, ce n'est pas ça. J'ai l'impression qu'il l'a fait exprès pour me faire du mal parce que je lui ai dit au début de l'année (soit six mois plus tôt) que je voulais qu'il planifie lui-même une fête pour notre anniversaire de mariage. Et il avait accepté.

Thérapeute :

Très bien, alors l'Adulte lui dirait plutôt : « Chéri, je suis vraiment triste et déçue que tu aies négligé notre anniversaire de mariage. Tu m'avais promis d'organiser une fête lorsqu'on s'en était parlé au jour de l'An. Mon interprétation de ton comportement est que tu l'as fait intentionnellement, sachant que cela me peinerait beaucoup. Ai-je raison ? » Qu'en pensez-vous, Julie ? Croyez-vous que cette réaction aurait été plus adaptée ? (Il peut poursuivre le *modeling* Adulte en lui demandant de jouer le rôle du mari, jusqu'à ce que le conflit soit réglé de façon satisfaisante.)

Julie :

Oui, c'est sûr ! mais je n'ai jamais pensé à dire ça. Je me disais : « S'il m'aime, il va s'excuser ! »

Thérapeute :

(Sur un ton mature, non infantilisant.) C'est ce que cette petite fille croyait ! (Pointe la première cassette.) N'est-il pas temps de lui apprendre que, même si les autres nous aiment, cela ne signifie pas qu'ils devinent tout ce que nous vivons et désirons ? Pour parvenir à une meilleure compréhension, il faut s'exprimer clairement et ne pas craindre de répéter, répéter et répéter. Êtes-vous d'accord ? (La cliente acquiesce d'un air très sincère.) Que diriez-vous d'enseigner cela à Julie ? (Tend la deuxième cassette.)

Julie :

Ah oui ! ça m'intéresse !

| L'enfant agité |

Un peu comme dans l'exemple précédent, le thérapeute peut tirer profit de la cassette vidéo pour amener le client dans une position de spectateur ou de cothérapeute. Cette technique est particulièrement efficace avec les jeunes enfants qui sont agités à l'école.

———————

Thérapeute :
Jonathan, j'ai un jeu à te proposer. Veux-tu jouer avec moi ?

Jonathan (six ans) :
C'est quoi ?

Thérapeute :
Regarde, voici la cassette de Jonathan pour la semaine passée. On va essayer de voir quelle sorte de semaine il a eue. D'accord ? Comment ça s'est passé à l'école ?

Jonathan :
Il a joué avec ses amis.

Thérapeute :
Il aime beaucoup jouer, n'est-ce pas ? (Jonathan approuve d'un signe de la tête.) Est-ce que ses amis ont été gentils avec lui ?

Jonathan :
Pas toujours. Des fois, il y en a qui disent que je suis tannant.

Thérapeute :
C'est vrai ? Pourquoi disent-ils cela ?

Jonathan :
Parce que moi, je veux jouer avec eux, mais eux, ils veulent faire leurs devoirs.

(Il importe peu que le client oscille entre le « je » et le « il ». Par contre, le thérapeute essaie de maintenir la dissociation dans le vocabulaire qu'il utilise.)

Thérapeute :
Ah oui ! Et comment a été l'enseignante avec Jonathan sur cette cassette-là ?

Jonathan :

(Toujours concentré sur la cassette vidéo.) Elle était toujours sur mon dos et elle m'envoyait tout le temps en punition dans le coin.

Thérapeute :

Ah bon ? et pourquoi ?

Jonathan :

Elle dit toujours que je dérange les autres.

Thérapeute :

Ah ! et comment ont été le papa et la maman de Jonathan sur cette cassette ?

Jonathan :

Gentils.

Thérapeute :

Toujours ?

Jonathan :

Non ! il y a des fois qu'ils ne sont pas contents quand je me fais mettre en punition à l'école et... et ils me disputent eux aussi.

Thérapeute :

Dis-moi, est-ce que Jonathan pleure parfois sur cette cassette quand il est seul ?

Jonathan :

(D'un air un peu timide et hésitant.) Ouais.

Thérapeute :

Regarde, Jonathan, voici une nouvelle cassette. C'est encore celle de Jonathan, le même Jonathan qui a très envie de jouer avec ses amis, mais qui se dit : « Non, je vais attendre la récréation ou après l'école ! Ça va être difficile, mais je vais essayer de me forcer. » (Avec une mimique un peu théâtrale.) Est-ce que tu penses que ce Jonathan-ci se ferait traiter de tannant par ses amis ?

Jonathan :

(Vraiment concentré pour essayer d'imaginer cette nouvelle réalité.) Non.

Thérapeute :

Est-ce que ce Jonathan se ferait gronder par sa professeure ou est-ce qu'elle serait gentille avec lui ?

Jonathan :

(En grande réflexion.) Je pense qu'elle serait gentille !

Thérapeute :

Et crois-tu que le papa et le maman de Jonathan seraient contents ?

Jonathan :

(Avec un hochement de tête convaincu et convaincant.) Ah oui !

Thérapeute :

Penses-tu que ce Jonathan pleurerait quand il se retrouverait seul ?

Jonathan :

(Tente de visualiser.) Non !

(En somme, le thérapeute s'efforce de décrire le plus fidèlement possible la réalité de l'enfant, ses besoins et les moyens qu'il utilise pour les actualiser. Puis, il tente de faire reconnaître au jeune le coût de ses stratégies comparativement à celui d'astuces plus appropriées.)

Thérapeute :

(Prend les deux cassettes dans ses mains.) Avec laquelle veux-tu repartir cette semaine ?

Jonathan :

Celle-là ! (S'empresse de pointer la cassette du « gentil » Jonathan.)

Thérapeute :

Très bien. Regarde ce que l'on va faire. Je vais garder l'autre cassette. Comme ça, elle ne pourra pas te déranger. (Parfois, ce genre d'induction hypnotique à la Erickson donne de bons résultats. On ne perd rien à essayer !) Et toi, tu vas repartir avec la nouvelle. Ce sera un secret entre nous deux. Prends la cassette et mets-la dans ton sac d'école. En arrivant à ton pupitre, tu peux la poser sur ou dans ton bureau. Elle t'aidera à te rappeler ce que tu dois faire. D'accord ?

_____

L'idée du secret peut stimuler le jeune à se conformer aux comportements désirés. Le thérapeute pourra, par ailleurs, réutiliser la cassette pour faire un bilan de la semaine ou pour apporter des modifications au moment de la prochaine rencontre.

■.■'| Sparadrap

Le sparadrap permet de montrer au client qui évite délibérément de discuter des problèmes importants quelle est la distinction entre aborder un problème et le régler.

E X E M P L E
| Évitement |

_____

Thérapeute :

Marie, nous sommes maintenant à la fin de notre troisième rencontre. Vous sentez-vous mieux qu'au début ?

Marie :

(N'ose admettre la vérité.) J'imagine que cela doit prendre un certain temps avant de percevoir les effets.

Thérapeute :

Pas nécessairement. Je pense que cela dépend de l'importance des sujets dont on discute. Avez-vous l'impression d'avoir abordé des thèmes vraiment dominants pour vous depuis trois semaines ?

Marie :

(La cliente ne répond pas.)

Thérapeute :

Sur une échelle de 0 à 10, par exemple, 10 étant la chose la plus importante, combien donnez-vous aux discussions de nos trois dernières rencontres ?

Marie :

(L'air un peu timide.) 3-4.

Thérapeute :

(Sort un sparadrap.) Vous voyez, Marie, j'ai l'impression que vous recherchez un sparadrap pour régler le problème, une solution rapide. Malheureusement, tant que vous utiliserez cette stratégie, j'ai bien peur que vous ne soyez déçue parce que les résultats ne pourront pas être permanents. Nous devons réellement discuter de ce qui vous dérange véritablement, si vous voulez que je vous aide et si vous voulez commencer à vous sentir mieux.

Certains thérapeutes optent pour coller le sparadrap sur la main ou sur le bras du client pour explorer davantage la métaphore et lui laisser un souvenir physique. Une discussion productive sur l'attitude du client vis-à-vis de la thérapie peut s'ensuivre. La technique peut aussi être utilisée pour illustrer qu'il est utopique de croire qu'un moyen rapide peut définitivement solutionner un grave problème sans que cela n'entraîne de conséquences. C'est notamment le cas d'un client qui a tendance à bâcler un travail pour finir au plus tôt ou d'un parent qui donne tout à son enfant pour avoir la paix.

■.■ Filtre

Le filtre permet de faire réaliser aux clients l'importance de sélectionner l'information provenant de certaines personnes nuisibles à leur bien-être. N'importe quel type de filtre peut convenir. Habituellement, on se sert de ceux que l'on emploie pour préparer le café.

E X E M P L E
| Savoir filtrer l'information |

Brigitte, vétérinaire, est en arrêt de travail depuis un mois. L'attitude avilissante de son patron à son égard semble être à l'origine de son état dépressif. Pour une raison inconnue, il n'a pas cessé de la harceler, de l'humilier et de l'insulter depuis qu'elle a mis les pieds dans son établissement, soit cinq mois auparavant. Le filtre figure parmi les techniques que le thérapeute peut lui offrir.

Thérapeute :
Nous faisons aussi des expériences de laboratoire en psychologie ! Voilà, prenons ce verre. Chaque fois que l'on rencontre des gens qui sont bien dans leur peau, mentalement sains, et qu'ils nous font des remarques personnelles (ici symbolisées par l'eau que le thérapeute verse dans le verre), on peut prendre ces remarques et les avaler (il peut boire le contenu du verre). Généralement, on en ressort grandi, désaltéré et nourri. Malheureusement, il arrive aussi que l'on se trouve en présence de gens pas très corrects, frustrés, enragés, jaloux et malades. Leurs propos sont habituellement d'assez mauvais goût. (Le thérapeute reprend les commentaires du patron sur un ton agressif et ajoute parallèlement des ordures et des saletés dans le verre.) Vas-y, Brigitte, bois ça !

Brigitte :

Bien non, c'est dégoûtant !

Thérapeute :

Pourtant, c'est ce que tu as fait. Tu as avalé toutes les bêtises que ton patron a pu t'adresser. Et maintenant, tu viens me voir en me disant que tu as des problèmes de digestion, mais ça ne m'étonne pas ! Il faut filtrer l'information. (Il place le filtre sur un nouveau verre et y verse le contenu impur du premier. Évidemment, les saletés s'y retrouvent prisonnières tandis que le liquide propre coule dans le verre.) On garde ce qui vient des personnes saines et on intercepte, pour le rejeter, ce qui vient des personnes qui ont des problèmes. Cela ne nous concerne pas de toute façon.

La discussion peut se poursuivre sur les réactions soulevées par l'exercice ou pour aider la cliente à distinguer une personne bien intentionnée d'une autre qui ne l'est pas. Le thérapeute peut aussi lui remettre le filtre pour souligner son importance et pour l'encourager à utiliser cette technique dès la semaine suivante.

Par ailleurs, le filtre peut servir à décanter l'information indésirable provenant d'un état de l'ego. Il s'est avéré aussi d'une aide remarquable avec des enfants qui souffraient des commentaires négatifs de leurs camarades de classe. Il a également permis d'aider plusieurs individus aux prises avec un partenaire violent en paroles.

■.■ Bouteille de bière

La bouteille de bière peut avoir plusieurs fonctions. On peut, par exemple, la poser sur une chaise pour favoriser la projection du parent alcoolique ou encore placer une caisse de bières entre deux personnes pour illustrer la distance créée par l'alcool dans leur relation. Notez que la bouteille de bière standard peut aussi être remplacée par ces bouteilles de bière géantes en plastique que l'on trouve dans certains grands magasins (un autre investissement de 1,99 $!)

E X E M P L E   1
| La peur de l'autre |

Le thérapeute reçoit une famille dont l'équilibre est menacé par l'alcoolisme de la mère. Celle-ci ne semble pas comprendre en quoi sa consommation affecte le reste de la famille.

Thérapeute :

J'aimerais que vous formiez un cercle et que vous vous teniez tous par la main, de façon à vous sentir unis, solides et que tout le monde se soutienne. (Tous se donnent la main et le thérapeute s'assure qu'ils ressentent bien cette solidarité.) C'est un peu comme un circuit électrique. Le courant passe tant que tout le monde se tient la main. (Le thérapeute pose une bouteille de bière sur une chaise derrière la mère.) Maintenant, je vais vous demander, madame, de prendre la bouteille de bière.

Madame :

(Hésite, puis fidèle à ses habitudes, elle prend la bouteille.)

Thérapeute :

Que remarquez-vous ?

Madame :

(Voit qu'elle a dû lâcher la main de quelqu'un pour s'emparer de la bouteille de bière.) Je viens de couper le courant. Est-ce bien cela ?

Thérapeute :

Est-ce que vous le sentez ?

Madame :

Oui, maintenant je le sens.

Thérapeute :

Il me semble qu'il y a deux façons de remettre le courant. L'une est que vous lâchiez la bouteille pour redonner la main à Marie. L'autre est que les autres acceptent de vous oublier pour refermer le cercle entre eux.

Le thérapeute peut prendre le temps nécessaire pour expérimenter ces différentes possibilités. Il peut même demander à la mère d'essayer de retrouver sa place dans le cercle tout en tenant la bouteille, ce qui évidemment ne fonctionnera pas. Il y a lieu également d'inviter les autres membres de la famille à exprimer les réactions émotives et cognitives vécues au cours de l'exercice.

| L'alcool et le reste |

Il existe une variante à l'exemple précédent pour l'intervention individuelle. Dans ce cas, le thérapeute peut utiliser divers objets comme des livres, des porte-documents ou un pot de fleurs pour symboliser les objectifs du client ou de la cliente. Il identifie à l'aide d'un carnet d'autocollants ce que représente chacun des objets. Dans l'exemple ci-dessous, la cliente souhaite retourner aux études et avoir un ami de cœur stable. Jusqu'à présent, l'alcool a été le principal obstacle à l'atteinte des buts visés.

Thérapeute :

Ghislaine, je voudrais que vous teniez ces deux bouteilles de bière dans vos mains. Très bien. Maintenant, prenez ce livre qui représente le retour à l'école.

Ghislaine :

C'est difficile.

Thérapeute :

Effectivement, c'est une question de choix !

Ghislaine :

En réalité, je me promène d'une situation à l'autre. Je prends les bières, je les lâche, je saisis le livre, je retourne aux bières et ça n'en finit plus. J'ai bien l'impression que, tant que je ne lâcherai pas définitivement les bières, je ne pourrai pas réussir mon projet d'étude. Est-ce bien ce que vous essayez de me faire comprendre ?

Cette technique ne résout évidemment pas à elle seule le problème d'alcool de cette cliente. Mais, surtout avec ce genre de problématique, il est important d'avoir plusieurs outils dans notre coffre pour pouvoir constamment renchérir sur la nécessité de boycotter la consommation d'alcool. Plusieurs clients rapportent que cette technique leur reste en mémoire très longtemps. En somme, même si certains connaissent des faiblesses, ils conservent cette image qui agit comme élément de renforcement pour les pousser lentement mais sûrement vers l'abstinence.

| L'alcool divise ceux qui s'aiment |

La femme a accepté de donner une dernière chance à son mari avant de divorcer. Il boit depuis deux ans, c'est-à-dire depuis que leur fils est décédé dans un accident de motocyclette.

Madame :

(En larmes.) Je n'en peux plus. Je comprends qu'il ait de la peine et qu'il n'ait pas surmonté la mort de notre fils. Mais cela a été difficile pour moi aussi et ça l'est toujours. Je pense qu'il serait possible de s'entraider et de se construire une nouvelle vie à deux. Mais, Jacques ne pense qu'à une chose : boire. Moi, je ne veux plus vivre comme ça.

Monsieur :

(Ne dit rien, le regard un peu dans le vide.)

Thérapeute :

J'aimerais qu'on fasse un exercice ensemble. Je vais vous demander de vous lever. Comment s'appelait votre fils ?

Monsieur et madame :

Yves.

Thérapeute :

Admettons que je sois Yves. Lorsqu'il était là, vous formiez une belle famille unie, c'est bien cela. Était-ce un peu comme ceci ? (Il amène les clients à former un cercle de façon à ce qu'ils se tiennent la main et se sentent unis, complices.)

Madame :

Oui, on était tous les trois très proches. (Madame a de nouveau les larmes aux yeux en retrouvant la sensation d'antan. Son mari est également très ému malgré ses tentatives de camouflage.)

Thérapeute :

(Se retire du cercle.) À présent, comment cela se passe-t-il entre vous depuis le décès de votre fils ?

Madame :

Il n'est plus là. Je ne le sens tout simplement plus là. (En parlant de son mari.)

Thérapeute :

(Sort une caisse de bières.) Jacques, diriez-vous que, maintenant, plus rien n'existe sauf l'alcool ? (Bien qu'il soit resté muet à cette question, le thérapeute a compris qu'il acquiesçait à cette interprétation.) Pourriez-vous prendre cette caisse de bières entre vos mains ? (Le client se fait plutôt hésitant.) Je vous assure que cela vous aidera à mieux comprendre. (Il accepte et prend la caisse entre ses mains.) Maintenant, (le thérapeute s'adresse à madame) essayez de prendre votre mari dans vos bras.

Madame :

(Obéit, mais ne peut atteindre son mari à cause de la caisse de bières qui les sépare.) C'est exactement ça... (en larmes) et je suis tannée d'être toujours là à m'évertuer à le rejoindre. Je lui ai dit des milliers de fois que je l'aime, que j'ai besoin de lui et que, moi aussi, j'ai de la peine. Mais il ne veut rien comprendre.

Thérapeute :

(S'adresse maintenant au mari.) Jacques, pourriez-vous faire la même chose ? Est-ce que cet exercice vous permet de mieux saisir ce qui se passe ?

Monsieur :

(Il est manifestement ému mais il hésite à se défaire de la caisse, sa bouée de sauvetage.)

Thérapeute :

(Les époux sont toujours l'un près de l'autre, séparés par la caisse de bières.) Laissez-moi vous aider. (Il retire la caisse des mains du mari qui éclate en sanglots en étreignant sa femme.)

Les sentiments qui entourent la mise en scène de la réalité des individus sont souvent très puissants. L'aspect intéressant de l'utilisation d'objets pour concrétiser la situation des clients est que le thérapeute a directement accès à leur vécu et peut modifier leur réalité à l'aide des objets.

| « Avoir long de corde » |

Connaissez-vous l'expression « avoir long de corde » ? Dans le cas présent, cela signifie être très patient, être lent à se mettre en colère. Voici maintenant comment on peut relier cette locution à la bouteille de bière.

Thérapeute :

Jacques, vous cherchez la cause de vos sautes d'humeur et de votre irritabilité si fréquente. En somme, vous n'avez plus très long de corde. Est-ce cela ? L'expérience que j'ai à vous proposer peut éventuellement éclairer la question. (Il sait que les sérieux problèmes d'alcool du client expliquent son impatience. Il sort une corde d'environ vingt à vingt-cinq centimètres et une bouteille de bière vide.) Disons que la corde représente le temps que ça vous prend avant de vous mettre en colère. Est-il juste de dire que, lorsque vous arrêtez de consommer de l'alcool pendant deux ou trois mois, vous retrouvez à peu près une longueur de corde qui vous satisfait ?

Jacques :

(Réfléchit à la question.) Oui, je dois dire que c'est assez juste.

Thérapeute :

Regardez ce qui se passe lorsque vous consommez de l'alcool. (Le thérapeute insère la corde à l'intérieur de la bouteille jusqu'à ce qu'une toute petite partie seulement demeure visible. Ce geste illustre bien le phénomène de l'alcool qui gruge la corde du client.) N'est-ce pas un peu cela ?

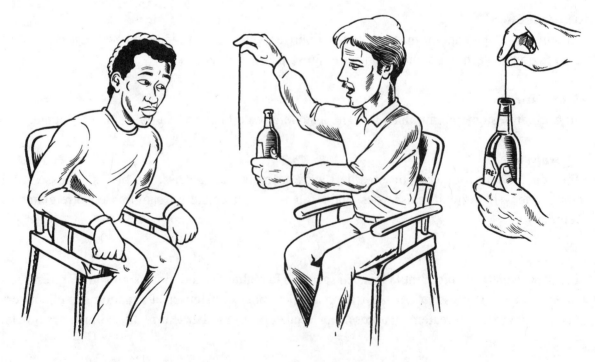

Jacques :
(Silencieux, enregistre cette image.)

Thérapeute :
J'ai bien peur que tant que vous continuerez à consommer de l'alcool, vous devrez aussi assumer la perte de la longueur de votre corde !

_____

Une discussion productive peut s'ensuivre autour de ces objets. Le thérapeute peut ensuite remettre la corde au client pour qu'il la garde dans ses poches ou dans son portefeuille afin qu'elle lui serve de rappel entre les rencontres.

■ ■ ▪ | Billet de 20 $

Le billet de 20 $ figure parmi les techniques les plus utilisées en Techniques d'Impact. Il permet réellement de produire un impact majeur et quasi permanent chez le client qui, comme tout le monde, manipule régulièrement des billets.

E X E M P L E   1
| L'estime de soi dans les cas d'inceste |

Plusieurs femmes ont le sentiment d'avoir perdu leur valeur personnelle à la suite d'expériences répétées d'inceste. Le fait de reproduire, à divers degrés, ce genre de situation dévalorisante dans leur vie adulte, vient en quelque sorte confirmer leur diagnostic. De plus, les mères de certaines de ces fillettes leur ont reproché d'avoir provoqué la situation, ce qui évidemment envenime leur sentiment de culpabilité.

_____

Thérapeute :
Tu sembles penser que tu ne vaux pas grand-chose, mais laisse-moi te proposer cet exercice. Dis-moi, combien vaut ce billet ?

Cliente :
20 $!

Thérapeute :

Tout à fait. Maintenant, regarde bien. (Il prend le billet de 20 $ et le froisse le plus possible, le jette par terre et le piétine à plusieurs reprises tout en répétant le soliloque destructeur de la cliente : « C'est de ta faute, tu as couru après, c'est ce que tu voulais. ») N'est-ce pas un peu comme ça que tu te sens depuis ton enfance ?

Cliente :

(Avec les larmes aux yeux.) Oui. Et c'est encore pareil aujourd'hui.

Thérapeute :

Et c'est pour cette raison que tu as l'impression de ne rien valoir.

Cliente :

(Plutôt émue, elle approuve de la tête.)

Thérapeute :

(Reprend le billet et le défroisse en le montrant à la cliente.) Mais, dis-moi, combien vaut-il maintenant ?

Cliente :

(Étonnée, mais avec un début d'espoir.)

Thérapeute :

Il vaut toujours 20 $, n'est-ce pas ?

Cliente :

Oui. Mais il est très froissé !

Thérapeute :

Et après ? Si je vais à l'épicerie avec ce billet, sa valeur sera de combien ? 5 $, 15 $, 20 $? (Pointe une petite chaise symbolisant la petite fille dont on a abusé.) Pendant tout ce temps, la petite fille a pensé qu'elle était responsable de ce qui lui arrivait et qu'elle ne valait rien puisque son papa se permettait de lui faire toutes ces choses. Sa maman disait que c'était de sa faute. Aujourd'hui, Hélène, regarde-la. (Son attention est toujours sur la petite chaise.) Penses-tu qu'elle voulait vraiment coucher avec son papa ?

Cliente :

(Pleure à chaudes larmes.) Non !

Thérapeute :

(D'une voix douce.) Est-elle hypocrite comme sa mère le prétend ? Réponds-moi franchement.

Cliente :

Pas du tout !

Thérapeute :

Crois-tu toujours qu'elle ne vaut rien ?

Cliente :

(Fait signe que non avec sa tête.)

―――――――

Une variante du billet de 20 $ est de prendre un papier sur lequel la cliente écrit son prénom en grosses lettres et ses caractéristiques positives. Ceci peut être fait durant la rencontre ou comme devoir pendant la semaine. Une fois la feuille complétée, le thérapeute procède de la même manière en lui demandant, une fois la page défroissée, s'il lui manque certaines caractéristiques ou si tout est encore intact. La cliente peut ensuite emporter la feuille chez elle et l'afficher de manière à la voir tous les jours.

E X E M P L E   2
| Pour cesser de se critiquer continuellement |

Un collègue de Sherbrooke m'a proposé un jour une autre utilisation du billet de 20 $. Il s'en sert avec des clients qui ont la mauvaise habitude de se critiquer eux-mêmes et de se diminuer continuellement. Le thérapeute associe la valeur du client à celle d'un billet de 20 $ et lui demande de le froisser pour illustrer son attitude de dénigrement vis-à-vis de lui-même. Il se sert aussi des mêmes billets pour évaluer le cheminement des clients entre les rencontres.

■ ▪ ▪ | Cordes

Un peu comme dans l'exemple 4 cité plus haut pour illustrer l'utilisation de la bouteille de bière, une courte corde représente une personne qui se met facilement et rapidement en colère alors qu'une longue corde symbolise une personne patiente qui garde la maîtrise d'elle-même devant les événements.

| Détruire un mythe célèbre |

Thérapeute :

Donc, si je comprends bien, vous explosez souvent de colère à l'endroit de votre femme, de vos enfants et de vos collègues.

Mario :

Je n'y peux rien. C'est plus fort que moi ! J'ai toujours été comme ça !

Thérapeute :

Ce n'est pas que ce soit plus fort que vous, c'est simplement un problème de longueur de corde.

Mario :

De quoi ?

Thérapeute :

Regardez. Actuellement vous n'avez pas beaucoup de mèche, c'est-à-dire qu'il vous en faut très peu pour vous mettre en colère (montre une corde d'environ cinq centimètres). Mais vous pouvez apprendre en thérapie à en développer une plus longue, un peu comme celle-ci, grâce à laquelle il vous en faudra beaucoup, beaucoup plus, avant que vous ne sortiez de vos gonds. (Tend entre ses mains une corde de quinze à vingt centimètres.)

Mario :

C'est vraiment ce qu'il me faut ! Est-ce que ça s'apprend ?

Thérapeute :

Bien sûr ! Pour l'instant, je vais mettre la courte corde sur cette petite chaise (le thérapeute la pose sur une chaise d'Enfant, pour symboliser un comportement acquis durant l'enfance et perpétué depuis ce temps) et la longue sur cette chaise d'Adulte. Comme cela nous pourrons continuer à nous y référer.

| Élève en difficulté |

De multiples applications de la corde viennent enrichir le processus d'aide en milieu scolaire.

___

Sabrina :

Je suis écœurée de l'école. Je coule toujours mes examens de maths. Je n'y comprends rien.

Thérapeute :

Sabrina, je crois que c'est une question de mèche. Regarde (il tient dans ses mains une courte corde). Cette mèche-ci représente une personne qui a de la difficulté avec ses mathématiques. Elle essaie un peu, encore un peu, puis laisse tomber. Celle-ci (il montre cette fois une corde beaucoup plus longue) représente aussi une personne qui a des problèmes avec ses mathématiques, mais qui est tenace. Elle essaie, essaie encore, continue, travaille plus fort, se fait aider, cherche toutes sortes de moyens pour arriver à ses fins. (Le thérapeute peut écrire une liste des solutions possibles au tableau.) À ton avis, laquelle des deux a le plus de chances de finir sa 5ᵉ secondaire ? (Il tient les deux cordes devant les yeux de la cliente.)

Sabrina :

(Pointe du doigt la longue mèche.)

Thérapeute :

Laquelle des deux a le plus de chances d'être bien dans sa peau ?

Sabrina :

Celle-là ! (Montre de nouveau la longue corde.)

Thérapeute :

À ton avis, laquelle des deux sera la mieux équipée pour faire face à la vie ? Parce que, tu sais, il ne s'agit pas seulement de réussir ses maths, il s'agit de persister ou de laisser tomber lorsque l'on rencontre une difficulté.

Sabrina :

Ouais ! c'est plein de bon sens !

Thérapeute :

Avec quelle mèche veux-tu repartir aujourd'hui ? (Le thérapeute remet réellement la bonne mèche à la cliente. Il peut parfois ajouter deux ou trois échantillons pour que la cliente en accroche quelques-uns dans son décor en guise de rappel. Le principe des mèches s'avère aussi une ressource pour les parents d'adolescents.)

___

■.■ Casse-tête

À la limite, n'importe quel type de casse-tête peut être utilisé. Habituellement, les casse-tête en bois pour les enfants sont les plus prisés, en raison de leur résistance.

EXEMPLE 1

| Casse-tête aux pièces manquantes |

Une femme dans la quarantaine se présente en thérapie au bord de la crise de nerfs, ayant très peu dormi depuis un mois. Elle croit que son mari, avec qui elle partage une vie heureuse depuis vingt ans, la trompe et qu'il souhaite divorcer. Après une brève évaluation, le thérapeute se rend rapidement à l'évidence que les seuls faits tangibles à l'appui des intuitions de la cliente sont les retards injustifiés et fréquents du mari et son inhabituelle attitude distraite.

———————

Thérapeute :
(Sort un casse-tête dont il a enlevé trois pièces importantes.) Sauriez-vous me dire ce que représente ce casse-tête ?

Cliente :
C'est difficile, toutes les pièces ne sont pas là.

Thérapeute :

Pourtant il n'en manque que trois ! Essayez quand même.

Cliente :

Je ne sais pas, peut-être un nuage, un ballon ou... je ne sais pas, un cerf-volant.

Thérapeute :

(Replace les morceaux manquants pour laisser apparaître un cœur. La cliente en est étonnée.) Cela vous surprend ? Dites-moi, n'avez-vous pas l'impression que certaines pièces vous font défaut aussi pour évaluer objectivement la situation par rapport à votre mari.

Cliente :

(Comprend le parallèle entre l'exercice et sa réaction relativement aux comportements de son conjoint.) Oui... c'est bien possible !

Thérapeute :

Je pense qu'il serait temps d'aller les chercher. Ne croyez-vous pas ?

Cliente :

Mais, quelle autre explication donner ?

Thérapeute :

C'est justement ce que vous découvrirez en allant chercher les morceaux absents. (Elle peut maintenant la guider vers des habiletés de communication pour préparer la discussion avec son mari. Il serait opportun aussi de lui remettre un morceau du casse-tête pour l'amener à se remémorer les acquis de la rencontre.)

| Savoir sélectionner les bonnes pièces |

Certains clients sont passés maîtres dans l'art de faire dévier la conversation ou de cacher la réalité. D'autres s'entêtent à prendre tout le temps d'antenne pour parler de tout et de rien. Malheureusement, tant que le thérapeute ne possède pas suffisamment de renseignements significatifs sur le client, l'aide qu'il peut lui offrir demeure limitée, d'où l'importance de viser à recueillir rapidement ces données. Le casse-tête peut alors s'avérer un outil précieux.

_____

Thérapeute :

(Sort un casse-tête en bois pour enfants, maintient deux ou trois pièces dans leur espace respectif et remet une dizaine de morceaux au client, dont certains n'appartiennent pas au casse-tête qui est devant lui. Ce jeu illustre assez bien ce qui se passe en thérapie : le client arrive avec un ou plusieurs casse-tête en pièces séparées, il les présente au thérapeute qui l'aide à les disposer au bon endroit.) Avez-vous l'impression que ceci est une bonne description de ce que nous faisons ensemble depuis le début de nos rencontres ?

Client :

(Prend son temps avant de répondre.) Oui, assez bonne.

Thérapeute :

Diriez-vous que les pièces que vous m'avez remises jusqu'à présent appartenaient à ce casse-tête ?

Client :

(En réfléchissant bien.) Bien... je dirais oui et non !

Thérapeute :

Vous voyez, lorsque vous me remettez un morceau (le client en choisit un et le lui remet), nous prenons un certain temps pour l'examiner et essayons de lui trouver une place dans le carré. À un moment donné, nous nous rendons compte qu'il n'appartient tout simplement pas à ce casse-tête et nous passons à un autre. Mais si vous voulez voir ce que représente votre casse-tête et le compléter le plus rapidement possible, je pense qu'il serait sage que vous me passiez seulement les morceaux qui lui appartiennent. Qu'en dites-vous ?

_____

La discussion couplée à une information visuelle permet au client de percevoir avec plus d'acuité la signification du message. Après coup, le thérapeute peut se référer aux morceaux du casse-tête pour remettre le client sur la bonne voie.

| Fuir une situation plutôt que de l'affronter |

Guylaine reçoit un appel urgent pour aller visiter une famille dont la mère vient de mettre tous ses enfants à la porte. Lorsque Guylaine arrive à leur domicile, les jeunes sont dehors, en pleurs. La femme est à l'intérieur, assise sur une chaise, très agressive. Guylaine a pensé à apporter son casse-tête.

Guylaine :

(L'intervenante connaît déjà la cliente parce qu'elle l'a reçue à deux reprises à son bureau. Elle ne lui dit rien et se contente de poser le casse-tête sur ses genoux. Celle-ci répond en le rejetant du revers de la main. Les pièces se retrouvent éparpillées devant elle.) Non, non ! Vous pouvez balancer les pièces, mais pas le cadre. (Guylaine replace le cadre sur les genoux de la jeune femme. Celle-ci est trop surprise pour réagir.) Le cadre, c'est vous, votre vie, votre réalité. Je pense que ce qui s'est produit jusqu'à présent, c'est que les pièces étaient disposées un peu n'importe où jusqu'à ce que vous n'y compreniez plus rien, que vous en ayez assez, et que vous balanciez tout par-dessus bord. Mais ce nouvel état n'est pas non plus très satis- faisant ; regardez ce que ça donne. (Fait allusion aux pièces éparpillées ici et là : magnifique métaphore pour illustrer la réalité de la cliente à ce moment précis.) Je crois que la meilleure façon d'obtenir ce que vous voulez, Céline, c'est de reprendre les morceaux un à un, de les remettre à leur place et de vous assurer qu'ils y restent.

La cliente a beaucoup pleuré. Le jeu utilisé par Guylaine lui a servi de reflet. Elle s'est sentie entendue tout en comprenant mieux sa dynamique et le cheminement qu'elle a à parcourir. Une discussion intéressante s'est poursuivie sur le symbole du casse-tête. Céline a compris qu'elle avait accordé une trop grande place à son conjoint, qu'en fait il prenait toute la place et qu'elle n'arrivait plus à insérer les pièces représentant les enfants ou elle-même. Le recours à un moyen extérieur pour discuter de la situation de la cliente a contribué à diminuer ses résistances tout en éclairant les différentes facettes de sa problématique.

▪▫▪| Pot fermé

Un pot de verre ou de métal peut être mis à profit pour représenter l'information que possède l'individu. Le pot fermé désigne habituellement un client qui ne dévoile pas les renseigne- ments nécessaires pour faire progresser la thérapie ou qui demeure fermé aux recommanda- tions et aux paroles du thérapeute.

| Un pot opaque et fermé |

Les parents en sont à leur troisième visite et encore très peu de renseignements significatifs ont émergé. Les deux sont soupçonnés de négligence et de violence envers leurs enfants.

Thérapeute :

Voyez-vous ce pot ? (A entre ses mains un pot opaque contenant des objets.) Savez-vous ce qu'il y a à l'intérieur ?

Parents :

(Les deux font signe que non.)

Thérapeute :

Imaginez qu'il y ait de l'or à l'intérieur mais que vous ne l'ouvriez jamais. Pourriez-vous en profiter ?

Parents :

(Encore une fois, ils répondent que non.)

Thérapeute :

Et s'il contenait plutôt un produit inodore, mais mortel, s'évaporant petit à petit, pourriez-vous prévenir la propagation de ce poison à temps pour l'éliminer ?

Parents :

(Toujours la même réponse négative.)

Thérapeute :

(D'un ton empathique.) Je trouve que cela ressemble drôlement à nos rencontres ! Je sais qu'il y a beaucoup d'information que vous gardez secrète (secouant le pot pour laisser entendre le bruit des objets qu'il contient). Mais, je ne peux pas vous aider parce que vous seuls avez la possibilité d'ouvrir le pot. Le problème est qu'en le maintenant fermé, vous ne voyez pas non plus ce qu'il y a de bon à l'intérieur. Et si jamais il y avait un poison ?... Je dois vous prévenir, parce que c'est là mon expertise. Le fait d'ignorer le contenu du pot n'est vraiment pas une bonne stratégie. Il va finir par vous empoisonner, vous et votre entourage. Mon but n'est pas de condamner les fautes de mes clients, mais de les aider à passer d'une prison étroite comme celle-ci (pointe le pot opaque), à un état où un bien-être peut se faire sentir (indique un pot placé à proximité et rempli de fleurs). C'est possible quand on est prêt à ouvrir le pot et à apprendre des façons de vivre qu'on n'a peut-être jamais eu la chance de développer. Qu'en pensez-vous ?

Selon la réaction des clients, le thérapeute peut opter pour leur laisser le pot, de manière à favoriser les échanges sur ce thème pendant la semaine.

EXEMPLE 2

| À chaque moustique son insecticide |

L'entrevue se déroule avec un adolescent récalcitrant, récemment référé par sa mère. Celle-ci se plaint des comportements colériques et odieux de son fils. Malgré les efforts verbaux du thérapeute, le client demeure insensible à ses tentatives d'aide. Le thérapeute décide de tenter la technique décrite ci-dessous.

Thérapeute :
(S'empare d'un pot vide, transparent et fermé.) Bien que nos conversations aient été assez stériles au cours de nos deux rencontres, il y a au moins une chose que j'ai apprise à ton sujet : tu te sens vraiment révolté. Je sais qu'il y a quelque chose que tu ne digères pas, qui ne te convient pas du tout. En fait, je sais aussi autre chose : jusqu'à présent, l'outil que tu as choisi pour calmer ou faire taire cette révolte est de répondre par la colère et l'arrogance. Est-ce que je me trompe ?

Client :
(Reste muet, avec un air un peu indifférent.)

Thérapeute :
Je me demande si ça marche. En d'autres termes, je sais que cela réussit à rendre tout le monde révolté comme toi. Mais est-ce que ce moyen est efficace pour t'enlever TA propre révolte ? Car, c'est bien ce que tu cherches, n'est-ce pas ?

Client :
(Toujours silencieux.)

Thérapeute :
(Regarde le pot entre ses mains.) Dans le fond, disons que ce qui te dérange, ce qui t'exaspère, ressemble à un moustique dans ce pot. Toi, tu te dis : « Très bien, je vais mettre des moustiques dans le pot des autres, ils vont voir ce que ça fait et ils vont arrêter d'en mettre dans le mien ! » (Toujours à l'affût du langage non verbal de son client.) C'est efficace à condition que l'autre n'adopte pas la même stratégie que toi. Malheureusement, tu te fais toujours jouer un mauvais tour parce que tout le monde adopte cette stratégie-là aussi. Est-ce que je me trompe ? Par rapport au début de ta révolte, n'aurais-tu pas plus de moustiques dans ton pot maintenant ?

Client :

Des moustiques, il y en a en masse !

Thérapeute :

J'ai l'impression qu'il vaudrait mieux essayer une autre stratégie parce que j'imagine que cela ne doit pas être très gai de vivre avec ça dans son pot !

Client :

C'est vrai !

Thérapeute :

Que dirais-tu d'un insecticide ? Si tu en possédais un, tu le vaporiserais dans le pot afin de tuer les insectes. De cette façon, tu n'aurais plus à dépenser autant d'énergie et de temps pour en mettre dans le pot des autres. En plus, cela te permettrait d'être équipé, non seulement pour cette fois-ci, mais aussi pour toutes les autres fois où tu voudras te débarrasser de moustiques. Ce serait plus *cool* pour toi ! Qu'en penses-tu ?

Client :

Quelle sorte d'insecticide ?

Thérapeute :

Je ne demande pas mieux que de te le montrer si tu es prêt à ouvrir ton pot. Mais il faut vraiment que tu ôtes le couvercle, que tu me parles des conflits que tu vis intérieurement et que tu veuilles apprendre. (L'analogie peut continuer à alimenter la discussion tout au long du processus subséquent dans le cas où le client accepte l'offre du thérapeute.)

E X E M P L E   3

| Comment vos clients laissent-ils entrer et sortir l'information ? |

Pour réaliser cet exercice, le thérapeute doit s'outiller d'un pot avec trois ou quatre couvercles. L'un des couvercles est intact, l'autre est très légèrement troué tandis que les troisième et quatrième le sont de plus en plus. Chaque couvercle représente le débit de l'information transmise au thérapeute par le client. Certains ne laissent rien passer (couvercle intact), d'autres parlent de sujets plutôt anodins (couvercle avec quelques ouvertures), alors que d'autres lancent rapidement de gros morceaux (pot sans couvercle). Dans quelle catégorie se situent vos différents clients ? (À moins que vous ne leur demandiez de répondre eux-mêmes à cette question.)

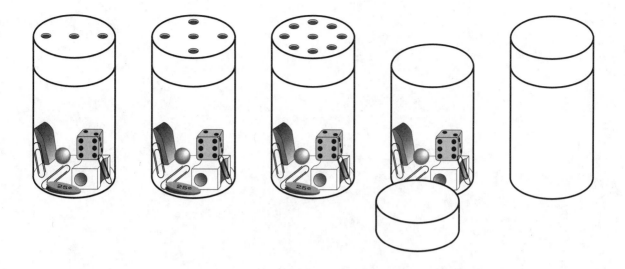

La métaphore peut aussi être employée dans le sens inverse pour représenter des clients plus ou moins réfractaires aux recommandations de leur thérapeute. Personnellement, je me réserve cette technique pour les clients qui disent ne pas voir de progrès dans leur situation. Je leur demande quel couvercle ils ont utilisé depuis le début de leur thérapie, autant au niveau de l'information qu'ils ont exprimée que de celle qu'ils ont assimilée.

Techniques d'Impact
impliquant une
interaction avec des objets

C H A P I T R E   2

Quand quelqu'un dit :
« Je me tue à vous le dire », laissez-le mourir.

Jacques Prévert

Tant qu'à avoir du plaisir, pourquoi ne pas en ajouter un peu plus ? Ce chapitre vous présente d'autres techniques faisant appel aux objets, mais ceux-ci impliquent davantage la participation du client.

◎ | Jeu de cartes

Certains collègues m'ont dit avoir obtenu d'excellents résultats avec cet exercice auprès de personnes âgées. Nos aînés ont souvent beaucoup de souvenirs associés aux cartes, ce qui ajoute de l'effet à leur utilisation à des fins thérapeutiques. Je crois toutefois que les cartes sont très populaires dans plusieurs milieux et qu'elles constituent un outil pratique pour une multitude de clientèles.

| Démission d'une personne âgée devant la vie |

Janine a été placée dans un centre pour personnes âgées, il y a six mois. Ses enfants, très pris par leur travail et leur famille, se sont progressivement désintéressés de son sort. Comme elle refuse catégoriquement de se mêler aux autres bénéficiaires du centre, elle se retrouve plus ou moins seule la majeure partie de son temps. Sa solitude et l'absence de projets ont fini par lui enlever le goût de la vie.

_____

Thérapeute :
Dites-moi, Janine, depuis que vous avez été admise dans ce centre, comment évaluez-vous votre vie sur une échelle de 0 à 10 ?

Janine :
(Avec une sorte de désintérêt.) Ouf ! c'est 0 !

Thérapeute :
Jouez-vous aux cartes ?

Janine :
Non. Je préfère rester dans ma chambre. De toute façon...

Thérapeute :
(Lui coupe la parole.) Non, non, je vous demandais si vous aviez déjà joué aux cartes dans votre vie.

Janine :
Ah ! bien sûr, mais...

Thérapeute :
(L'interrompt de nouveau.) Je vous propose une petite partie. Connaissez-vous le _bluff_ ou le _poker_ ?

Janine :
Non. Je n'y ai jamais joué.

Thérapeute :
(Sert cinq cartes à chacun.) C'est très simple, vous allez voir. Vous devez tout simplement avoir un beau jeu, idéalement quatre as ou cinq cartes qui se suivent, ou au moins une paire. Regardez votre jeu, gardez les cartes qui vous conviennent, jetez les autres et je vous les rem-

placerai par de nouvelles. (Pendant ce temps, le thérapeute jette les cartes qui ne font pas son affaire et va chercher les quatre as et un roi dans le paquet. Il n'en sert pas d'autres à la cliente contrairement aux règles établies.) Très bien, qu'avez-vous à présent ?

Janine :
Je n'ai pas grand-chose (elle n'a qu'une paire de quatre).

Thérapeute :
Ah ! Vous perdez ! Ce n'est pas grave, on va faire une autre partie. (Le thérapeute reprend la même stratégie : cinq cartes à chacun, puis ne ressert rien à la cliente et s'assure d'aller chercher les quatre as dans le paquet. Inévitablement, après un certain temps la cliente réagit.)

Janine :
Mais, ce n'est pas juste. Vous allez chercher pour vous les bonnes cartes dans le paquet et vous ne m'en donnez pas !

Thérapeute :
Hum ! Ne serait-ce pas plus juste de dire que vous ne m'en demandez pas ? (Silence.) Vous savez, depuis votre arrivée ici, je fais de mon mieux pour vous offrir de bonnes cartes, mais vous les refusez toujours ! Je vous ai proposé de vous présenter à des gens du milieu ou de vous initier aux activités intérieures du centre. Chaque fois, vous me donnez la même réponse : « Laissez faire. J'aime mieux rester toute seule ! » (Silence.) Pourtant, je sais que vous avez de bonnes cartes dans votre jeu. Vous êtes en assez bonne forme, vous avez toute votre tête, vous êtes sans doute une personne très dynamique pour avoir réalisé autant de choses dans votre vie. Vous avez tous ces atouts, mais vous jouez constamment votre deux de pique en répétant que cela ne sert à rien, que vous préférez rester isolée et que personne ne vous aime. Si seulement vous utilisiez vos bonnes cartes et que vous alliez chercher celles qui vous manquent là où elles sont, je sais que votre vie pourrait être transformée !

L'intervention a eu un impact nettement positif chez cette cliente. Déjà, dans la semaine qui a suivi, elle avait modifié son attitude.

EXEMPLE 2

| Celle qui laissait les autres décider à sa place |

Judith, 32 ans, présente une dépendance affective et est incapable de prendre des décisions.

Thérapeute :
Judith, sais-tu jouer au 31 ?

Judith :
Non, je ne suis pas très forte aux cartes !

Thérapeute :
On peut tout de même essayer si tu veux. Tu vas voir, c'est intéressant.

Judith :
(Fidèle à elle-même, elle accepte sans broncher.)

Thérapeute :
(Donne trois cartes à chaque joueur. Le jeu consiste à obtenir 31 à partir de cartes de la même sorte, par exemple, un valet, une dame et un as, toutes en carreau. Normalement, chacun joue en prenant une carte à la fois, soit directement sur le paquet ou à partir de ce que l'autre joueur jette. Dans ce cas-ci, le thérapeute insiste délibérément pour dire à sa cliente quoi jouer.) Qu'est-ce que tu as ?

Judith :
(L'intérêt de ce jeu est que la cliente réagit tout à fait comme dans sa vie de tous les jours. Judith, par exemple, montre spontanément son jeu et joue exactement les cartes que le thérapeute lui demande de jouer, même si cela lui est nuisible. Évidemment, ce dernier s'empresse de s'emparer des cartes que la cliente accepte d'éliminer. Après un certain temps, il obtient 31 alors qu'elle se retrouve avec presque rien.)

Thérapeute :
(Frappe sur la table pour signaler à Judith qu'il ne lui reste plus qu'un tour à jouer, ce qui n'améliore pas la situation de la cliente.) Qu'est-ce que tu as ?

Judith :

(Encore une fois, elle dévoile volontairement son jeu.) Je pense que je n'ai pas grand-chose !

Thérapeute :

Moi, j'ai un jeu plein ! Est-ce que tu aimes faire jouer ton jeu par quelqu'un d'autre ?

Judith :

(Cette question a eu chez elle l'effet d'une gifle. Loin d'être fâchée, la cliente a plutôt réalisé le parallèle entre ce jeu et sa propre vie.) Je vois très bien le message que tu essaies de me faire comprendre. (Silence.) C'est vraiment ce que j'ai fait toute ma vie : attendre que les autres me disent quoi faire !

Thérapeute :

Que comptes-tu adopter comme attitude à présent ?

Judith :

Une chose est certaine, je n'ai jamais vu ma situation aussi clairement.

Thérapeute :

Que dirais-tu de refaire une partie et, cette fois, tu déciderais toi-même de ton jeu ?

Judith :

Oui, d'accord ! (Le thérapeute essaie évidemment d'éprouver la cliente en tentant de voir son jeu et de lui indiquer, de temps à autre, quoi jouer. Si elle a vraiment bien mémorisé le message, elle devrait résister ou, au moins, remarquer qu'elle est encore en train de se maintenir dans un mode passif. Il peut être utile de répéter l'exercice jusqu'à ce que la personne devienne plus solide dans son affirmation d'elle-même. Le thérapeute peut aussi lui remettre trois cartes, totalisant 31, qu'elle gardera dans son portefeuille de manière à se rappeler ce nouvel apprentissage.)

EXEMPLE 3

| La pensée magique |

Marc est alcoolique et polytoxicomane. La plus longue période pendant laquelle il a conservé un emploi, un logement ou une amie de coeur est de six mois. À 33 ans, il n'a pas encore terminé sa 4e secondaire. Malgré tout, il est persuadé qu'un emploi très très bien rémunéré va se présenter à lui à plus ou moins courte échéance. C'est ce qu'on appelle la pensée magique.

Thérapeute :

(Reprend le jeu de poker présenté dans l'exemple 1, mais, cette fois, il donne de nouvelles cartes au client tout en s'assurant de garder pour lui les quatre as. Après quelques tours, Marc réagit.)

Marc :

Là, je ne comprends pas ! Je ne pourrai jamais gagner tant que tu tricheras pour aller chercher les as !

Thérapeute :

Mais, je ne triche pas ! Je vais seulement chercher les cartes dont j'ai besoin pour avoir un jeu gagnant ! As-tu une idée de ce que j'essaie de te faire réaliser ?

Marc :

(Réfléchit.) Je pense que oui. Tu veux me montrer que, si j'attends que tout m'arrive facilement, je risque d'attendre longtemps. Il faut que j'aille chercher ce dont j'ai besoin. Est-ce bien cela ?

Thérapeute :

Très précisément ! Tu vois, quand tu vas passer une entrevue pour devenir ambulancier (c'est son rêve de pratiquer un jour ce métier), tu présentes ton jeu. Mais, il doit y avoir quelque chose qui cloche puisque tu n'obtiens jamais l'emploi ! Selon moi, ta carte de la 4ᵉ secondaire ne t'aide pas du tout dans ton jeu, celles de l'alcoolisme et de l'instabilité, non plus. Mais, si tu t'arrangeais pour te débarrasser de ces mauvaises cartes (ce que fait concrètement le thérapeute) et que tu prenais les moyens pour aller chercher celles dont tu as besoin (fouille dans les cartes du paquet), tu pourrais te retrouver avec un jeu gagnant.

Marc :

J'ai l'impression qu'il y a des cartes que j'ai depuis ma naissance !

Thérapeute :

C'est possible, mais cela ne signifie pas que tu ne puisses pas t'en débarrasser ! Il nous est effectivement remis un certain jeu au départ. Par exemple, tu mesures 1,78 m et tu as les yeux bruns. Ce sont là des cartes que tu ne peux pas changer. Mais, si celles de l'instabilité, de l'alcoolisme et de la 4ᵉ secondaire ne t'aident pas, je suggère que tu les changes pour les remplacer par des cartes gagnantes. Qu'en penses-tu ?

Marc :

Ça a bien du bon sens ! Où est-ce que je commence ?

Thérapeute :

Je pense qu'il serait utile de regarder le jeu que tu as entre les mains, de choisir les cartes à garder, celles à éliminer, celles à aller chercher et la façon dont tu pourrais t'y prendre.

| L'amour aveugle |

Il est rare de trouver un parent qui soit totalement impartial vis-à-vis de son propre enfant. C'est toujours le plus beau, le plus fin ! Même scénario avec ceux qui tombent en amour. L'autre n'a que des qualités, pas de défauts ! Malheureusement, ce genre de myopie affective entraîne parfois bien des problèmes. En voici un exemple.

Yolaine vit avec Julien depuis six ans. Il passe le plus clair de son temps à boire. Lorsqu'il trouve enfin du travail, il s'arrange pour le perdre, soit en volant son patron, soit en faisant tout pour se blesser et pour « tomber sur les assurances ». Sa priorité dans la vie : les chums. Il ne lui reste que très peu de temps et d'argent à partager avec sa compagne. Yolaine, elle, le voit à partir de sa propre dimension Parent : elle est persuadée qu'il va changer, devenir quelqu'un de stable et s'occuper d'elle. En fait, elle s'attend à une véritable métamorphose de Julien, bien qu'il n'existe aucune motivation de changement chez lui.

Thérapeute :

(Choisit une quinzaine de cartes au hasard et les met face contre table pour illustrer le refus de Yolaine d'affronter la réalité.) Disons que ces cartes représentent le jeu de Julien, c'est-à-dire ses qualités, ses défauts et ses talents. Vous soutenez que Julien a une carte, disons un roi de cœur, qui représente le désir de changer pour être plus stable et plus présent auprès de vous. Est-ce cela ?

Yolaine :

Oui, je sais qu'il va y arriver. C'est un gars rempli de potentiel et bourré de talents. Il a l'air d'un gros dur en apparence, mais c'est le plus tendre et le plus sensible des hommes.

Thérapeute :

Très bien. Alors, j'aimerais que vous trouviez le roi de cœur sous ces cartes.

Yolaine :

(La première carte qu'elle soulève n'est pas celle recherchée. Puis, elle recommence cinq ou six fois sans jamais découvrir la bonne. Celle qui est tant convoitée ne se trouve stratégiquement pas dans les quinze cartes de départ.) Un sept de trèfle !

Thérapeute :

N'est-ce pas un peu comme avec Julien ? Chaque fois qu'il sort la mauvaise carte et qu'il contredit vos prédictions, vous vous dites : « La prochaine fois, je suis sûre qu'il va y arriver ! », n'est-ce pas ? (La cliente est un peu hésitante.) Essayez encore si vous voulez !

Yolaine :

(Soulève une autre carte et trouve de nouveau une mauvaise carte. La cliente réalise ce que le thérapeute souhaite lui démontrer. Elle ressent en même temps une sorte de tristesse devant l'éventualité de ne jamais rencontrer le roi de coeur.) Un cinq de coeur !

Thérapeute :

Qu'en pensez-vous ?

Yolaine :

C'est parce que vous ne le connaissez pas ! Tout le monde a l'air de croire que c'est un raté, mais il a du coeur comme c'est pas permis !

Thérapeute :

Très bien ! Alors, allez chercher le roi !

Yolaine :

(Un peu exaspérée, ne veut pas admettre la réalité par rapport à son conjoint.) Ah ! c'est juste un jeu ! Cela ne veut rien dire !

Thérapeute :

Et dans la vraie vie, Yolaine, dans votre relation avec Julien, avez-vous déjà vu une seule fois le roi de coeur ?

Yolaine :

(Reste muette.)

Thérapeute :

Ça fait combien de fois que vous rencontrez la mauvaise carte avec Julien ? (Yolaine se tait toujours.) Je ne suis pas sûr que la bonne existe, Yolaine, et dans le cas contraire, combien d'années encore souhaitez-vous continuer à la chercher ? Un an, cinq ans, douze ans ? (Après un certain silence.) J'ai bien l'intention de vous remettre cette carte pour que vous l'emportiez avec vous (ce que fait le thérapeute). J'ai l'impression que ce sera peut-être votre unique chance de tenir un roi de coeur entre vos mains !

Bien que Yolaine soit restée silencieuse, l'impact créé par cet exercice est néanmoins réel. Il lui sera dorénavant difficile de maintenir aveuglément ses espoirs sans qu'ils ne soient constamment associés à cette rencontre. La technique s'avère également profitable aux parents qui nourrissent des attentes irréalistes vis-à-vis de leurs enfants : l'enfant parfait, l'adolescent totalement discipliné, obéissant et qui tient sa chambre impeccablement propre ! Toutes ces cartes ne sont simplement pas parmi celles du jeu de l'enfant ou de l'adolescent. Le fait de s'attendre à rencontrer un as et de ne trouver qu'un huit ou un cinq chaque fois, entraîne souvent une suite de réactions qui vont jusqu'au paroxysme de la colère et causent de la discorde. Le jeu de cartes peut permettre aux parents de ramener leurs espoirs à un niveau plus réaliste.

| Viser le bon objectif |

Plusieurs clients arrivent en essayant de nous convaincre qu'il n'y a plus rien à faire pour eux, que leur vie est inévitablement vouée au malheur et à l'échec. C'est le cas, par exemple, d'un homme qui, à la suite d'un grave accident, a perdu l'usage de ses deux jambes, son emploi et sa femme. Bien qu'il s'agisse de changements majeurs et d'événements fort traumatisants, cet homme peut quand même accéder à un bien-être. C'est comme si, au tout début, il avait reçu un jeu en trèfle et qu'il l'avait joué jusqu'à l'as (au moment de l'accident, il avait atteint tous ses objectifs grâce à ses efforts et à son travail acharné). Ensuite, les circonstances lui ont enlevé ses cartes pour lui en remettre de nouvelles, mais en carreau cette fois, c'est-à-dire avec un handicap physique, mais il peut encore les utiliser jusqu'à l'as. C'est très différent du trèfle, mais pas nécessairement moins bon. Il s'agit de le remettre sur la bonne piste avec des objectifs appropriés. Le contrat thérapeutique peut être symbolisé par l'as de carreau. Cette analogie permet de concrétiser la discussion et sert, par la suite, de point de repère pendant et entre les rencontres.

| Le jeu de l'harmonie |

Bien que le jeu de l'harmonie puisse être utilisé dans tous les types de thérapie, il est plus souvent pratiqué dans les thérapies conjugales et familiales. Les cartes de coeur sont les cartes « d'amour » : les compliments, les gentillesses, les cadeaux inattendus, etc. Les cartes de pique représentent les comportements désagréables, méchants, les colères, les ingratitudes, en somme, toutes les mauvaises cartes d'une relation. Les cartes de trèfle correspondent au langage non verbal, tandis que le carreau est associé aux habiletés de communication. En d'autres termes, pour favoriser une relation saine avec les autres, chacun doit jouer du trèfle, ajouter du carreau et idéalement un peu de coeur lorsque l'occasion se présente, et, autant que possible, éviter le pique. L'exercice consiste simplement à donner le même nombre de cartes de chaque sorte à chacun des clients ou, encore, à leur demander quels types de cartes ou combien de types de cartes ils possèdent dans la réalité. On les invite ensuite à jouer leur vie de tous les jours. L'expérience peut rendre leur quotidien plus tangible et surtout leur faire réaliser le rôle actif qu'ils jouent dans la relation avec les gens qui les entourent. Le thérapeute peut alors décider d'explorer des situations simples, sans chaos, ou plus conflictuelles, comme dans l'exemple ci-dessous.

Thérapeute :

(Après avoir expliqué la signification de chaque type de cartes, la thérapeute s'adresse aux quatre membres de la famille.) Vous semblez tous d'accord pour affirmer que les repas représentent un des plus importants problèmes de votre famille. J'aimerais que vous me démontriez, à partir des cartes que vous avez entre les mains, comment chacun de vous utilise son jeu au cours de ces périodes.

Mère :

(La mère commence en jouant un sept de trèfle. La thérapeute lui demande à quoi correspond cette carte.) Disons... ce pourrait être la préparation du repas.

Lucie :

(La plus jeune des filles enchaîne avec un neuf de trèfle.) D'habitude, j'aide maman en préparant la table.

Père :

(Dépose un trois de trèfle.) Généralement, j'écoute la télévision pendant que les femmes sont à la cuisine.

Lou-Ann :

(Quatorze ans, joue un cinq de pique. Après un instant, elle accepte de s'expliquer puisque tout le monde semble attendre son commentaire.) Moi, ça me choque de voir que, justement, papa reste toujours devant la télé au lieu de nous aider. On mange tous et on travaille tous ; alors, tout le monde devrait donner un coup de main. Je ne vois pas pourquoi ce serait juste aux femmes de s'occuper de la bouffe !

Thérapeute :

(Interrompt le père et la mère qui allaient prendre la parole.) Que représente exactement ton cinq de pique ? Comment le manifestes-tu ?

Lou-Ann :

(Fait un peu la moue.) Je fais la gueule parce que ça ne sert à rien de parler ! J'ai déjà essayé et ça n'a rien donné.

Thérapeute :

Et toi, Lucie, que fais-tu quand tu vois le cinq de pique ? Que joues-tu ?

Lucie :

(Réfléchit un peu.) Des fois je ne dis rien et, à d'autres moments, j'essaie de mettre des petites cartes de coeur.

Thérapeute :

Alors, vas-y, mets du coeur (ce qu'elle fait). Et vous deux ? (S'adresse aux parents.)

Mère :

Moi, je suis souvent tentée de renchérir avec une autre carte de pique... Il arrive parfois, en effet, que j'en échappe une. (Un peu gênée de l'admettre, mais forcée néanmoins à cause du regard de son mari. La thérapeute lui demande alors de déposer une carte de pique. Le fait d'amener la cliente à accomplir ce geste, même transposé au moyen du jeu de cartes, favorise une plus grande conscience de sa responsabilité quant à ses comportements au sein de la dynamique familiale.)

Père :

Moi, quand on me demande du pique, je mets du pique ! (Tente de faire de l'humour, mais reconnaît néanmoins que personne ne le force à ajouter du pique. Il dépose une carte de pique sur le jeu.)

Le thérapeute peut utiliser cet exercice de multiples façons : d'abord, en mettant en évidence les coûts et les bénéfices de chaque catégorie de cartes ; puis, en reprenant l'action et en demandant à chacun d'utiliser d'autres cartes. Certains clients pourront ainsi réaliser leurs lacunes en coeur ou en carreau, par exemple, et développer une motivation pour s'en procurer. Bref, les cartes permettent de maintenir l'attention des clients sur le thème à aborder tout en les rendant actifs dans le processus thérapeutique. Notez que l'expérience s'avère pertinente pour toute intervention liée aux relations interpersonnelles.

◎ | Gobelet jetable (en polystyrène)

Le verre de polystyrène est utilisé pour représenter l'estime de soi. Le fait d'avoir accès à une représentation concrète d'un concept aussi abstrait, procure plusieurs avantages. Pour chacun des exemples cités, il peut être utile de laisser le verre au client après la rencontre pour qu'il l'emporte chez lui ou au travail. Le fait de voir le verre régulièrement pendant la journée pourra servir de mémo et d'élément de renforcement des prises de conscience effectuées au cours du processus thérapeutique.

EXEMPLE 1
| Ces gens qui donnent trop |

Ce jour-là, Nicole est arrivée en pleurant. Sa soeur, à qui elle a donné ses meubles de salon, ses deux plus belles robes et confié son plus récent livre avant même de l'avoir lu, ne l'a même pas appelée pour lui souhaiter bon anniversaire. Ceci n'est qu'un incident parmi tant d'autres. Nicole fait partie de ces gens qui dépendent des remarques positives des autres pour sentir qu'ils ont de la valeur. Ceux-ci donnent au détriment d'eux-mêmes et ils ne font ainsi que miner leur estime de soi.

Thérapeute :

Nicole, essayons de comprendre concrètement ce qui t'arrive, d'accord ? (Le thérapeute sort un verre de polystyrène.) Imagine que ce verre représente l'estime personnelle de quelqu'un. Par exemple, si cette personne a une bonne estime d'elle-même, le verre sera à peu près intact, un peu comme celui-ci. De cette façon, lorsque je verse de l'eau dedans (ce qu'il fait), tout reste à l'intérieur. En d'autres termes, lorsque cette personne reçoit des compliments, des gentillesses, des marques d'affection, elle les enregistre et s'en trouve nourrie pour un bon bout de temps. Mais, regarde bien ce qui arrive lorsque je verse de l'eau dans un verre qui a des trous (le thérapeute perce des trous un peu partout dans le verre, dont un gros dans le fond, et y fait couler de l'eau). Tu vois, tant qu'il y a de l'eau qui passe dans le verre, même si elle ne reste pas à l'intérieur, la personne a l'impression d'en avoir dans son contenant. Par contre, dès l'instant où j'arrête d'en faire couler, le verre se trouve très rapidement à sec. Est-ce que tu vois où je veux en venir ?

Nicole :

Je crois que oui. Je pense que je suis un reflet de ce deuxième verre. J'ai constamment besoin que les autres me disent que j'ai des qualités, que je suis super, pour sentir que j'ai de la valeur. Mais, dès que je me retrouve de nouveau seule, ou dès que je ne reçois plus de compliments ou de marques de gentillesse, j'ai l'impression d'être encore vide et de ne rien valoir.

Thérapeute :

Très juste. À mon avis, il y a deux problèmes rattachés à cette stratégie. Le premier est que peu importe la quantité d'attention ou de compliments que tu amasses, ce ne sera jamais suffisant, car le verre est percé. Rien ne demeure à l'intérieur. Vrai ? (La cliente acquiesce.) Deuxièmement, il se produit un phénomène d'érosion, un peu comme l'eau de la mer qui ronge les rochers avec le temps. Je pense que plus l'eau passe, plus les trous s'agrandissent et plus il faut avoir d'eau pour n'en retenir que quelques gouttes.

Nicole :

(En pleine réflexion.) J'ai toujours cru que le fait d'être super fine avec les autres et de leur donner certaines de mes affaires ferait en sorte qu'ils m'apprécieraient. C'est ce qui se produit sur le moment. Mais, par la suite, chaque fois qu'ils se pointent, c'est pour demander autre chose... Et quand j'ai besoin d'eux, ils ne sont pas là pour moi. Que dois-je faire alors ?

Thérapeute :

Dirais-tu que maintenant tu sais au moins ce qu'il faut éviter de faire : donner pour te faire aimer ? Ensuite, il faudra travailler ensemble pour réparer les trous qu'il y a dans ton verre.

Nicole :

Cela m'aide vraiment à mieux comprendre ! Est-ce que je peux emporter le verre avec moi cette semaine ?

E X E M P L E 2
| Évolution dans le développement de l'estime de soi |

À la suite de sa récente rupture amoureuse, Margo, une femme d'affaires de 52 ans, d'origine européenne, avait l'impression de ne plus valoir grand-chose. Elle avait aussi tendance à généraliser et à voir toute sa vie comme un échec. Le thérapeute savait qu'il n'en était rien puisqu'il connaissait déjà la cliente pour l'avoir aidée à un autre moment de sa vie.

Thérapeute :

Margo, vous voyez ce verre de polystyrène ; je voudrais que vous imaginiez qu'il représente votre estime personnelle, il y a vingt ans, lorsque vous êtes arrivée au Canada. Il n'était pas totalement intact comme celui que vous tenez, n'est-ce pas ? Je voudrais que vous le sculptiez pour qu'il reflète bien l'image que vous aviez de vous-même à cette époque.

Margo :

Ce n'était pas très joyeux ! Voilà, je crois que c'était à peu près comme ça. (Margo a tellement abîmé le verre qu'il n'en reste plus que le fond.)

Thérapeute :

Maintenant, je voudrais que vous preniez celui-ci (le thérapeute tend un nouveau verre de polystyrène), et que vous le sculptiez de façon à représenter votre estime personnelle d'il y a dix ans, après votre divorce et après que vous vous soyez lancée en affaires.

Margo :

Ah ! Déjà, c'était bien différent ! Je crois que c'était plus ou moins comme ceci. (Le verre est en meilleur état que le précédent, même s'il présente toujours plusieurs fuites.)

Thérapeute :

Ce verre-ci (le thérapeute en tend un autre), pourrait représenter l'image que vous aviez de vous, il y a deux mois, avant votre rupture avec Jean. Pouriez-vous le façonner de manière à le rendre fidèle à votre état à ce moment-là ?

Margo :

Bon ! C'était comme ceci. (Margo a laissé le verre à peu près intact, seuls quelques petits trous sont visibles dans le haut du verre.)

Thérapeute :

Maintenant, regardons le tout. Vous êtes arrivée aujourd'hui en affirmant que vous ne valez rien et que votre vie n'a été qu'un gâchis. Ce n'est pas ce que je vois ! (La cliente devient à la fois perplexe et rassurée en reconnaissant la valeur du diagnostic.) Dites-moi, Margo, qu'avez-vous fait pour passer du premier au deuxième verre ?

Margo :

(Visiblement en profonde réflexion.) J'ai arrêté d'écouter tout le monde pour faire confiance à mes propres idées. J'ai commencé à croire en mon potentiel et à y investir.

Thérapeute :

Et vous avez effectué cette démarche toute seule parce que personne, dans votre profession ou dans votre famille, ne vous a aidée, n'est-ce pas ?

Margo :

C'est vrai.

Thérapeute :

Et qu'avez-vous fait pour passer du deuxième au troisième verre ?

Margo :

(De nouveau songeuse.) Je crois que cela a été une question de discipline. Je prenais soin de moi tant sur le plan de la nourriture que sur celui de l'exercice physique. Je me donnais des moments de repos seule et d'autres avec des amis. Je me suis aussi forgée de solides amitiés à partir de mes idées et de mes efforts.

Thérapeute :

Margo, dites-moi, que vous reste-t-il à faire pour passer du troisième verre à un autre qui serait intact ? (Le thérapeute en sort un neuf.)

Margo :

(Avec un peu de morosité.) Eh bien ! je crois qu'il faudrait d'abord que je me secoue un peu et que j'arrête de me dévaloriser du fait que Jean m'a délaissée pour retourner avec sa femme. Réellement, cet exercice m'aide à retrouver le bon cap et à me recentrer sur ma valeur.

EXEMPLE 3

| Dynamique interpersonnelle malsaine |

Après avoir écouté le couple s'accuser et se rabaisser mutuellement pendant quelques minutes, le thérapeute offre un exercice pour amener les clients sur un terrain plus productif.

Thérapeute :

Permettez-moi de vous interrompre. Si je comprends bien, vous êtes tous deux à la fois déçus, tristes et en colère parce que l'autre ne voit jamais ce que vous faites de bien. Il cherche toujours à vous prendre en défaut et ne vous adresse la parole que pour vous diminuer. Est-ce bien cela ? (Les deux clients hochent la tête en signe d'approbation.) Si vous voulez bien, on va faire un exercice qui pourrait vous faire apparaître les choses sous un angle différent. D'accord ? (Les deux acceptent avec plus ou moins d'enthousiasme la proposition. Le thérapeute donne alors un verre de polystyrène à chacun des clients.) Chacun de ces verres représente votre nature profonde, vos valeurs, vos idées, vos besoins, votre identité. Maintenant écrivez votre prénom sur le verre pour mieux sentir qu'il vous représente réellement. (Tous deux s'exécutent.) Normalement, dans une relation saine, chacun doit nourrir l'autre par des remarques constructives et par des compliments. Par exemple, monsieur, vous pouvez féliciter madame pour ses petites attentions (en disant cela, le thérapeute prend le verre de monsieur et fait semblant de verser du liquide dans celui de madame). Madame peut remercier monsieur pour avoir sorti les enfants (le thérapeute utilise cette fois le verre de madame et fait l'action de verser dans celui de monsieur). Votre couple ne fonctionne manifestement pas de cette façon puisque vous venez me voir. De quelle façon pourriez-vous l'illustrer ?

Madame :

(Réfléchit à voix haute.) Je pense qu'on met tous les deux notre verre bien en évidence pour que l'autre le voit et pour qu'il y verse quelque chose de positif. Ce qu'on récolte, par contre, c'est l'inverse de ce que l'on souhaite. Lucien n'arrête pas de me dire : « Tu ne vois jamais ce que je fais, tu n'es jamais contente de rien ; on le sait bien, il n'y a que les autres qui sont corrects ! »

Monsieur :

Ça va même plus loin. Non seulement elle ne répond pas à mes demandes, mais en plus elle fait des trous dans mon verre. Marthe me dit continuellement que je suis un égoïste, un maniaque sexuel et un raté.

Madame :

Tu n'es pas mieux en matière d'insultes. Tu me traites de cuisinière incompétente, de mère ratée et tu te plains constamment que je suis froide au lit. Penses-tu qu'après toutes ces attaques, ça me tente de faire l'amour avec toi ?

Thérapeute :

(Interrompt la dispute.) Très bien. Lucien, est-ce vrai que vous faites ce genre de remarques à Marthe ?

Monsieur :

Que voulez-vous que je vous dise ? C'est la vérité !

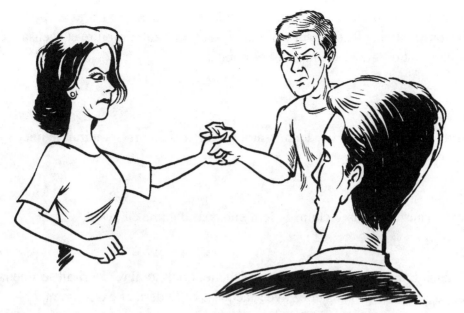

Thérapeute :

Bien. Je vais vous demander de les répéter tout en faisant des trous dans le verre de Marthe. (Cet exercice permet de responsabiliser le client quant à la dynamique relationnelle malsaine qu'il vit. De plus, le fait de lui fournir une représentation sonore et visuelle de l'impact de ses paroles blessantes sert d'élément de renforcement en vue de l'interruption de ses réactions nocives. Si le client ne met pas assez d'agressivité pour abîmer vraiment le verre de l'autre, je recommande que le thérapeute le remplace pour fournir une version plus réaliste de la situation en faisant le geste de briser le verre tout en répétant les insultes.) Marthe, je vais vous demander de faire la même chose. (Les deux se retrouvent avec un verre très abîmé.) Lucien, croyez-vous que Marthe puisse être une femme épanouie et capable de vous nourrir d'amour et d'attentions lorsqu'elle est dans cet état ? Et vous, Marthe, croyez-vous que Lucien puisse être un mari formidable et un père fantastique dans cette situation ? (Les deux prennent un air de consternation.) Je crois qu'en voulant tous deux être appréciés et reconnus par l'autre, vous avez utilisé une mauvaise stratégie. Nous pourrions revoir cela ensemble.

Le thérapeute peut ensuite poursuivre la thérapie en se référant constamment au verre, à la fois pour contrôler leurs disputes et pour rester centré sur l'objectif.

E X E M P L E 4
| **Ma mère, mes « chums » et moi** |

Monique se retrouve en consultation psychothérapeutique à la suite d'une série d'échecs amoureux. En brossant un bref tableau de sa vie, le thérapeute constate qu'elle a connu plusieurs hommes et que tous avaient été violents avec elle. Ses parents, surtout sa mère, l'avaient par ailleurs surprotégée, faisant et décidant à sa place, en tout et pour tout. Au moment de la consultation, elle était sur le point de vivre une autre rupture et accusait, comme toujours, son conjoint d'être à l'origine de ses ennuis.

Thérapeute :

Monique, sur une échelle de 0 à 10, donnez-moi le chiffre qui correspondrait le mieux à votre estime personnelle.

Monique :

Ouf ! 1 ! C'est à cause de mon « chum ». Je n'étais pas comme ça avant.

Thérapeute :

Je vois. Maintenant, toujours sur cette même échelle, quel nombre décrirait le mieux votre propre estime au moment où vous étiez avec Jacques, votre dernier ex-conjoint ?

Monique :

Euh ! J'étais à peu près à 2.

Thérapeute :

Et qu'en était-il avec l'autre, avant Jacques ?

Monique :

Euh ! Je dirais que ça se ressemblait pas mal.

Thérapeute :

(Le thérapeute réalise que l'origine réelle du problème proviendrait davantage de son enfance.) Maintenant, je voudrais que vous me donniez un chiffre pour décrire votre estime de vous-même lorsque vous aviez treize-quatorze ans.

Monique :

(Réfléchit.) J'ai toujours été timide et j'avais de la misère à aller vers les autres. Je dirais que j'étais à peu près à 3.

Thérapeute :

Avez-vous déjà pensé que cette question de mauvaise estime de vous-même pourrait provenir de votre enfance ?

Monique :

(Avec détermination.) En tout cas, ce n'est pas à cause de mes parents ! Ils ont toujours été là pour moi. Ils m'ont tellement aidée. Ce n'est certainement pas de leur faute !

Thérapeute :

Monique, je ne doute pas un seul instant que vos parents vous adorent et qu'ils ont toujours été là pour vous. J'en suis même persuadé. Mais, regardez bien. (Le thérapeute saisit un verre et monte sur la chaise pour mieux faire sentir à la cliente la perception que cette dernière a de sa mère, soit une femme qui est au-dessus d'elle et qui a réponse à tout.) Le verre représente l'estime de vous-même, vos idées, vos besoins, votre identité. Prenez-le. Maintenant, disons que je suis votre mère. (Le thérapeute se penche pour enlever le verre des mains de la cliente et commence à jouer le rôle de la mère en tenant compte de l'information qu'il a obtenue en début d'entrevue. Tout en reprenant les commentaires de la mère, il brise graduellement le verre en petits morceaux et les laisse tomber sous le nez de la cliente.) « Voyons, chaton ! Cette jupe ne te va pas du tout, il faut la porter un peu plus longue ! Je vais te l'arranger, tu l'aimeras ! Par ailleurs, ce cours de marketing n'est pas pour toi, chérie ! Non. Puis, il n'y a pas d'emploi là-dedans. Je pense que tu devrais faire un cours en informatique. Là, tu es sûre de ne pas manquer de travail. Tu sais aussi, concernant tes enfants, tu devrais être beaucoup plus autoritaire. Aie plus de poigne avec eux. Envoie-les moi pour une semaine, je vais les discipliner ! » (Le thérapeute redescend de la chaise et s'assoit dans sa position originale pour redevenir le thérapeute. Monique est manifestement émue.)

Monique :

(Après un moment, le temps de calmer ses pleurs.) C'est exactement ainsi que je me suis toujours sentie. Je n'ai jamais réussi à faire aussi bien que maman.

Thérapeute :

C'est peut-être parce que vous essayez trop de vous modeler à son image plutôt que de rester vous-même.

Monique :

(Renifle.) Ouais ! Mais, elle est tellement formidable. Elle a toujours été si bonne pour moi. Et puis, cela la blesserait énormément que je m'oppose à ses goûts.

Thérapeute :

Pas nécessairement. Je suis persuadé que ce que votre mère souhaite le plus pour vous est de vous voir heureuse. Ne le croyez-vous pas ? Je pense qu'elle pourrait comprendre que vous avez besoin maintenant de prendre vos décisions par vous-même. (Au cours du cheminement subséquent, le thérapeute pourrait proposer à sa cliente de reprendre le même exercice, mais de façon à ce qu'elle garde son verre plutôt que de le laisser abîmer par sa mère, ses « chums », ses enfants ou quiconque.)

| Réflexions sur l'estime de soi |

Lors d'une session de groupe pour jeunes toxicomanes, le leader décide de faire porter la rencontre sur l'estime de soi. Il remet à chacun des jeunes un verre de polystyrène et leur demande de le sculpter de manière à représenter le plus fidèlement possible leur estime d'eux-mêmes. Il est utile de laisser de quatre à cinq minutes aux participants pour leur permettre de bien s'identifier au verre. Au retour en grand groupe, les participants sont habituellement intéressés à entendre les commentaires des autres pour comprendre leur sculpture. L'exercice génère des renseignements très significatifs et permet aux participants de demeurer centrés sur le thème.

Leader :

Avez-vous des commentaires ou des réflexions à formuler au sujet de cet exercice ?

1er Participant :

Au fur et à mesure que je faisais des trous dans mon verre, je sentais monter en moi des émotions de tristesse et de colère. C'était mélangé !

2e Participant :

Moi aussi. Mais, c'était essentiellement tout à la fin, lorsque j'ai vu et compris que ce verre écrasé collait à mon image. J'ai un peu de misère à l'accepter. Mais, je dois avouer que ça me ressemble.

3e Participant :

Moi, j'ai l'impression d'avoir en pleine face ce que je n'ai jamais voulu voir. J'ai honte de montrer cela aux autres.

Le leader peut décider de mener l'exercice de façon à faire émerger les émotions reliées à l'estime d'eux-mêmes. Il peut aussi explorer différentes avenues, telles que l'origine des trous dans le verre, la façon d'améliorer leur situation, leur propre attitude vis-à-vis d'eux-mêmes, les modifications dans le verre après six mois d'abstinence, etc.

◎ | Carnet d'autocollants

Faites-en provision ; ils coûtent moins cher à la douzaine !

E X E M P L E   1

| **« Il faut que ça colle ! »** |

Il arrive parfois que les acquis obtenus lors des rencontres en psychothérapie s'estompent lorsque le client retourne dans son milieu naturel. L'exemple qui suit propose une technique pour aider à affermir ces nouvelles prises de conscience chez un client souffrant d'une grande timidité et d'un manque d'affirmation, surtout en présence de son père.

Thérapeute :
(L'exercice se déroule alors que le thérapeute et le client sont debout.) Luc, j'aimerais que tu prennes ce carton sur lequel j'ai écrit : « mon opinion est valable et je veux la partager avec les autres pour montrer ma couleur » et que tu le tiennes sur ta poitrine. N'est-ce pas un peu ce que tu ressens lorsque tu es ici avec moi ?

Luc :
(Tient le carton sur sa poitrine.) Oui, tout à fait.

Thérapeute :
Ce message a vraiment pris de la signification dans ta vie au cours des dernières semaines, n'est-ce pas ? (Luc acquiesce.) D'abord, tu as commencé à partager davantage tes opinions avec les copains de l'université. (Il guide doucement le client vers quelques chaises incarnant ces amis pendant que Luc tient le carton sur sa poitrine. Pour ajouter encore plus de réalisme à l'expérience et favoriser une transe éricksonnienne, il peut inscrire sur les chaises le prénom des personnes avec qui il a osé s'exprimer.) Tu t'es affirmé avec tes collègues de travail, puis à la maison. Par contre, lorsque tu arrives devant ton père (il le guide vers une nouvelle chaise incarnant le rôle du père et enlève le carton des mains du client de sorte que le carton se retrouve par terre), plus rien ne tient, et tu redeviens plus ou moins comme avant, avec beaucoup de difficultés à prendre ta place. Est-ce un peu cela ?

Luc :
(Plutôt étonné par l'exactitude de la description physique de son expérience psychologique.) Ouais ! C'est exactement cela !

Thérapeute :

Très bien ; alors, cette semaine, on va essayer de faire quelque chose qui colle. Qu'en dis-tu ? (Il écrit sur un carnet d'autocollants le même message que celui sur le carton et demande au client de coller la feuille sur son thorax ou alors de la garder sur lui, ne serait-ce que dans ses poches. Une variante est de lui demander d'écrire lui-même sur la feuille ce qui décrit le mieux sa perception de confiance, de solidité. Le thérapeute reprend alors la tournée des chaises jusqu'à ce que Luc arrive devant celle qui incarne son père sauf que, cette fois, le papier reste collé sur son thorax au lieu de se retrouver sur le plancher.) Est-ce que tu sens une différence entre cette expérience et la précédente ?

Luc :

Oui, je me sens beaucoup plus solide cette fois-ci !

Thérapeute :

Crois-tu que tu aurais plus de facilité à parler à ton père dans cette disposition ?

Luc :

Oui... oui, je le pense (d'abord hésitant, puis plus sûr de lui).

Thérapeute :

Bien ! Je voudrais que tu gardes cette feuille et, lorsque tu rencontreras ton père ce jeudi (les parents étant divorcés, Luc ne voyait son père qu'aux deux semaines, le jeudi), je voudrais que tu la mettes sur ta poitrine, sous ton chandail ou dans tes poches, pour qu'elle te serve de rappel par rapport à ce qu'on a fait aujourd'hui et également vis-à-vis de ce sentiment de force que tu ressens maintenant. (Ceux qui sont familiers avec la PNL pourront ajouter un autre ancrage physique à cette dernière phrase.)

Luc :

(Accepte volontiers.)

Parfois, il ne s'agit que d'un petit coup de pouce à donner au client la toute première fois qu'il tente une nouvelle expérience, pour l'amener à atteindre l'objectif visé. Comme le thérapeute ne peut pas toujours être présent lors de ces essais, le carnet d'autocollants représente une brillante alternative.

E X E M P L E   2
| Support psychologique bien « tangible » |

Sylvie devait se présenter devant le juge pour obtenir la garde de ses enfants. Il s'agissait d'une « première » pour elle et la cause lui tenait tellement à coeur qu'elle était d'une extrême nervosité. Elle souhaitait que le thérapeute témoigne à sa place tant elle se sentait obnubilée par l'expérience. Ne pouvant se soumettre à la demande de la cliente, il lui a remis un papier sur lequel était écrit un chaleureux message de soutien (c'est-à-dire, « tu n'es pas seule, je suis là » ou « ne te laisse pas intimider, tu as raison », ou « on croit en toi », etc.), pour qu'elle le tienne dans ses mains tout au long de son témoignage. Ce genre de soutien « tangible « a été d'une aide remarquable, non seulement dans ce cas, mais dans bien d'autres également. Il s'agit en fait d'un principe bien connu et très utilisé jusque dans les années 1960 : le principe de la médaille ou du scapulaire. Toujours aussi puissant !

◎ | Valise d'école

Chacun amasse des outils tout au long de sa vie pour faire face aux difficultés qu'il rencontre. Certains de ces outils proviennent des parents, d'autres de l'entourage, d'autres encore des connaissances scolaires ou du fruit de l'expérience. Il peut être profitable d'avoir recours à une véritable valise pour symboliser l'ensemble des outils accumulés en cours de route.

La valise peut aussi représenter l'ensemble des problèmes non résolus que le client continue à traîner. Ces problèmes latents constituent souvent l'origine d'une insatisfaction devant la vie, laquelle est susceptible d'engendrer de la dépression.

| En gérontologie |

Madame Dupuis inquiétait sérieusement sa famille ainsi que le personnel du foyer d'accueil où elle résidait puisqu'elle refusait tout contact avec les autres membres de l'établissement. Son isolement obstiné la conduisait peu à peu vers une dépression de plus en plus importante.

_____

Thérapeute :

Bonjour, Madame Dupuis ! Comment s'est passée votre semaine ?

Madame Dupuis :

Comme d'habitude ! encore une semaine toute seule ! (Se plaint que ses enfants ne la visitent pas.)

Thérapeute :

Comment coteriez-vous ce genre de semaine sur une échelle de 0 à 10 ?

Madame Dupuis :

(Avec un rire forcé.) Ah ! un beau 2 !

Thérapeute :

(Sort son attaché-case.) Je pensais à vous cette semaine, Madame Dupuis. J'avais mon attaché-case et j'imaginais qu'à l'intérieur se trouvaient tous les outils que vous aviez ramassés ou inventés pendant votre vie. Vous êtes une femme qui a eu huit enfants, vous avez travaillé dans une école pendant 35 ans, vous avez soigné votre mari malade pendant 25 ans, vous avez perdu un enfant... Je me suis dit : « Madame Dupuis doit certainement avoir pas mal d'outils dans son sac ! »

Madame Dupuis :

(Touchée et fière de cette reconnaissance, ce qui la rend d'autant plus à l'écoute du discours de la thérapeute.) Oui, j'en ai quelques-uns !

Thérapeute :

(Prend un papier et écrit : « Madame Dupuis, 1925 - 2000, 2/10 » et le pose sur l'attaché-case.) Disons que là-dedans, il y a tous ces outils que vous avez accumulés depuis votre naissance. Comment se fait-il qu'il n'y ait qu'un 2/10 sur cette valise ?

Madame Dupuis :

(Un peu triste.) Hum ! J'ai toujours tout donné à mes enfants, à ma famille, à tout le monde. Maintenant, vous voyez le résultat ! Il n'y en a même pas un qui a le coeur de venir me voir, ne serait-ce qu'une fois par semaine.

Thérapeute :

En somme, vous me dites que dans votre valise se trouvent les outils que vous aviez pour être heureuse, à savoir, prendre soin de vos enfants, de votre mari, de votre maison ou encore de votre travail. Est-ce cela ? (Cherche à l'intérieur de la valise et sort tour à tour des objets quelconques.) Hum ! J'ai bien peur que ces outils ne soient plus très utiles. (Laisse un moment de silence.) Mais, je vois d'autres outils (sort de nouveau un objet quelconque) : le sens de l'organisation, l'entregent, le courage, la détermination. Vous avez tous ces outils dans votre sac et vous ne les utilisez pas. Ils sont bien là, n'est-ce pas ? (La cliente répond affirmativement avec fierté.) Avez-vous l'impression que, si vous sortiez ces outils de votre mallette, vous récolteriez plus qu'un 2/10 ?

C'est ce qui est important dans le fond... (Madame Dupuis semble acquiescer.) Je comprends par contre qu'il soit difficile de laisser tomber certains outils (désigne les premiers objets sortis du sac), surtout lorsqu'ils nous ont si fidèlement servi pendant plus de 35 ans ! Je crois qu'il ne serait pas dommageable de les conserver au cas où... Mais, peut-être pourriez-vous leur laisser une place au fond de la valise plutôt que sur le dessus ? (La thérapeute met en action ce qu'elle dit.) Qu'en dites-vous ?

Madame Dupuis :
Vous me faites réfléchir, vous savez.

Thérapeute :
Croyez-vous qu'il serait temps de faire votre inventaire et de remanier un peu le contenu de cette boîte à outils, histoire de passer de la version 1925 à la version 2000 ?

_____

Bien que, sur le coup, l'entrevue n'ait pas produit de changements radicaux, la description des outils de la cliente, à l'aide d'objets visuels et concrets, donna à penser à notre septuagénaire. En effet, dans les jours qui ont suivi la rencontre, les membres de la maisonnée ont remarqué un début d'ouverture chez Madame Dupuis.

E X E M P L E   2
| Deuils |

Une autre façon de traiter le problème de l'exemple précédent (ou toute forme de deuil) est de proposer à la cliente de se mettre le dos au mur, à l'extrémité de la pièce, et de lui demander de se placer sur une ligne imaginaire pour illustrer la position qu'elle occupe sur son parcours (une personne du troisième âge en est habituellement à quelques pas de la fin). Puis, on reprend l'exercice en remettant une valise à la cliente (à moins que le thérapeute ne prenne sa place) ; à mesure que cette dernière avance sur le continuum, le thérapeute remplit la valise de divers objets pour bien représenter les outils que la cliente a accumulés tout au long de sa vie. Arrivée à un certain âge, elle ne regarde plus en avant pour s'intégrer dans sa communauté et se construire une nouvelle vie en centre d'accueil. Elle se concentre sur son passé et ne fait que se désoler devant ce qu'elle n'a plus. De plus, elle a laissé tomber sa valise. Elle n'utilise plus ses outils ; elle ne fait que regarder le film de sa vie au lieu de le vivre (comme c'est le cas dans la majorité des deuils chroniques).

La mise en scène, qui crée une représentation visuelle et kinesthésique de cette réalité, entraîne des discussions et des réflexions très riches qui touchent l'ensemble de la personne.

| « J'ai tout essayé ! » |

Plusieurs clients prétendent avoir tout essayé pour trouver le bonheur. Ceux qui sont suicidaires, en particulier, en sont tout à fait persuadés. La réussite ou l'échec de la thérapie avec ces clients tient souvent au fait d'être capable de leur faire retrouver rapidement un peu de l'espoir qu'ils ont perdu. La valise peut être utile pour leur signifier qu'ils ont en fait essayé tout ce qu'ils avaient dans leur boîte à outils (le thérapeute prend soin d'identifier la valise avec leur prénom et leur année de naissance), mais non pas tout ce qui existe comme solutions (le thérapeute peut même désigner une autre valise, plus grosse, pour distinguer les deux groupes d'outils). Ces deux réalités sont très différentes. Le fait d'en prendre conscience suffit souvent à leur permettre d'espérer de nouveau et de poursuivre la thérapie le temps nécessaire pour en obtenir d'autres, meilleurs que ceux qu'ils possédaient déjà. Par ailleurs, peu importe la clientèle, il est profitable de rappeler à tous ceux qui auraient tendance à l'oublier cette distinction entre les outils que l'on a déjà en main et ceux que l'on peut encore acquérir. Comme le dit une maxime célèbre : « C'est ce qu'on apprend "après" qu'on croit tout savoir qui est important ».

| Un passé lourd de conséquences |

Rita n'avait que six ans lorsque son père est devenu invalide. Toute sa vie, elle a vu sa mère s'occuper de lui. Il semble qu'il ne faisait pas un seul effort pour améliorer sa situation. La mère n'arrêtait pas de se plaindre que son mari lui enlevait sa vie, qu'elle était devenue une missionnaire. À l'âge de 49 ans, Rita fait le bilan. Elle a rencontré des dizaines d'hommes, mais aucun ne satisfaisait ses exigences. Curieusement, ils semblent tous avoir un point en commun : ils prennent trop de place et l'étouffent !

―――――――――――

Thérapeute :

(Prend une valise et y dépose un tas de livres pour vraiment l'alourdir. Il écrit ensuite dessus : « Rita, 1951-2000 », et ajoute « tous les hommes sont embarrassants ». Les deux protagonistes se tiennent debout, face à face.) Rita, j'aimerais que vous preniez cette valise qui contient tout ce que vous avez enregistré relativement aux hommes depuis votre naissance. Est-ce que le poids correspond assez bien à ce que vous ressentez ? (Les individus plus kinesthésiques vont souvent faire des commentaires pour modifier le poids de la valise. Il est recommandé de reproduire le plus possible la réalité des clients.)

Rita :

(Vérifie le poids de la valise.) Oui ! c'est à peu près cela !

Thérapeute :

Maintenant, toujours en tenant la valise, j'aimerais que vous me preniez dans vos bras.

Rita :

(Obéit à sa demande mais n'arrive pas vraiment à l'enlacer.) Je ne tiendrai pas longtemps, ma valise est trop lourde !

Thérapeute :

Effectivement ! Maintenant, essayez de nouveau en laissant tomber votre valise. (De nouveau, elle exécute sa demande, mais évidemment avec beaucoup plus de facilité. Notez qu'il ne s'agit pas d'un enlacement amoureux, mais plutôt d'un rapprochement pour permettre à la cliente de sentir la différence avec et sans la valise.) Est-ce que vous voyez une similitude entre cette expérience et ce qui se passe dans votre vie ?

Rita :

(Songeuse.) Vous voulez dire que ce qui m'empêche de vivre pleinement une relation amoureuse satisfaisante, ce ne sont pas les hommes que j'ai rencontrés, mais plutôt ce que j'ai retenu de mon enfance ?

Thérapeute :

Qu'en pensez-vous ?

_____

L'expérience permet par la suite l'émergence d'informations pertinentes et révélatrices ; l'intervenant peut constamment se référer à la valise pour recentrer la discussion ou pour y ajouter plus de signification.

◎ | Bouclier

Tout le monde devrait avoir un bouclier. Par bouclier, on entend un système de défense vis-à-vis des gens en colère, des alcooliques, des frustrés, des déséquilibrés, bref, vis-à-vis de tous ceux qui ne sont pas sains ou pas vraiment eux-mêmes. Le simple fait de faire vivre aux clients l'expérience du bouclier, lors de la session de thérapie, suffit parfois à leur procurer cet outil si précieux.

EXEMPLE
| Bouclier face à son père |

Le client de dix-huit ans se présente en ayant l'air particulièrement abattu. Il explique à sa thérapeute que juste avant de quitter la maison, son père s'est approché de lui et a vraiment déballé toutes les injures qu'il pouvait trouver à son sujet : « Tu n'es qu'un raté, un bon à rien, tu ne feras que de la merde toute ta vie, tu me fais honte... » et je vous épargne le reste. Bien que le père n'en venait jamais aux poings, sa violence verbale déstabilisait complètement le jeune homme.

_____

Thérapeute :
(D'un ton encourageant.) Je pense qu'il faudrait qu'on te donne un bon bouclier.

Client :
Un quoi ?

Thérapeute :
Regarde, admettons que je sois ton père. (Les deux se tiennent assis ou debout.) Maintenant, je vais simplement répéter ce qui s'est produit tout à l'heure avec ton père, en y jumelant une représentation physique pour t'aider à mieux comprendre cette situation. (Elle commence à l'insulter tout en associant un geste physique — des coups sur les épaules — pour démontrer clairement le déséquilibre provoqué en lui par le fait de se laisser atteindre par les paroles de

son père. Évidemment, il est important que la relation client-thérapeute soit bien établie avant de procéder à cet exercice. Dans cet exemple, le client ne se défend pas, tout comme dans sa réalité. En fait, lorsque des éléments kinesthésiques sont associés aux paroles prononcées, le client réagit la plupart du temps comme il le fait habituellement dans son quotidien, ce qui rend d'autant plus riche l'utilisation de ces techniques.) Comment te sens-tu ?

Client :
Pas bien !

Thérapeute :
As-tu remarqué qu'en te laissant atteindre de la sorte, tu deviens déstabilisé ! Est-ce vraiment ainsi que tu te sens dans ces situations ?

Client :
Oui ! Exactement.

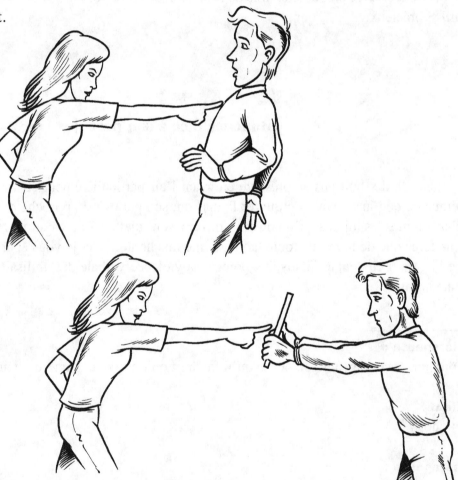

Thérapeute :
(S'empare d'un tableau sur le mur et le donne au client.) Maintenant, j'aimerais que tu prennes ce tableau entre tes mains et que tu le tiennes le plus loin possible de toi. À présent, je vais de nouveau essayer de t'atteindre, mais, cette fois, je ne veux pas que tu me laisses te toucher, d'accord ? Je ne veux pas non plus que tu attaques. Bloque simplement les coups.

Client :

(Il semble avoir capté le message et la thérapeute reprend le même scénario qu'au tout début. Il est important que le client ne riposte pas avec le bouclier, mais qu'il se protège uniquement, qu'il empêche l'agresseur de le toucher intérieurement. Notez que cette technique n'est pas du tout indiquée dans les cas de violence physique.)

Thérapeute :

Comment te sens-tu maintenant ?

Client :

Beaucoup plus stable, plus solide.

Thérapeute :

Je pense qu'il reste quand même en toi la tristesse de voir que quelqu'un de si proche essaie de te faire du mal, mais, au moins, cela ne vient plus te déséquilibrer autant. N'est-ce pas ? Penses-tu qu'à partir de maintenant tu vas pouvoir garder un bouclier dans ta tête pour faire face à ce genre de situation ?

Le thérapeute peut varier l'exercice en demandant d'abord au client de tenir le tableau pendant qu'il essaie de l'atteindre. Dans un deuxième temps, il lui retire le tableau et réussit évidemment à le rejoindre avec ses coups. Il s'agit, par la suite, de demander au client de comparer ces deux approches pour savoir celle qui est la plus confortable ou aidante.

Le bouclier peut également être utilisé relativement à certains états de l'ego ou à certaines parties de soi-même. Par exemple, un client peut y recourir pour se protéger de l'Enfant Adapté (en Analyse Transactionnelle) ou d'une partie de lui-même qui lui est néfaste et qui l'entraîne dans l'alcool et la fuite. Il peut être important de préciser aux clients la différence entre un mur et un bouclier. Le premier est hermétique alors que le deuxième est sélectif.

◎ | Mur

Il arrive que certains clients parlent du mur qu'ils se sont construit. Il peut s'agir d'un mur élevé entre eux et certaines personnes ou entre eux et le monde, ou encore entre eux et certaines émotions. Pour amplifier leur réaction, le thérapeute peut concrétiser ce mur en demandant aux clients de tenir un objet approprié comme un grand carton ou un drap ; il peut même suggérer que l'un des protagonistes se tienne derrière la porte de la garde-robe du bureau pendant la rencontre.

| Mur avec fenêtre |

Client :

J'ai de l'argent, j'ai les femmes que je veux, j'ai un beau chalet dans le Nord, un gros condominium en ville, je ne manque de rien. Mais, c'est comme si j'étais tout seul dans mon monde avec un mur tout autour de moi et que personne ne pouvait le franchir.

Thérapeute :

Est-ce un mur un peu comme ceci ? (Met un carton entre lui et le client.)

Client :

Exactement ! En plus, il semble vitré. Personne ne peut venir de mon côté, mais je peux voir tout le monde.

Thérapeute :

(Il trouve un autre objet qui correspond davantage à la réalité du client. Il échange le carton contre un large cadre en plastique transparent. Il le remet au client et lui demande de le tenir de manière à illustrer le rôle actif qu'il joue dans sa réalité.) Est-ce comme cela ?

Client :

(D'un air un peu triste.) Oui ! c'est exactement cela.

Thérapeute :

Comment te sens-tu derrière ton mur vitré ?

Client :

(Le client n'a pas à fouiller dans son imagination pour trouver la réponse. Il la vit, ce qui en augmente la validité.) Je me sens hypocrite. Je m'efforce de donner l'impression d'être un gars super *cool* alors que je me sens terriblement mal. J'ai peur quand je ne vois personne derrière la fenêtre. Est-ce que je peux laisser tomber le cadre maintenant ?

Thérapeute :

(D'une voix empathique.) Non, je pense qu'on devrait faire la rencontre comme cela à moins que tu sois définitivement prêt à laisser tomber ton mur vitré.

Client :

(D'une façon hésitante.) Non, pas encore. Cette expérience m'aide vraiment à voir jusqu'à quel point je me limite personnellement.

Le mur concrétisé permet au client de rester en contact permanent avec son vécu tout au long de la rencontre. L'ensemble de ses réactions verbales et non verbales fournit des éléments tangibles, excessivement précieux pour le thérapeute. L'aide qu'il apporte à son client n'en sera que plus efficace. Il peut aussi l'amener à expérimenter l'abandon du mur pendant la rencontre avant qu'il ne l'applique dans son milieu naturel. De cette façon, il pourra lui procurer les outils nécessaires à la réussite de son adaptation.

EXEMPLE 2
| La peur de l'autre |

Voici une autre utilisation du mur.

Thérapeute :
Béatrice, laisse-moi t'illustrer ce qui se passe lorsque tu veux te rapprocher d'une de tes amies. Je vais jouer son personnage (les deux se tiennent debout à une distance de trois pieds l'un de l'autre). Je voudrais que tu tiennes ce porte-documents entre tes mains, devant tes yeux. Maintenant, comme ton amie, je tends les bras pour me rapprocher de toi. À toi de prendre mes mains.

Béatrice :
Je ne peux pas, à moins de lâcher le porte-documents... Oh ! à moins d'abandonner le mur. Hé ! je réalise qu'il est là depuis un bon bout de temps !

Thérapeute :
Je sais. Maintenant, je vais tranquillement retirer le mur pour que tu expérimentes les effets de son absence (il retire doucement le porte-documents des mains de la cliente de sorte que les deux se retrouvent l'un en face de l'autre, sans obstacle entre eux).

Béatrice :
Je préfère cette façon même si cela me fait plutôt peur.

Thérapeute :
Je sais que cela peut t'effrayer, mais on va faire deux choses. D'abord, nous regarderons quand et pourquoi tu l'as construit, puis comment tu peux vivre sans lui. Qu'en dis-tu ?

Encore une fois, l'utilité du mur est de permettre au client de reproduire visuellement sa réalité intérieure. Il s'ensuit une plus grande prise de conscience et aussi une plus grande motivation pour changer.

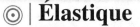 **Élastique**

La bande élastique constitue une aide quasi irremplaçable pour démontrer le niveau de stress dans la vie du client ou la confiance dans une relation.

| En thérapie de couple |

Certains d'entre vous ont probablement déjà reçu la désagréable remarque suivante : « On dirait que depuis qu'on vient vous voir, ça va de plus en plus mal ! » C'est dans ces moments-là qu'il est bon d'avoir un élastique !

Thérapeute :

(S'adresse au couple.) J'aimerais que vous teniez chacun un bout de cet élastique et que vous me montriez le degré de tension que vous viviez lorsque l'on s'est quitté la semaine dernière. (Généralement, en fin d'entrevue, le couple a eu le temps de liquider une partie de son mécontentement, de sorte qu'il repart habituellement plutôt soulagé. C'était le cas dans cet exemple-ci.) Maintenant, montrez-moi la tension qu'il y a entre vous aujourd'hui (cette fois, l'élastique est sur le point de casser tellement la tension est grande). Moi, je ne tiens pas l'élastique, il est entre vos mains à tous les deux. Qu'avez-vous fait cette semaine pour augmenter la tension entre vous ?

Monsieur :

Vous nous aviez demandé de ne pas parler de la question financière pour cette semaine. Évidemment, nous étions à peine sortis d'ici que déjà elle me harcelait sans arrêt sur la gestion de mon budget !

Madame :

(Avec agressivité.) Premièrement, ce n'était pas en sortant d'ici. C'était à la fin de la semaine. Et deuxièmement, si tu administrais mieux et si tu voyais un peu moins grand, nous ne serions peut-être pas en si mauvaise posture ! (Comprenez-vous pourquoi je ne voulais pas qu'ils abordent ce thème ensemble à la maison ?)

Thérapeute :

Donc, madame, vous avez parlé de la question financière à monsieur vers la fin de la semaine, c'est ça ?

Madame :

Quand les comptes vous arrivent et vous « sautent dans la face », c'est difficile de les ignorer !

Thérapeute :

L'exercice n'était pas de ne pas les voir, mais de ne pas en parler. (Soupir de la part de la cliente.) Alors, étirez l'élastique ! (L'élastique étant revenu au point de départ, la cliente l'étire de son côté. La thérapeute s'assure que seule la dame ajoute de la tension.) Et vous, monsieur, quelle a été votre réaction ?

Monsieur :

Moi ? Je n'accepte pas de me faire traiter comme un enfant.

Thérapeute :

Dois-je comprendre que vous avez nourri la dispute ? (L'homme est forcé d'acquiescer.) Alors, tendez l'élastique !

Monsieur :

(Étire l'élastique à son tour. Chacun a le doigt pratiquement bleu sous l'effet de la tension.)

Thérapeute :

Comprenez-vous pourquoi votre situation ne va pas mieux ?

———————————

La thérapeute peut alors procéder à une discussion productive sur l'impact du comportement de chacun et diriger les échanges sur le rôle de l'un et de l'autre au cours de cette semaine évaluée à 1/10, tant ils ont tous deux contribué à créer et à maintenir une forte tension. Il est habituellement indiqué de poursuivre la discussion pendant que les clients continuent à tenir l'élastique pour ajouter plus de réalisme à l'exercice et faciliter le rappel entre les rencontres. Ce dernier point peut être amplifié en remettant un élastique à chacun.

E X E M P L E 2
| En évaluation |

Micheline vient en thérapie pour régler son anxiété. Elle l'associe à de douloureux souvenirs d'enfance, mais dont elle ne se rappelle pas. Après une évaluation plus approfondie, le thérapeute interprète plutôt ses sentiments d'anxiété comme une conséquence de ses excès d'alcool, de son incapacité de contrôler son budget et de ses crises de colère répétées au travail.

Thérapeute :

Micheline, prends cet élastique et montre-moi comment est ton anxiété ce matin. Plus il est tendu, plus il témoigne d'un niveau d'inconfort élevé.

Micheline :

(Très anxieuse.) C'est épouvantable ce matin. C'est au moins comme cela (étire l'élastique pratiquement à son maximum).

Thérapeute :

Dis-moi, Micheline, est-ce que tu as consommé hier soir ?

Micheline :

Tu comprends, je suis sortie avec Isabelle. C'est sûr que, quand on sort ensemble, on consomme toujours un peu !

Thérapeute :

Alors, étire l'élastique.

Micheline :

Mais... (Veut dire « si je l'étire encore davantage, il va casser ! »)

Thérapeute :

Mais, Micheline, tu sais que le seul fait de métaboliser l'alcool augmente ton anxiété. Étire l'élastique puisque tu me dis avoir consommé. (La cliente étire donc l'élastique un peu plus, non sans ressentir une grande tension dans son corps, créée par la peur qu'il casse.) On arrive à la fin du mois, où en es-tu dans ton budget ?

Micheline :

Comme je suis sortie avec Isabelle hier, c'est sûr que j'ai dépensé un peu trop. Mais, je paierai mon loyer à la prochaine paie !

Thérapeute :

Alors, étire l'élastique.

Micheline :

(Cette fois, vraiment abasourdie.) Mais...

Thérapeute :

Mais, Micheline, tu sais très bien que chaque fois que tu ne paies pas ton loyer, le propriétaire n'arrête pas de te harceler, ce qui augmente de beaucoup ton anxiété, n'est-ce pas ? Alors, étire l'élastique ! (Le thérapeute fait le même raisonnement en ce qui concerne les crises de colère au travail. La cliente tend l'élastique jusqu'à son maximum. Elle réalise alors le rôle actif qu'elle joue dans l'accroissement de son anxiété.) Micheline, montre-moi avec ton élastique où en serait ton anxiété si tu arrivais à contrôler définitivement ta consommation d'alcool.

Micheline :

(Elle réduit considérablement la tension et ressent en même temps un grand soulagement.) Ce serait comme ça !

Thérapeute :

Maintenant, indique-moi comment serait ton anxiété si tu contrôlais définitivement ton budget au point de parvenir, chaque mois, à payer à temps ton loyer. En plus, tu pourrais mettre des sous de côté pour des vacances (son revenu lui permettait effectivement de nourrir ce genre de projet).

Micheline :

(Elle réduit encore la tension de l'élastique et éprouve de nouveau un bien-être. Le même résultat se fait sentir lorsqu'il s'agit d'une meilleure gestion de sa colère.)

Thérapeute :

Micheline, que dirais-tu si on s'occupait de ces trois problèmes d'abord et qu'on parlait ensuite de ton passé ?

———————

Le fait de remettre un élastique au client et de l'amener à associer sa tension à des comportements bien concrets permet de le responsabiliser vis-à-vis du processus thérapeutique dans lequel il est engagé. Cette utilisation est fort profitable également dans le cas où ce ne sont pas tant les comportements qui causent le problème, mais surtout les cognitions, comme dans le cas des phobies. Prenons l'exemple d'un client qui a peur de l'avion. Tout va bien jusqu'à ce qu'il apprenne qu'il devra faire un voyage en avion. Il commence alors à se répéter toutes sortes d'histoires effrayantes et augmente ainsi la tension de son élastique. C'est la même chose pour les étudiants qui, pour éviter d'affronter leur anxiété, sortent avec leurs amis plutôt que de se préparer à un examen ou à une présentation orale. Ces clients peuvent ainsi visualiser le processus qui les mène à la crise et expérimenter en thérapie le contrôle de leurs émotions et/ou de leurs comportements ainsi que l'impact subséquent de ce contrôle sur leur tension interne.

L'élastique peut aussi servir à illustrer les conséquences futures du maintien de stratégies peu efficaces comme, par exemple, celle de fuir une situation phobique plutôt que de la régler ou de boire pour oublier. Le thérapeute reprend les mêmes consignes, mais en demandant au client de s'imaginer aux prises avec ses stratégies néfastes, un an, cinq ans ou dix ans plus tard et de lui montrer l'effet que cela aurait sur l'élastique.

| La confiance dans la relation thérapeutique |

Louise a connu l'inceste pendant des années avec son père. Même si elle dépassait les 45 ans, elle n'avait encore jamais parlé à quiconque de cette époque douloureuse. Pour apaiser ses craintes ou pour aider au développement de la relation thérapeutique, l'intervenant s'est fort efficacement servi d'un élastique.

Thérapeute :

Je sais que vous avez très peur de parler de votre vécu. J'aimerais vous illustrer le processus thérapeutique. Je crois que cela pourra vous aider. Je voudrais que vous teniez un bout de cet élastique avec un doigt et moi, je vais tenir l'autre bout. Vous voyez, nous avons tous les deux un contrôle sur l'élastique. Je sais qu'actuellement la tension est très grande parce que vous avez peur. (Il étire l'élastique pour représenter l'état émotionnel de la cliente. Cette dernière réalise ainsi qu'il est bien conscient de son vécu.) Mais, dans un instant, je vais lâcher l'élastique et vous verrez que vous n'aurez pas mal. (La cliente est de plus en plus apeurée, ne sachant pas à quoi s'attendre. Le thérapeute rapproche alors tout doucement le bout de son élastique vers celui de la cliente de manière à diminuer la tension tout en douceur. Puis, il lâche l'élastique. Elle sent un très grand soulagement.) C'est ainsi que cela se passe. Des commentaires ?

Cliente :

Cela me rassure beaucoup. (Elle est maintenant prête à faire davantage confiance au thérapeute.)

◎ | Pions d'échec

Certaines techniques décrites jusqu'à présent touchent le même type de problématiques. L'explication de ces répétitions est que chacun, selon son vécu et ses valeurs, est rejoint par une technique plutôt que par une autre. Il est donc important de toutes les posséder pour pouvoir s'adapter au caractère unique de nos clients. Les pions d'échec peuvent ainsi ressembler à l'une des techniques déjà présentées. À vous de sélectionner celle qui, à votre avis, répondra le mieux aux traits particuliers de votre client.

| Bouderie, boudeuse, boudin |

Plusieurs personnes se réfèrent encore aux ruses développées durant leur enfance pour solutionner les conflits. Prenons l'exemple d'une jeune femme de 28 ans qui boudait toujours pour tout et pour rien. En évaluant les effets de ce stratagème, elle a réalisé que les jours qu'elle passait à rechigner lui valaient un beau 2/10. Elle obtenait un 8 et parfois un 10/10 lorsqu'elle adoptait un moyen plus Adulte tel que la communication dont nous avions discuté. Elle reconnaissait que cette option pour gérer les problèmes était efficace et pourtant elle éprouvait de la difficulté à se défaire de ses « bonnes vieilles pantoufles ». C'est ici que les pions sont venus aider le processus thérapeutique.

Thérapeute :

Annie, vous dites que, huit fois sur dix, vous optez encore pour la bouderie lorsque survient un problème. Est-ce cela ?

Annie :

Oui ! c'est trop dur !

Thérapeute :

Très bien ; alors, on va regarder quelle sorte de semaine vous passez. (Il s'empare de dix pions, deux blancs et huit noirs.) Les blancs représentent le recours à la communication pour gérer les conflits. Les noirs équivalent à la bouderie. (Il remet les dix pions dans les mains de la cliente puis en tire un au hasard. Il tombe sur un noir et commence à verbaliser les soliloques de la cliente.) « Lundi, mauvaise journée ! Marc et moi ne nous sommes pas parlés de la journée. Je me sens super triste. J'ai l'impression qu'il ne me comprend pas et qu'il ne m'aime pas. Je me sens très seule ! »

Mardi : encore une mauvaise journée ! (De nouveau, le thérapeute a rencontré un pion noir.) « Il devrait bien le savoir que je suis triste. S'il m'aimait, il viendrait me parler ! Je n'ai rien foutu de toute la journée. J'étais trop triste. L'éventualité d'une rupture m'a obsédée une bonne partie de la soirée. J'ai passé mon temps à pleurer ! »

Mercredi (encore un noir) : « Je sens que cela ne tiendra plus très longtemps entre nous. Il ne me comprend pas. Il se fout de moi. Je suis peinée, j'ai les yeux rougis et il ne vient même pas me demander pourquoi. Qu'est-ce que c'est, sinon de l'indifférence ? Quand on aime quelqu'un, on ne se montre pas aussi distant. Encore une journée ratée, à ne rien faire, à pleurer, à penser que tout est fini. J'ai mal dormi. J'ai encore eu du mal à digérer ! »

Jeudi (le thérapeute sort enfin un blanc) : « Ouf ! On s'est expliqué. Je n'en pouvais plus. Je lui ai parlé. En réalité, je m'étais raconté un tas d'histoires ! Il était aussi malheureux que moi !

Notre discussion nous a rapprochés et je me sens plus solide d'avoir été capable de lui dire ce que je vivais. J'ai dormi comme un bébé, dans ses bras, avec le coeur rempli d'amour ! »

Vendredi... (et le thérapeute continue en adaptant le discours à la réalité de la cliente, selon les pions qu'il tire). Annie, que comprends-tu de cet exercice ?

Annie :
Il décrit très bien ma réalité. Je vois que, quand j'ose dire ce que je ressens, je vais super bien et quand je continue à faire la moue, je perds mes journées !

Thérapeute :
Réalises-tu également que tu n'auras en général que de bonnes semaines le jour où tu n'auras que des pions blancs dans les mains ?

Annie :
Oui, vous avez raison ! Je dois oser davantage si je veux vivre du 10/10 !

E X E M P L E   2
| L'erreur est humaine ! |

Il m'est fréquemment arrivé, en fin d'entrevue, de remettre des pions aux clients, généralement cinq. Ils représentent le nombre d'erreurs acceptables ou normales, au cours de la semaine. Par exemple, si je demande à un père de ne pas tonitruer en présence des autres membres de la famille, je lui donne cinq pions pour le prévenir que des erreurs sont possibles, voire normales. Personne n'est parfait. Évidemment, le client évite de les dépenser tous. Au lieu de conclure à l'échec dès qu'il s'échappe, il s'efforce au contraire d'être plus vigilant pour conserver les quelques pions qui lui restent.

De cette façon, les pions permettent aux clients d'éviter de défaire le travail accompli. En thérapie de couple, par exemple, si l'un des deux partenaires déroge aux recommandations de l'intervenant, l'autre peut utiliser cette faille pour confirmer ses prédictions qu'il n'y a plus rien à faire pour restaurer leur relation. Par contre, s'ils ont déjà été prévenus que des incidents, des déceptions pourraient se produire sans qu'aucun ne doive nécessairement conclure à l'échec, la thérapie peut se poursuivre en maintenant l'espoir d'un succès. Suivant l'état du couple au moment de la consultation, il est possible de varier le nombre de jetons. Si les conjoints ont l'habitude de se parler violemment quinze fois par jour, donc 105 fois par semaine, quinze pions ne seront probablement pas superflus.

Les pions permettent également de dédramatiser les fautes. Après tout, ce n'est pas la fin du monde et il n'en coûte qu'un pion ! Par exemple, je me souviens de cette adolescente à bout de nerfs, qui s'était tellement emportée que sa mère s'était mise à crier à son tour et à répéter des « toujours » et des « jamais ». La jeune fille s'était curieusement calmée et avait dit à sa mère : « Bon ! Très bien ! Je viens de perdre un pion, mais c'était mon premier depuis deux semaines ! » Cette réflexion a immédiatement jugulé la discussion houleuse.

Le thérapeute peut se référer aux pions pour évaluer le déroulement de la semaine. Il n'est pas rare de voir des clients tout heureux d'en rapporter quatre sur cinq !

◎ | **Poids**

À toute fin pratique, le thérapeute peut utiliser n'importe quel objet pour représenter les poids. Les livres sont généralement ce qu'il y a de plus accessibles, mais les bouteilles, les porte-documents et les briques sont également très adaptés.

E X E M P L E 1
| **Évaluation conjugale** |

L'épouse veut divorcer après 30 ans de mariage. Elle est en larmes et elle prétend que son mari ne l'a jamais aimée. Ce dernier affirme ne rien y comprendre. Son impression est que tout a toujours très bien été. Selon lui, ce n'est que récemment qu'elle a commencé à tenir ce discours et cela sans qu'aucun incident particulier ne soit survenu. Madame semble très hésitante à livrer le contenu de son insatisfaction.

───────────

Thérapeute :
(Dispose un certain nombre de papiers sur le sol pour désigner les moments forts de leur 30-32 ans de vie commune. Les papiers sont alignés sur le sol : fréquentations, mariage, premier enfant jusqu'au cinquième, départ des enfants et maintenant. Le thérapeute demande au couple de se placer au début de la chaîne.) Je vais demander à chacun de vous de se placer à l'époque indiquée sur le papier et de me dire comment vous vous sentiez à ce moment-là, surtout quant au poids : était-ce lourd ou léger ?

Monsieur :
Je veux bien essayer !

Thérapeute :

Comment était la période de vos fréquentations ?

Monsieur :

Pour moi, c'était super. Il n'y avait pas du tout de poids.

Madame :

(Les yeux rougis et gonflés par les larmes.) Pour moi non plus. Tout était correct.

Thérapeute :

Maintenant, avancez à l'étape du mariage. Comment était-ce ?

Monsieur :

(Un peu exaspéré.) Aucun problème !

Madame :

(En pleurs.) De mon côté, il y a un gros poids.

Monsieur :

(Il la regarde, estomaqué et incrédule.) Quoi ?

———————————

En 30 ans, la dame n'avait jamais avoué à son mari que le fait qu'il ne l'ait pas prise dans ses bras pour franchir le seuil de la chambre et qu'ils n'aient pas eu de relation sexuelle le soir de leurs noces avait été pour elle une sorte de confirmation qu'il ne l'avait épousée que pour s'associer à une famille mieux nantie que la sienne. À la suite de cet accroc, madame avait retenu les moindres retards, oublis ou remarques de la part de son mari pour confirmer secrètement son diagnostic. Après 30 ans, elle n'en pouvait plus.

Il s'agit, bien entendu, d'un cas parmi tant d'autres. Mais, l'utilisation des poids, associée aux différentes périodes de vie, permet d'ajouter de la validité à la collecte de données en précisant le moment de l'apparition du problème, son intensité (déterminée par la lourdeur du poids) et son évolution à travers le temps. Il est notamment très profitable de voir qu'un poids non réglé s'alourdit à la longue, d'où l'importance de développer une bonne hygiène de gestion de problèmes.

E X E M P L E 2
| « Je n'en peux plus ! » |

De nos jours, le burnout est chose commune. Les demandes d'énergie sont multiples et proviennent de toutes parts. Il est important que le client qui se présente avec ce motif de consultation comprenne que, malgré les pressions de l'entourage, il devra retrouver son rythme personnel et réapprendre à s'écouter. L'exercice des poids permet d'illustrer assez fidèlement cette question.

Thérapeute :
(D'une voix empathique.) Levez-vous et tendez les bras droit devant vous. Vous travaillez quarante heures par semaine, n'est-ce pas ? (Devant la réponse affirmative de la cliente, il dépose sur ses bras un gros livre destiné à représenter le poids du travail.) Vous faites également du bénévolat le dimanche après-midi aux deux semaines ?

Cliente :
Oui, je crois que c'est important de démontrer de la reconnaissance à nos aînés qui ont tellement fait pour nous.

Thérapeute :
Oui, bien sûr. (Dépose sur les bras de la cliente un autre livre, moins gros, qui représente le bénévolat.) Que faites-vous d'autre pendant une semaine normale ?

Cliente :
J'ai mes deux garçons. Même s'ils ont treize et dix-sept ans, vous savez, ils ont encore bien besoin de leur maman !

Thérapeute :

Et comment ! D'autant plus que vous avez toujours été seule pour vous en occuper ! (Dépose deux autres gros livres sur ses bras.)

Cliente :

(Visiblement encombrée par ces poids.) Hé ! ça devient lourd ! Vous savez, je ne sais pas si je vais pouvoir tenir bien longtemps.

Thérapeute :

Mais, ce n'est pas encore terminé. Vous suivez aussi un cours du soir et vous faites partie du comité de parents à l'école.

Cliente :

Mais cela ne représente pas un très gros investissement de temps et d'énergie, vous savez.

Thérapeute :

Tout de même ! (Encore deux autres poids de plus sur les bras de la cliente.)

Cliente :

(Cette fois, elle commence à avoir réellement mal aux épaules.) Je vais tout échapper. Je n'en peux plus tellement j'ai mal aux épaules !

Thérapeute :

On dirait que cela ressemble assez bien à ce qui se passe dans votre vie ! Alors, si vous avez mal et que vous n'en pouvez plus, lequel de ces poids êtes-vous prête à larguer ?

_____

En fait, le thérapeute peut travailler sur deux plans : les charges à larguer - en précisant lesquelles, quand et comment s'en défaire - et l'aide, l'appui à offrir pour toutes les soutenir.

Une cliente qui avait fait cet exercice est revenue voir le thérapeute un an plus tard pour une entrevue de suivi et a affirmé que, même si sa thérapie était finie, elle y pensait avant de s'en « remettre sur les bras ! » En conclusion, l'effet, en plus d'être immédiat, se maintient à long terme.

Techniques d'Impact
utilisant des chaises

CHAPITRE 3

Je vis de bonne soupe
et non de beau langage.

Molière

Il n'est pas nouveau d'utiliser des chaises comme instrument en psychologie. La Gestalt est probablement l'approche qui a le plus développé cette technique. La Thérapie d'Impact et les Techniques d'Impact reprennent ce concept tout en lui apportant une couleur bien particulière. Que vous y soyez ou non initiés, le chapitre qui suit pourra vous fournir des idées pour vos prochaines interventions psychothérapeutiques.

⅂ | Différentes parties de soi

L'Analyse Transactionnelle (Berne, 1964 ; Goulding et Goulding, 1978 ; James et Jongeward, 1978) reconnaît cinq parties de l'ego : l'Enfant Naturel, l'Enfant Adapté (soumis ou rebelle), l'Adulte, le Parent Nourricier et le Parent Critique. Certains clients, bien qu'ils n'adoptent pas précisément cette terminologie, distinguent également différentes parties en eux. Si on isole chacune de ces dimensions à l'aide de chaises, il devient plus facile de les reconnaître, de les analyser et de les traiter. Pour ceux et celles qui ne seraient pas familiers avec cette approche, il est fortement recommandé de s'y initier avant d'entreprendre quelque intervention basée sur ces fondements.

E X E M P L E   1

| Le *straight* et le semi-*freak* |

Jules n'avait jamais étudié l'Analyse Transactionnelle. Pourtant, il reconnaissait très clairement son Enfant Adapté, qu'il appelait son *straight,* et son Adulte (ou sa partie rationnelle remplie d'humour et de détermination), qu'il surnommait son semi-*freak*. Le premier, qui fut pensionnaire à temps plein de six à seize ans, presque entièrement privé de la présence de ses parents tout au long de cette période, lui causait de sérieux problèmes qui ressemblaient de plus en plus à de l'obsession-compulsion.

Thérapeute :

(Sort une petite chaise d'enfant pour symboliser le *straight* et une régulière pour incarner le semi-*freak*. Il cherche à favoriser la dissociation de ces deux parties de l'ego. Le client pourra ainsi regarder sa situation objectivement et mieux la comprendre, la décrire et la modifier. Cette technique rejoint tout à fait la trame de base de la Thérapie d'Impact qui vise à outiller l'Adulte de manière à ce qu'il puisse agir sur les autres composantes malades ou néfastes de son ego.) Alors, tu me dis que c'est surtout lui qui a des phobies ? (Touche affectueusement la petite chaise tandis que le client l'observe, assis sur une autre chaise.)

Jules :

Il n'y a que lui. L'autre n'a pas de phobie ; il est super *cool !* (Désigne la chaise symbolisant l'Adulte. Le client se trouve sur une troisième chaise, celle de l'observateur.)

Thérapeute :

Et que te dit-il ? Quel est son discours en général ? (Fait toujours référence à la petite chaise.)

Jules :

(Plus le thérapeute demande des précisions sur chacun des personnages, plus une transe se développe et s'approfondit, une transe par laquelle le client entre dans chacun des personnages sans le devenir.) Il faut qu'il soit parfait. C'est très fort chez lui.

Thérapeute :

Pourquoi pense-t-il qu'il doit être parfait ?

Jules :

Il pense que les autres ne vont l'aimer que s'il est parfait.

Thérapeute :

Qu'est-ce qui lui fait croire cela ?

Jules :

À l'école, ses professeurs et directeurs le prenaient un peu comme leur chouchou parce qu'il était parfait.

Thérapeute :

Aimait-il cela ?

Jules :

Oui, il en était fier.

Thérapeute :

Jusqu'à quel point la reconnaissance de ses professeurs et directeurs le rassasiait-il en ce qui a trait à l'amour ? Donne-moi une note sur une échelle de 0 à 10 pour représenter ce sentiment, 0 étant nul et 10 le plus haut degré.

Jules :

(L'air un peu triste et hésitant.) Ouais !... je dirais 2/10 !

Thérapeute :

(D'une voix calme.) Mais que lui manquait-il à ce petit ?

Jules :

(Visiblement touché, en contact avec la peine de l'Enfant, mais à un niveau moindre puisqu'il est simplement observateur. Sans cette dissociation, le client se trouve souvent aspiré par cette peine et il lui devient difficile de poursuivre sa démarche de compréhension et de modification de lui-même sur un chemin profitable. En Thérapie d'Impact, on croit qu'il est important de prendre contact avec la peine de l'Enfant en soi, mais tout en demeurant dans l'état Adulte pour ainsi mieux intervenir dans le processus de guérison.) Un lieu d'appartenance. Mes parents ne sont venus me voir que deux fois en dix ans. Te rends-tu compte ?

Thérapeute :

(Pour maintenir la dissociation, il poursuit le discours mais en le transposant à la troisième personne du singulier.) Alors, il s'ennuyait beaucoup de ses parents. Est-ce cela ?

Le thérapeute se dirige ici non seulement vers la collecte d'informations, mais aussi vise l'annulation de la prémisse de base de l'Enfant qui était d'être parfait pour être aimé. Il démontrera également à l'Adulte la naïveté du raisonnement de l'Enfant pour en venir à une nouvelle interprétation plus mature.

Remarquez la rapidité avec laquelle le thérapeute peut entrer dans le vif du sujet. Le client devient extérieur à la souffrance évoquée par le fait qu'en tout temps, il observe la petite chaise au lieu de s'y asseoir. Il montre ainsi moins de résistance à en parler. Plusieurs clients ont, par ailleurs, une sorte de haine, de mépris ou de rancune vis-à-vis de leur propre Enfant intérieur. Leurs sentiments hostiles diminuent grandement lorsqu'ils regardent la petite chaise avec de nouveaux yeux, des yeux d'observateur.

Dans certains cas, le thérapeute pourra juger utile de demander au client de s'asseoir sur la petite chaise, ce qui l'aidera à mieux s'imprégner des sensations, souvenirs et émotions qui sont liés à cette étape de sa vie. Le thérapeute peut toucher la petite chaise vide, lui parler directement, la prendre dans ses bras et ainsi rejoindre aisément cette partie de l'ego du client, sans susciter le transfert. Lorsque le thérapeute s'adresse à la petite chaise, il ne fait qu'enseigner à l'Adulte comment devenir un Parent sain pour ce jeune Enfant, toujours bien vivant à l'intérieur de lui. Il parle de l'Enfant à l'Adulte. Il lui montre comment devenir un bon Parent. Ainsi, la guérison ne se fait pas grâce au transfert, mais plutôt à la suite des apprentissages de nouvelles habiletés, au *modeling* et à l'enseignement du thérapeute. Ces données sont évidemment associées au fondement conceptuel de la Thérapie d'Impact. Pour plus d'information, veuillez consulter la liste des références à la fin du volume.

E X E M P L E   2
| Esther et sa boudeuse |

Esther avait beaucoup de difficultés à contrôler sa partie boudeuse (son Enfant Adaptée). Un jour, son thérapeute s'apprêtait à partir en vacances pour deux semaines. Il regrettait de devoir la laisser sous l'emprise de la boudeuse, jusqu'à ce que l'idée suivante lui traverse l'esprit.

Thérapeute :
(À la fin de la rencontre.) Esther, habituellement lorsque tu quittes mon bureau, tu repars avec la boudeuse (il met la petite chaise symbolisant la boudeuse dans les bras de la cliente). Généralement, elle te cause bien des ennuis tout au long de la semaine. (Il lui fait signe de se diriger vers la porte et de tourner la poignée, comme si elle était pour sortir avec la petite boudeuse.)

Esther :
Oh oui ! (Tient la petite chaise entre ses mains.)

Thérapeute :

Comme tu le sais, je pars en vacances ; alors, je te propose un marché. Je l'emmène avec moi ! (En disant cela, il lui enlève la petite chaise et la garde dans ses bras.) Cela fait 38 ans que tu n'as pas eu de vacances pour toi toute seule. Cette fois, je t'en offre. La boudeuse m'accompagnera sur la plage. Ne t'inquiète pas, je vais bien m'en occuper. D'accord ?

Esther :

(Avec hésitation, puis enthousiasme.) D'accord !

———————

C'est beaucoup plus qu'un jeu. Cette cliente qui a passé plusieurs rencontres à discuter de la petite chaise, ressent l'Enfant qui s'y trouve et peut parfaitement la décrire tant physiquement que psychologiquement. Ce n'est plus une simple chaise. Lorsque le thérapeute la retire des bras de la cliente, c'est comme s'il lui retirait la partie boudeuse en elle.

Il n'est pas rare que cette technique donne des résultats spectaculaires. Pour Esther, ce fut le cas. Au cours des deux semaines qui ont suivi la rencontre, lorsqu'elle se préparait à bouder, elle réalisait aussitôt que la boudeuse était sur la plage. Son comportement en était donc positivement affecté.

Très souvent aussi, l'Enfant Adapté ne revient pas de ce séjour en compagnie du thérapeute ou, du moins, pas de façon aussi intense qu'avant l'expérience. Une des explications plausibles à ce phénomène est que souvent le client perçoit le thérapeute comme quelqu'un d'idéal. Deux semaines intensives pour un Enfant souffrant, en compagnie d'une personne aussi parfaite et apte à le comprendre et à l'aider, pourraient suffire à le guérir.

Il peut arriver qu'un client refuse de laisser l'état de l'ego problématique au thérapeute. Dans la majeure partie des cas, cependant, ce n'est que par sympathie pour l'intervenant. Un client qui a vu sa qualité de vie affectée, pour ne pas dire entièrement détruite, par une de ses parties malades, hésite à la remettre dans les bras de quelqu'un qui n'a pas l'habitude de subir cette agitation. Il importe alors de rassurer le client. Vous pouvez éventuellement lui affirmer que vous avez une bonne vingtaine de collègues prêts à vous porter secours dans l'éventualité où la petite chaise (ou la chaise du Parent Critique) vous ennuierait un peu trop.

E X E M P L E 3
| Peur d'émettre ses idées au travail |

Le cas suivant concerne Alexandre, un jeune homme de 29 ans, qui disait ne pas comprendre pourquoi il doutait tellement de ses idées. Par ailleurs, son hésitation se manifestait exclusivement au travail et il soupçonnait que ses problèmes étaient reliés à sa mère.

Le thérapeute d'Impact vise à découvrir les causes d'un problème. Dans ce cas-ci, pourquoi Alexandre doute-t-il de ses idées ? Comme le client lui a déjà mentionné qu'il avait toujours été ainsi, le thérapeute commence à soupçonner que la racine des manifestations actuelles du problème se trouve dans l'enfance. Il reconstruit tout de suite la scène en rendant présents les personnages concernés. Lorsqu'il a fait asseoir le client sur la chaise du père, il n'a pu déceler aucun élément qui pouvait répondre à sa question. C'est pour cette raison qu'il a immédiatement poursuivi son investigation du côté de la mère.

Thérapeute :
Alexandre, assieds-toi sur cette chaise qui est celle de ta mère. Je voudrais que tu te mettes dans sa peau, avec ses idées, ses valeurs et ses besoins. Quel est son prénom ?

Alexandre :
Jeanne.

Thérapeute :
Très bien, alors, tu es Jeanne. Jeanne, que pensez-vous d'Alexandre ? (Pointe une petite chaise pour représenter Alexandre alors qu'il était enfant.)

Alexandre :
Bien... c'est un bon petit gars !

Thérapeute :
Dites-moi, Jeanne, savez-vous qu'Alexandre est malheureux ?

Alexandre :
Non, elle ne le sait pas (même s'il s'exprime à la troisième personne, il est très en contact avec la réalité de Jeanne).

Thérapeute :
Est-ce qu'elle l'aime ?

Alexandre :
Oui. Oui, elle l'aime. (Le client prononce ces paroles sans animosité. Elles ne sont que des constatations.)

Thérapeute :
Comment se fait-il qu'elle ne soit pas au courant de ce qu'il vit, qu'elle ne se rende compte de rien ?

Alexandre :
En fait, elle le dispute parce qu'elle veut qu'il étudie davantage. Elle lui achète des livres, des

encyclopédies et, quand elle s'aperçoit qu'il s'apprête à aller jouer dehors après ses devoirs, elle exige qu'il reste à faire de la recherche dans les encyclopédies pour devenir encore meilleur à l'école.

Thérapeute :

Comment est-il à l'école ?

Alexandre :

Il est bon, mais elle ne le voit pas. Elle a dû arrêter l'école en troisième année et elle s'est toujours tellement sentie inférieure à cause de cela. Elle ne veut pas que la même chose arrive à ses enfants.

Thérapeute :

Est-ce qu'elle trouve qu'il a de bonnes idées ?

Alexandre :

Elle ne le sait pas, elle ne les écoute pas. Tout ce qu'elle veut, c'est qu'il soit bon à l'école et qu'il apprenne un tas de choses.

Thérapeute :

Je déduis que ce n'est pas avec lui qu'elle est en contact, mais plutôt avec son histoire personnelle.

Alexandre :

Absolument !

Thérapeute :

Très bien, assieds-toi ici. Maintenant, tu es un observateur. Un observateur de l'extérieur, mais qui connaît parfaitement le vécu d'Alexandre. Toi, que penses-tu de lui ?

Alexandre :

(Ne répond pas. On le sent mêlé, non pas à cause du jeu de rôles, mais plutôt à cause de ses images internes du petit Alexandre.)

Thérapeute :

Attends, il y en a deux en fait (il sort une autre petite chaise de couleur différente, qui représente son Enfant Pur ou son Enfant Naturel). Il y a celui qui est plutôt triste et qui a peur de faire des choses qui risqueraient de déplaire à maman (montre la première petite chaise, de couleur rouge). Et il y a celui-ci, qui a plein d'idées, qui est curieux, plutôt innocent (désigne une chaise de couleur blanche). Est-ce que tu le vois, celui-ci ? (Celui de la chaise blanche.)

Alexandre :

(Retrouve spontanément le plaisir associé à son Enfant Pur.) Oui !

Thérapeute :

Comment le trouves-tu ?

Alexandre :

(Vraiment enjoué, heureux de retrouver ce merveilleux Enfant.) Ah ! il est super ! Il a beaucoup de bonnes idées ! Il veut construire des maisons dans les arbres, il invente toutes sortes de jeux pour ses amis. Ça bouillonne constamment dans sa tête !

Thérapeute :

Et lui ? (Pointe la chaise rouge.)

Alexandre :

Lui ? Il dit à l'autre (à la chaise blanche) de se taire.

Thérapeute :

Ah bon ! Pourquoi ?

Alexandre :

Parce qu'à chaque fois qu'il confie ses projets à sa mère, elle lui dit toujours : « Comment ? Mais, ce n'est pas le temps de jouer. C'est l'heure de faire une recherche sur les animaux dans la nouvelle encyclopédie que je t'ai achetée. Je l'ai payée un prix fou ! J'espère au moins que tu vas l'utiliser ! » Chaque fois que celui qui est sur la chaise blanche a une bonne idée, il se fait toujours rabaisser par sa mère. C'est pour cette raison qu'à un moment, il a arrêté de partager et même de concevoir des idées.

Thérapeute :

Alexandre, assieds-toi ici. (Indique une grande chaise.) Te voici maintenant sur une chaise Adulte. Que penses-tu de ce petit garçon ?

Alexandre :

(Les larmes aux yeux, avec un ton d'admiration.) Il est super !

Thérapeute :

Est-ce que tu l'aimes ?

Alexandre :

(Ému et empreint de tendresse.) Oui !

Thérapeute :

Est-ce que tu vas encore lui laisser croire qu'il serait préférable qu'il se taise ? (Fait référence à la chaise rouge.)

Alexandre :

(En larmes pendant quelques minutes. Le thérapeute lui laisse tout le temps nécessaire pour qu'il retrouve son calme. Lorsqu'il reprend la parole, il a les yeux ravis.) Je ne permettrai plus jamais à personne de lui dire qu'il n'a pas de bonnes idées !

Thérapeute :

Est-ce que tu penses pouvoir suffisamment le rassurer (indique la chaise rouge) pour que l'autre prenne un peu la parole ? (Met le bras d'Alexandre sur le dossier de la petite chaise blanche, maintenant juste à côté de lui.)

Alexandre :

(Acquiesce, en tenant la petite chaise blanche avec fierté.)

———————

La thérapie s'est poursuivie pour aider le client à développer les habiletés nécessaires à son Adulte pour maîtriser l'Enfant Adapté et pour contrecarrer les propos intériorisés de la mère. La mise en scène de son vécu a cependant fait le plus gros du travail. C'est ce qui lui a permis d'identifier clairement la source de ses difficultés et de développer la motivation nécessaire pour engendrer le changement.

Dans certains cas, il peut arriver que le client ait de la difficulté à retrouver son Enfant Pur, à le voir et à l'aimer spontanément. Pour remédier à cette situation, le thérapeute peut alors faire intervenir des chaises représentatives de personnages qui l'adoraient lorsqu'il était jeune. Il peut s'agir d'un grand-père, de l'épicier, d'un professeur, d'une tante, d'une sœur ou d'une autre personne. En s'assoyant sur l'une de ces chaises, le client adopte de nouvelles lunettes qui peuvent lui permettre de retrouver l'Enfant Naturel en lui.

E X E M P L E 4
| Encoder un nouveau message du Parent Nourricier |

Maryse dit avoir des problèmes à s'exprimer en groupe.

———————

Maryse :

Personne ne le sait, mais je sens que je tremble à chaque fois que je prends la parole.

Thérapeute :

Disons que cette chaise représente ta peur d'intervenir en groupe. Viens t'asseoir ici et dis-moi pourquoi cette appréhension est présente.

Maryse :

(S'assoit sur la chaise de la peur.) Elle craint que ce qu'elle dit soit insignifiant.

Thérapeute :

(Sort une cassette audio.) Voici la cassette de la peur. Il y a un tas de choses enregistrées là-dessus, dont ce que tu viens de me dire. Mais, à ton avis, qui en est l'auteur ?

Maryse :

(Manifestement triste.) C'est ma mère. Elle disait toujours que j'étais une grande insignifiante.

Thérapeute :

Ah bon ! Et pourquoi disait-elle cela ?

Maryse :

Je ne sais pas... parce que j'étais grande (très longiligne, mesurant 1m 85 à treize ans, elle avait déjà la stature de ses 34 ans). Je pense qu'elle craignait que je ne devienne mieux qu'elle qui était alcoolique et qui avait vu tous ses rêves se briser à cause de cela.

Thérapeute :

(Après avoir analysé la question pendant un certain temps, il décide de coder un nouveau message du Parent. Pour cela, il commence par dessiner deux cercles distincts avec le mot « maman » écrit à l'intérieur. L'un des deux n'est plus très lisible parce qu'il est recouvert d'un plus grand cercle opaque qui représente l'alcool.) Tu vois, ce sont deux cercles. L'un représente ta mère, ce qu'elle pense et ce qu'elle ressent réellement pour toi. C'est ta mère débarrassée de ses problèmes, telle qu'elle est capable d'être. L'autre, c'est ta mère aux prises avec l'alcool. On ne la voit presque plus et, lorsqu'elle parle, elle ne dit pas vraiment ce qu'elle pense ni ce qu'elle ressent. C'est l'alcool qui s'exprime et, généralement, son discours est teinté de beaucoup de méchancetés. As-tu l'impression d'avoir déjà entendu la première te dire ce qu'elle pense vraiment de toi ? (Montre le premier cercle.)

Maryse :

Non (d'un ton déçu). Je l'ai toujours connue avec une bouteille à la main.

Thérapeute :

Aimerais-tu découvrir ce qu'elle pense véritablement de toi ? Je crois en avoir une idée très nette. (Pointe toujours la mère saine. Même s'il ne l'a jamais rencontrée, il sait que tout parent sain comprend, aime et est fier de son enfant. Seuls ceux qui n'ont pas réglé les problèmes de leur propre enfance peuvent se limiter à un discours du type de celui de la mère de Maryse.)

Maryse :

Oui ! (Tout à coup très curieuse et intéressée.)

Thérapeute :

(Prend le rôle d'un Parent Nourricier et s'adresse à une petite chaise vide, avec tendresse et affection, la touchant même parfois. La cliente observe la scène tout en demeurant dans son état Adulte, mais ressentant la réaction de son Enfant intérieure. Le thérapeute s'exprime d'un ton chaleureux, enveloppant et très maternel.) Maryse, j'ai tellement de mal pour ce que je t'ai fait. (Silence.) Tu trouves peut-être que je ne suis pas dans mon état normal parce que je ne t'ai jamais parlé de cette façon. Mais, écoute bien ce que je vais te dire si tu veux vraiment savoir ce que je pense de toi. Enregistre-le, car pour la première fois je vais être capable de t'avouer comment je me sens. (Le thérapeute poursuit en s'assurant que la cliente est très attentive.) Tu es loin d'être une grande insignifiante. J'ai dit cela par jalousie et par peur que tu ne deviennes mieux que moi. Maryse, je suis tellement fière de toi. J'aime ton intelligence, ta gentillesse, ta douceur. J'aime ton courage, ta détermination. Je ne veux plus jamais, tu entends, plus jamais que tu t'imagines être cette grande insignifiante. Tu ne l'es pas. Tu ne l'as jamais été. Et tu ne le seras jamais. Développe ton potentiel, ris, profite de ta vie, de ton talent. Sache que je t'aime plus que tout au monde. C'est toujours ce que j'ai ressenti pour toi. Promets-moi de ne jamais oublier ce que je viens de te révéler. Et chaque fois que tu éprouveras le besoin de savoir ce que je pense de toi, rappelle-toi ces paroles. De tout ce que je t'ai dit, depuis toujours, ces mots sont les seuls qui traduisent véritablement ma pensée. Je veux que tu les gardes. Promis ? (Le thérapeute déplace son regard de la petite chaise vers Maryse et lui demande d'un ton Adulte ce que la petite répond à cela.)

Maryse :

(Les larmes aux yeux, elle lui fait signe que la petite accepte de tenir la promesse.)

Thérapeute :

(D'un ton empathique, s'adresse maintenant directement à Maryse.) Maryse, ne crois-tu pas que c'est exactement ce que ta mère aurait dit si elle avait vraiment été débarrassée de ses problèmes ?

Maryse :

(Toujours en larmes, fait signe que oui de nouveau.)

Thérapeute :

Si jamais la petite oublie ou met en doute l'aveu de sa maman, penses-tu être capable de le lui répéter ?

Maryse :

(Encore une fois, un oui déterminé.)

Le miracle des chaises est que le thérapeute a directement accès aux différentes parties de l'ego du client. Il peut les toucher, les modifier, discuter avec elles. Le client n'oppose pas de résistance du fait qu'il se sent enfin rejoint. Pour lui, c'est nouveau et différent, mais bon.

Notez que, dans cet extrait, le thérapeute ne parle pas directement à la cliente. Le thérapeute d'Impact veut enseigner au client à devenir un Parent sain, un Adulte mature. Il veut rejoindre et guérir la partie souffrante de l'intérieur. Il ne souhaite pas provoquer de transfert. Il ne devient Parent que lorsqu'il s'adresse à la petite chaise vide. Il reprend son rôle d'Adulte dès qu'il parle directement à la cliente afin de maintenir une relation d'égal à égal.

Des multitudes d'exemples de ce type pourraient être cités pour décrire l'utilité des chaises. Certains cas présentés plus loin dans ce chapitre pourront apporter d'autres variantes au mariage de l'Analyse Transactionnelle et des chaises.

⅄ | Pour clarifier une prise de décision

Lorsque les clients viennent en thérapie pour se faire aider dans une prise de décision, ils ont déjà très souvent pesé le pour et le contre de leur choix éventuel. Toutefois, la majeure partie d'entre eux n'ont pas exploré l'information kinesthésique qui y est rattachée. À l'aide des chaises, le professionnel peut leur apporter cette mine de renseignements.

EXEMPLE 1
| Psychologie ou droit ? |

Jasmine, 22 ans, voulait retourner aux études, mais elle était vraiment divisée quant au choix de son orientation. La psychologie des enfants l'intéressait autant que le droit, mais pour des motifs différents. Le fait de séparer ces deux options et de les associer à des chaises distinctes a permis à la cliente de clarifier ses deux alternatives. Dans l'exemple ci-dessous, le thérapeute ajoute également l'aspect de projection dans le temps pour amplifier les réactions de la cliente.

Thérapeute :

Jasmine, assieds-toi sur cette chaise et imagine qu'il y a dix ans, tu aies choisi de devenir avocate. Tu aurais maintenant terminé ton cours depuis quelques années et tu pratiquerais le droit. (Il est important qu'il prenne tout son temps pour décrire les consignes et même les élaborer davantage, de façon à ce que la cliente s'imprègne le plus possible de la situation évoquée.) Je voudrais que tu me décrives avec précision les sensations physiques que tu ressens lorsque tu t'imagines dans ce contexte.

Jasmine :

(Très attentive à ses perceptions.) Je me sens plutôt lourde. Oui, c'est ça, je sens comme un poids sur les épaules. (Silence.) Non, c'est plutôt comme une montagne que je n'aurais jamais fini d'escalader. J'arrive à grimper, mais toujours au prix de grands efforts.

Thérapeute :

Est-ce que cette chaise est confortable pour toi ?

Jasmine :

Non, elle représente un étau dont je suis la victime. Mais, c'est étrange, je sens simultanément une certaine légèreté dans ma tête et une lourdeur dans tout le reste de mon corps.

Thérapeute :

Quel chiffre de 0 à 10 décrirait le mieux ta sensation sur cette chaise ?

Jasmine :

Je dirais un 3-4 ! Ce n'est pas très fort !

Thérapeute :

Très bien. Maintenant, assieds-toi sur cette autre chaise et imagine qu'il y a dix ans, tu aies fait le choix de devenir psychologue pour enfants. (Pour accentuer encore la réaction de la cliente, il peut sortir la chaise de « l'avocate » à l'extérieur du bureau de manière à ce qu'elle ne l'ait plus dans son champ de vision.) Tu es diplômée depuis quelque temps et tu pratiques maintenant la psychologie. Encore une fois, imprègne-toi de cette expérience et décris-moi comment tu te sens.

Jasmine :

(Après un instant de réflexion.) J'ai de la joie dans le cœur. Je vois de la souffrance dans mon travail, mais, bizarrement, je me sens légère. Il y a juste un petit quelque chose qui me tracasse dans le creux de l'estomac.

Thérapeute :

As-tu cette même sensation d'écrasement, d'étau que tu décrivais tout à l'heure ?

Jasmine :

Non, ce n'est pas pareil. C'est plutôt de la nervosité... non, de la tristesse.

Thérapeute :

Quel chiffre mettrais-tu pour décrire ta sensation globale sur cette chaise ?

Jasmine :
Hum !... un 8 ! Un bon 8 !

Les réponses recueillies à la suite des observations multisensorielles de la cliente ajoutent de riches éléments à sa prise de décision. L'expérience peut se poursuivre de manière à développer davantage l'information fournie par la cliente jusqu'à ce que celle-ci ait identifié la signification des sensations ressenties.

E X E M P L E   2

| Mon patron ou mon mari ? |

« Devrais-je rester avec mon mari ou le quitter pour aller vivre avec mon patron ? » Grave question, n'est-ce pas ? C'est ce qui explique sans doute pourquoi la cliente avait tellement de difficultés à prendre une décision. Le jeu des chaises s'est avéré fort profitable.

Thérapeute :
Jocelyne, imaginez que cette chaise représente votre décision de rester avec votre mari. Celle-là symbolise, par ailleurs, votre vie éventuelle avec Michel, votre patron. Asseyez-vous sur la première. (La cliente s'assied sur la chaise en faveur du mari. Le thérapeute prend l'autre chaise et la sort de la pièce pour donner vraiment à la cliente la sensation qu'un oui en faveur de son mari signifie aussi la perte de quelqu'un de cher dans son quotidien.) Très bien, vous avez fait votre choix, vous avez opté pour rester avec votre mari. Michel n'est plus dans votre entourage. C'est de l'histoire ancienne. (Les répétitions sont délibérées ; elles servent à amener la cliente à se représenter le plus possible la situation décrite. S'il y a des enfants concernés, il est nécessaire de les introduire dans le scénario par des chaises vides. Il importe toutefois de les placer de manière à ce qu'elles représentent, le plus possible, la réalité.) Décrivez-moi ce qui se passe à l'intérieur de vous. Comment vous sentez-vous dans cette situation ?

Jocelyne :
(Se met à l'écoute d'elle-même.) C'est calme, mais c'est insatisfaisant. Je sais que je rechercherai éventuellement un autre Michel.

Thérapeute :
(Pourrait poursuivre le questionnement pour éclairer davantage cette réalité, mais, pour les fins du livre, je vais poursuivre l'explication de la technique.) Quel chiffre me donneriez-vous pour exprimer votre sentiment actuel sur cette chaise ?

Jocelyne :
C'est 5... mais la flèche pointe vers le 0 !

Thérapeute :
(Retourne chercher la chaise qu'il avait sortie, demande à la cliente de s'y asseoir et amène

celle du mari à l'extérieur du bureau.) Imaginez que vous ayez fait votre choix : quitter Marc pour partir avec Michel. Vous habitez maintenant avec ce dernier. Comment vous sentez-vous dans cette situation ?

Jocelyne :
(On sent qu'elle se replace mentalement dans la nouvelle perspective.) Je me sens vivante ! Ça pétille un peu partout. J'ai aussi un peu peur, mais je sais que Michel et moi communiquons bien. Nous réussissons même à partager les émotions les plus difficiles. C'est une vie très différente... beaucoup plus dynamique. Je me sens bien là-dedans.

Thérapeute :
Combien est-ce de 0 à 10 ?

Jocelyne :
(Après un moment d'hésitation.) C'est 8 ! Et, cette fois, la flèche est tournée vers le 10.

―――――――――

La chaise neutre décrite un peu plus loin dans ce chapitre peut venir compléter cette technique. La cliente aura alors à juger objectivement la valeur du discours des deux différentes options. Notez également que les sensations kinesthésiques entraînent l'émergence de contenus émotifs et cognitifs qui ajoutent des éléments significatifs à la discussion.

⊹ | Psychanalyse adaptée

En psychanalyse, le thérapeute est installé derrière le client pour favoriser une meilleure introspection chez ce dernier. Il arrive qu'en Thérapie d'Impact nous utilisions un encadrement similaire.

E X E M P L E
| Se recentrer sur soi |

Vous arrive-t-il de rencontrer des clients qui semblent modeler leur discours sur vos réactions non verbales ? Ils regardent comment vous réagissez et varient leurs propos de façon à vous plaire. Malheureusement, tant que le client demeure à l'écoute du thérapeute plutôt que d'être attentif à ce qu'il vit intérieurement, la thérapie ne progresse pas du tout. Une façon de l'amener à se recentrer sur lui-même est d'avoir recours à la technique d'entrevue utilisée en psychologie, mais en lui expliquant clairement les raisons sous-jacentes. Voici les détails.

Thérapeute :

Régis, j'ai remarqué que dans votre discours reviennent souvent des commentaires du genre : « Comme elle n'avait pas l'air d'aimer cela, j'ai décidé de laisser tomber » ou « j'ai tout de suite vu dans son attitude qu'il valait mieux que je me taise » ou encore « en la regardant, j'ai su qu'il ne fallait pas que j'aborde cette question ». Serait-il juste de conclure que vous avez tendance à agir et à parler de façon à plaire aux autres et non pas en fonction de ce que vous voulez faire ou dire ?

Régis :

C'est possible ! Il est tellement important pour moi de ne pas décevoir les autres !

Thérapeute :

Avez-vous l'impression que ce mode de comportement s'applique aussi ici, je veux dire entre vous et moi ?

Régis :

(Revoit un peu le contenu des rencontres antérieures.) C'est bien possible.

Thérapeute :

Régis, vous réalisez que vous n'êtes pas à l'écoute de vos réactions, de vos idées, de vos besoins tant que vous centrez votre attention sur l'autre et que vous vous oubliez. Il est difficile dans ces conditions d'apprendre à vous connaître.

Régis :

Je n'avais jamais réalisé que cela prenait autant de place ! Effectivement, je vois que cela correspond assez bien à ma vie habituelle.

Thérapeute :

(D'un ton affable.) J'ai un exercice à vous proposer. Cela vous aidera à vous recentrer sur vous-même. Tournez votre chaise de 180°. (Le client fait dos au thérapeute et se retrouve face à un mur.) Je crois que pour les deux ou trois prochaines rencontres, il serait utile de procéder de cette façon pour atteindre l'objectif que vous souhaitez. Qu'en pensez-vous ?

Le fait de priver le client de l'information non verbale du thérapeute pendant la séance présente au moins deux avantages. D'une part, il devient plus difficile de chercher à plaire au thérapeute. Ceci favorise l'émergence d'émotions vraies et de contenus plus significatifs. D'autre part, le retour à lui-même favorisé pendant la rencontre est susceptible de se généraliser à l'extérieur de la thérapie, ce qui rejoint tout à fait les objectifs visés.

╅ | Chaise de la rationalité ou chaise neutre

Tout le monde sait que le principal intéressé est généralement le plus mauvais juge pour évaluer objectivement sa réalité. Pourtant, il s'agit là d'un motif de consultation très populaire. Les gens veulent pouvoir remettre les choses à leur place et distinguer le bien du mal, et ce, de façon tout à fait objective. La chaise de la rationalité ou la chaise neutre s'avère alors un outil efficace, voire indispensable.

EXEMPLE 1
| Misandrie |

La misandrie d'une femme polluait complètement son existence.

Thérapeute :
Comment puis-je vous aider ?

Gisèle :
C'est très simple. Mon problème, c'est les hommes. Je crois qu'ils sont tous des écœurants et que le fait de ne pas faire ce qu'ils attendent de nous peut être dangereux.

Thérapeute :
Oh ! je vois. Prenons un moment pour faire un bref exercice. Pourriez-vous vous asseoir sur cette chaise ? Disons qu'il s'agit d'une chaise neutre. Vous n'êtes plus Gisèle, mais quelqu'un d'extérieur à elle et de rationnel, qui lui est tout à fait étranger. D'accord ?

Gisèle :
(À présent sur la chaise neutre.)

Thérapeute :
(Reprend la phrase de la cliente en l'écrivant au tableau.) Que pensez-vous de cette phrase ?

Gisèle :
(À partir du moment où la cliente est dissociée de son affect, elle développe habituellement une vision plus objective de sa propre situation. Gisèle a effectivement été surprise de constater que cette phrase n'avait subitement plus de sens.) Je dois reconnaître que cela me semble un peu excessif.

Thérapeute :

(Avec humour.) Vraiment ?

Gisèle :

C'est drôle, d'ici je ne vois pas du tout les choses de la même manière.

Thérapeute :

Je soupçonne fortement que la première personne à qui j'ai parlé tout à l'heure a eu de mauvaises expériences avec certains hommes !

Gisèle :

(Toute étonnée par l'interprétation véridique du thérapeute.)

Thérapeute :

Puisque vous dites que certaines affirmations dans cette phrase vous semblent exagérées, que serait-il plus juste de croire à votre avis ?

—————————

Le thérapeute peut conserver la chaise neutre tout au long du processus pour amener sa cliente à développer une perspective plus réaliste de son vécu et de ses affirmations.

E X E M P L E   2

| Remettre en question les diagnostics des parents |

Même si, bien souvent, l'impact des propos lancés par un parent peut laisser des stigmates, l'individu peut toujours l'atténuer. Une excellente façon d'y parvenir est de provoquer une remise en question de ces propos blessants en expérimentant la réalité du parent au moment où il a fait ces déclarations. La chaise neutre figure encore une fois parmi les techniques propices à cette démarche.

—————————

Francine :

(En larmes, parle de sa mère.) Elle me battait et disait qu'elle ne savait pas ce qu'elle avait pu faire au bon Dieu pour qu'Il lui envoie une fille comme moi. Elle prétendait que j'étais un monstre.

Thérapeute :

Francine, j'aimerais que tu viennes t'asseoir sur cette chaise pour un moment (désigne une chaise voisine de celle où elle était assise). Disons que c'est une chaise neutre. Tu n'es plus

Francine, mais quelqu'un d'extérieur à sa famille, quelqu'un qui peut juger la situation sans y être mêlée. Comprends-tu ? (La cliente lui fait signe qu'elle est prête à adopter ce nouveau rôle.) Que penses-tu de cette petite fille ? (Montre une chaise d'enfant pour représenter la petite Francine à l'époque où elle était brutalisée par sa mère.)

Francine :

(Ne répond pas, prend le temps nécessaire pour entrer dans son nouveau rôle.)

Thérapeute :

(Voit les difficultés de la cliente à incarner son nouveau personnage ; il lui pose des questions plus précises pour que le transfert d'un rôle à l'autre se fasse plus aisément.) Penses-tu qu'elle soit un monstre ?

Francine :

(Avec conviction.) Non, elle n'est pas un monstre.

Thérapeute :

Crois-tu qu'elle mérite d'être frappée ?

Francine :

(Avec beaucoup d'émotions.) Non, c'est une bonne petite fille.

Thérapeute :

Que veux-tu dire par là ?

Francine :

Elle est douce et ne veut de mal à personne. C'est une enfant sensible... intelligente... elle est très gentille.

Thérapeute :

Pourquoi crois-tu que sa mère la frappe ? (Montre une chaise d'adulte pour désigner la mère.)

Francine :

(Les sourcils froncés.) Je crois qu'elle est malade.

Thérapeute :

Malade ?

Francine :

Oui... c'est comme si son cerveau déraillait par moments.

Thérapeute :

Pense-t-elle réellement que Francine soit un monstre ?

Francine :

Non. Je suppose que la mère aurait besoin de repos, d'être seule. C'est une femme qui n'a pas beaucoup d'énergie ni de ressources. Les enfants, c'est trop pour elle. Et même s'ils passaient toute la journée assis sans parler, ni bouger, j'ai l'impression que ce serait encore trop pour elle.

_____

On voit dans cet exemple que la chaise neutre a pour effet de calmer la cliente tout en lui permettant d'avoir accès à un contenu très pertinent. L'objectivité qu'elle atteint durant cet exercice l'amène aussi à développer une meilleure composante Adulte (selon l'Analyse Transactionnelle).

E X E M P L E 3
| En situation de crise |

L'exemple ci-dessous ressemble au précédent, mais avec, toutefois, une modification : la technique est appliquée à un état de crise ou de réaction intense. Il s'agit d'une femme de 50 ans, Colette, qui a été longtemps et souvent battue, maltraitée, voire martyrisée par sa mère parce qu'elle plaisait aux hommes de la famille par ses petites attentions. La mère, quant à elle, avait une personnalité très austère et ne s'attirait que de l'animosité ou, au mieux, ne récoltait que du désintérêt, ce qui n'était pas sans accroître sa jalousie. Colette a très vite appris qu'elle ne devait pas être formidable.

_____

Thérapeute :

(La séance est commencée depuis un certain temps, la cliente est assise sur une chaise Adulte en train de porter un nouveau regard sur la petite chaise symbolisant son Enfant intérieur.) Est-ce que tu en es fière ?

Colette :

(Les yeux ravis.) Oui !

Thérapeute :

Trouves-tu qu'elle est formidable ?

Colette :

(À ce mot précis, la cliente a senti une grosse boule lui monter dans la gorge et l'étouffer. Elle s'est retrouvée en hyperventilation, les yeux exorbités, les mains autour de son cou comme pour desserrer l'étau qui l'étranglait. On voyait dans son regard qu'elle était dominée par la panique.)

Thérapeute :

(Sur le même ton Adulte, qui, à lui seul, signifie à la cliente qu'il ne faut pas avoir peur, qu'il ne s'agit que d'un fantasme.) Colette, assieds-toi ici (elle change de chaise). Tu n'es plus Colette. Tu ne fais plus partie de sa famille. Tu es quelqu'un de complètement étranger. (S'adresse à elle de très près pour capter toute son attention et l'amener non seulement à changer de chaise, mais aussi de personnage. Déjà, après ces quelques mots, elle a retrouvé beaucoup de calme.) Qu'est-ce qui fait qu'elle a réagi ainsi ? (Fait référence à la réaction de Colette sur l'autre chaise, mais s'adresse à elle à la troisième personne pour bien maintenir la dissociation.)

Colette :

(De plus en plus apaisée.) Sa mère disait toujours que Colette se croyait formidable. C'est un mot qu'elle utilisait souvent d'une façon menaçante et dédaigneuse.

Thérapeute :

Dis-moi, crois-tu qu'elle soit formidable ? (En parlant de la petite chaise.)

Colette :

(Prend tout son temps pour la regarder tout en restant à l'extérieur de la situation.) Oui ! (Les larmes aux yeux.)

Thérapeute :

Selon toi, doit-elle encore craindre de se dire ou de se trouver formidable ?

Colette :

(Très émue.) Non !

Que se serait-il passé si, au lieu de créer une dissociation en demandant à la cliente de changer de chaise, le thérapeute l'avait simplement rassurée en disant : « Très bien, c'est terminé. Ce n'est rien, on n'en parle plus. Respire bien, c'est cela, c'est fini. » Que serait-il arrivé si, au lieu de poursuivre immédiatement avec la même question, le thérapeute avait attendu une prochaine rencontre ? Que serait-il advenu s'il avait proposé à la cliente de reprendre la question lorsqu'elle se serait jugée prête à y faire face ?

Chacun a sa réponse. Mais rappelons-nous les paroles d'Erickson : « Le client retient surtout ce qu'il a enregistré dans son hémisphère droit. » Or, si le thérapeute accorde beaucoup d'importance à cette réaction (remet la discussion du thème à plus tard, discute à fond de la forte réaction de la cliente pendant l'entrevue, revient sur les peurs entourant ce thème, etc.), le client peut légitimement en conclure que c'est grave, voire dangereux. Il va probablement en conclure que son Enfant est fragile, que la menace est réelle et que le rythme à adopter doit être lent. Si, au contraire, le thérapeute ramène tout de suite la question d'une façon empathique, le client en déduit qu'il n'a rien à craindre, que ce n'est qu'un fantasme, qu'il peut en parler sans être démuni, démoli ou envahi. L'attitude du thérapeute devient alors beaucoup plus importante que ce qu'il dit.

$\vdash$ | **Chaises vides**

J'ai toujours envié certains professionnels qui doivent se déplacer dans le milieu naturel des clients pour leur venir en aide. Je pense que cette façon d'intervenir permet d'épargner beaucoup de temps. D'une part, on obtient une meilleure lecture de la réalité du client et, d'autre part, ceux-ci agissent beaucoup plus naturellement que si on les rencontrait à notre bureau. Il est fascinant de constater la différence entre la réaction d'un client dans sa vie de tous les jours et celle qu'il nous offre lorsqu'il est entre nos quatre murs.

Cependant, compte tenu du fait que la majorité des professionnels doivent s'en tenir aux rencontres qui ont lieu au bureau de consultation, les chaises vides peuvent devenir un élément important pour la reconstitution du milieu naturel. Peu importe le type de consultation concerné (conjugale, individuelle, etc.), le thérapeute associe une chaise à chacun des personnages significatifs absents, mais nommés en entrevue. Ainsi, le client ressent la présence de l'autre, ce qui augmente la validité de ses comportements.

Prenons l'exemple d'une entrevue où la cliente discutait de sa colère et de sa rancune envers son ex-mari. Il a suffi que le thérapeute désigne une chaise près d'elle pour représenter cet homme pour que la cliente se déplace du côté opposé. Ce genre de réaction non verbale confirme l'effet significatif de la chaise vide.

Un autre client avait associé les huit chaises du bureau de son thérapeute à des personnages influents de son entourage. À chaque nouvelle rencontre, il refaisait spontanément ce lien : « C'est à cause de lui », disait-il en pointant une chaise. Cette réaction mettait à rude épreuve la mémoire de l'intervenant qui devait trouver qui était la personne visée. Le client, lui, la voyait, la sentait. Le bureau était habité par ces individus imaginaires, mais bien réels.

Il peut arriver que l'effet de projection soit mieux réussi lorsque le thérapeute ajoute un objet à la chaise vide. Par exemple, une bouteille de bière peut être déposée sur une chaise pour incarner un père alcoolique, un livre placé sur un banc pour représenter une mère intellectuelle. Le prénom d'une personne inscrit sur une feuille collée sur le dossier d'une chaise peut évoquer l'individu concerné. Certains clients ont, par ailleurs, plus de facilité à imaginer qu'une personne est assise sur la chaise lorsque celle-ci est vide.

Une fois que les personnages importants de la vie du client sont installés sur les différentes chaises du bureau, le thérapeute peut lui demander quelles sont leurs réactions ou alors lui proposer d'incarner chacun d'eux en se déplaçant d'un siège à l'autre. Les chaises vides deviennent ainsi de précieux outils pour ajouter du dynamisme et de la variété aux séances.

ⵀ | La chaise qui représente un but, un objectif

Il est important d'évaluer ponctuellement l'évolution de la thérapie au cours de son déroulement. Une façon bien pratique de procéder est de déterminer une chaise dans le bureau, généralement la plus éloignée de celle du client, pour désigner l'objectif visé. Ainsi, le client peut se déplacer dans l'espace reliant les deux pour indiquer clairement où il situe son cheminement.

Ce déplacement physique donne généralement une mesure plus fidèle de la progression qu'une simple évaluation verbale à cause de l'apport kinesthésique. Une fois que le client a trouvé la position qui correspond le mieux à sa perception, il est assez facile de l'amener à clarifier la nature de la distance déjà franchie et de celle qu'il lui reste à parcourir. Le thérapeute peut également utiliser les deux chaises pour mettre le client en contact avec les coûts et les bénéfices associés à chacune des positions.

ⵀ | Jeu de rôles

Les exemples précédents ont déjà fourni un aperçu des jeux de rôles effectués en Thérapie d'Impact. La majorité d'entre eux étaient issus de mises en scène où intervenaient les différentes parties de soi. Les exemples qui suivent développperont davantage les jeux de rôles impliquant d'autres personnes.

E X E M P L E   1
| Discussion avec une personne décédée |

Le fait de n'avoir pu discuter franchement avec une personne avant son décès contribue souvent à installer un deuil chronique : plusieurs éprouvent un réel chagrin en réalisant qu'ils n'auront plus l'occasion d'exprimer leurs sentiments au disparu. Le jeu de rôles, à l'aide des chaises, offre de nouvelles chances à ces endeuillés de se libérer des émotions et des paroles non exprimées à l'être cher.

Carole :
Mon père ne m'a jamais dit qu'il m'aimait (avec une peine contrôlée). Je sais qu'il m'appréciait beaucoup. La preuve en est que, parmi tous mes frères et sœurs, je suis celle qu'il a nom-

mée exécutrice testamentaire. (Silence.) Je pense qu'il devait vraiment me faire confiance pour m'avoir laissé la responsabilité de régler des affaires valant plusieurs milliers de dollars. (Des larmes coulent sur son visage, mais on sent qu'elle se retient.)

Thérapeute :

Crois-tu qu'il t'aimait ?

Carole :

Il ne me l'a jamais dit ! (Toujours très placide.)

Thérapeute :

Et si tu lui posais la question ? Disons que ton père est ici. (Le thérapeute avance une chaise face à la cliente.) Demande-le-lui !

Carole :

(Surprise, ayant un peu de difficulté à s'abandonner au jeu de rôles.)

Thérapeute :

(D'une voix empathique.) Vas-y. Lance-toi : « M'aimes-tu papa ? »

Carole :

M'aimes-tu papa ? (D'un ton neutre.)

Thérapeute :

(L'exercice peut être mené de différentes façons : inviter la cliente à répondre à la place de son père tout en restant sur sa propre chaise ou à faire la même chose, mais en s'asseyant sur la chaise du père. Le thérapeute, dans ce cas-ci, a opté pour cette dernière option. Dans un groupe, il est également possible de demander à un autre participant de jouer le rôle du père. Celui-ci devra cependant posséder un minimum de renseignements pour pouvoir incarner correctement le rôle.) Maintenant, assieds-toi ici (sur la chaise du père). Que répond-il ?

Carole :

(Pleure à gros sanglots pendant plusieurs minutes.) Oui ! je t'aime !

Thérapeute :

Maintenant, Carole, retourne sur cette chaise neutre. (Il en ajoute une et donne un peu de répit à la cliente. En étant sur la chaise neutre, elle n'est pas envahie autant par les émotions associées aux deux autres chaises. Elle maintient par contre sa connexion avec la scène.) Que s'est-il passé sur cette chaise ? (Indique celle du père.)

Carole :

J'ai senti tellement d'amour de sa part et, en même temps, beaucoup de tristesse. C'est comme s'il avait regretté profondément de n'avoir pas réussi à me dire cet amour de son vivant. (Silence.) Je pense qu'il m'aimait énormément.

Thérapeute :

Veux-tu retourner t'asseoir sur cette chaise un moment ?

Carole :

(Se rassied de nouveau sur celle du père, mais en étant déjà beaucoup plus calme.)

Thérapeute :

Pourquoi n'avez-vous jamais dit à votre fille que vous l'aimiez ?

Carole :

(On la sent en contact direct avec la logique intime du père.) Je ne sais pas. J'ai toujours eu de la difficulté à exprimer ces choses-là. J'essayais de les faire passer autrement, par des gestes, des petites attentions.

Thérapeute :

Tu peux te rasseoir à ta place maintenant. Y a-t-il autre chose que tu aimerais lui demander ?

Carole :

(On la sent plus soulagée, nourrie.) Non.

Thérapeute :

Désires-tu ajouter un commentaire ?

Carole :

(De nouveau émue, en larmes, parle avec difficulté.) Je t'aime aussi, papa. Merci pour tout ce que tu m'as appris. Tu resteras toujours présent à l'intérieur de moi.

Le thérapeute pourrait s'asseoir sur la chaise du père, à ce moment-ci, et exprimer certains messages comme : « Tu sais, j'ai toujours été mal à l'aise de témoigner mon amour à mes proches. Je ne veux pas que tu suives cet exemple. Promets-moi de dire très souvent à tous ceux qui te sont chers que tu les aimes. » Les thérapeutes qui sont familiers avec l'approche neurolinguistique pourraient aussi ancrer ces nouvelles consignes de façon différente.

L'exemple ci-dessus démontre bien la puissance de « l'ici et maintenant » associé à Fritz Perls, père de la Gestalt. Si on demande au client d'exprimer simplement ce qu'il aurait souhaité dire à l'autre et l'importance de ses paroles, on se surprend à parler au conditionnel passé : « Je lui aurais dit... » C'est comme si l'on regardait derrière une fenêtre blindée un ours intéressé par notre *gluteus maximus* (gros muscle fessier). Il serait peu impressionnant ! Par contre, l'histoire deviendrait bien différente si l'on se retrouvait du mauvais côté de la fenêtre. La force des émotions deviendrait alors très intense. C'est à mon avis ce qui distingue le mieux « l'ici et maintenant ». Au lieu de parler de quelque chose ou de le voir, on le vit avec toute l'intensité qu'il génère.

| Régler un conflit avec une personne absente |

Les parents de Louis ont divorcé alors qu'il n'avait que dix ans. Il a vécu cette rupture difficilement, d'autant plus que son père ne l'a plus jamais rappelé. Ce dernier se montrait très poli au téléphone lorsque son fils communiquait avec lui, mais il n'a jamais pris l'initiative de l'appeler lui-même, pas même pour son anniversaire de naissance. Louis interprétait ces comportements comme un signe de rejet, d'indifférence et il avait l'impression que son père, qui avait très bien réussi sur le plan professionnel, avait honte de lui. En effet, à dix-neuf ans, Louis ne savait toujours pas ce qu'il deviendrait et, de plus, il éprouvait beaucoup de difficultés à l'école.

Thérapeute :

Louis, j'ai un exercice à te proposer. Je pense qu'il pourrait t'aider à mieux comprendre ce qui se passe entre toi et ton père. Il se peut que ce ne soit pas facile, mais je vais t'aider. Qu'est-ce que tu en dis ?

Louis :

Qu'est-ce que c'est ?

Thérapeute :

Disons que cette chaise représente ton père (place une chaise à environ quatre pieds devant Louis). Que veux-tu lui dire ?

Louis :

Je ne sais pas. (Se sent un peu embarrassé par la rapidité de l'exercice.)

Thérapeute :

Est-ce que tu veux savoir s'il t'aime ? Alors, demande-lui : « Papa, m'aimes-tu ? »

Louis :

(Devant l'insistance du thérapeute, il répète un peu machinalement ces mêmes paroles.) Papa, m'aimes-tu ?

Thérapeute :

Maintenant, assieds-toi à sa place et réponds à Louis.

Louis :

(Sur la chaise du père, la réponse lui vient spontanément.) Bien sûr que je t'aime ! Pourquoi penses-tu que j'aurais payé pour toi pendant 19 ans ?

Thérapeute :

D'accord. Rassieds-toi sur ta chaise et adresse-toi à ton père.

Louis :

(Se tourne vers le thérapeute.) Ce n'est pas ce que je veux, moi !

Thérapeute :

Que veux-tu ?

Louis :

Je veux qu'il m'appelle, qu'on fasse des choses ensemble, qu'il me montre que je compte pour lui.

Thérapeute :

Alors dis-lui !

Louis :

(On sent que l'expérience devient de moins en moins un jeu et de plus en plus une réalité.) Ce n'est pas ça que je veux. J'aurais aimé que, pendant toutes ces années, tu m'appelles, tu t'informes de moi, tu me sortes pour ma fête, tu fasses autre chose que juste payer !

Thérapeute :

(Fait signe au client de changer de chaise pour retourner à celle du père.)

Louis :

(Reste assis un instant en écoutant ce que le père pourrait ressentir, puis s'adresse au thérapeute.) Il ne dit rien !

Thérapeute :

Assieds-toi de nouveau sur ta chaise. (Louis s'exécute.) Veux-tu lui demander pourquoi il ne t'a jamais appelé ? Alors, vas-y, demande-le-lui.

Louis :

Pourquoi ne m'as-tu jamais appelé ?

Thérapeute :

(Indique au client de changer de siège.)

Louis :

(Sur la chaise du père.) Il ne répond pas.

Thérapeute :

Dis-moi, est-ce qu'il aime Louis ?

Louis :

(Toujours sur la chaise du père.) Oui, il l'aime. Mais, chaque fois que je me retrouve sur sa chaise, c'est comme si je sentais un gros bloc de pierre tout autour de moi.

Thérapeute :

Pourquoi ne lui dit-il pas qu'il l'aime ?

Louis :

Il se sent trop vulnérable et incapable de dire ces choses-là. Il est pris au piège dans son mur de pierre.

Thérapeute :

Est-ce qu'il a honte de Louis ? (Le thérapeute tente de désamorcer les pensées irrationnelles de Louis en les confrontant à la réalité du père.)

Louis :

(Toujours à l'écoute de ses sensations sur la chaise du père.) Non, ce n'est pas cela.

Thérapeute :

Est-ce qu'il l'appellerait plus, le sortirait pour sa fête et lui dirait qu'il l'aime si son fils était très performant à l'école ?

Louis :

Non. Non. Cela ne changerait strictement rien à sa façon d'agir avec lui.

Thérapeute :

Louis, assieds-toi ici maintenant. On va supposer que cette chaise soit neutre. (Le thérapeute et le client sont l'un à côté de l'autre et regardent les deux chaises impliquées dans le jeu de rôles.) Regarde, j'ai deux réalités antagonistes ici. L'une dit : « Il ne m'aime pas, il a honte de moi, il ne m'appelle pas parce qu'il ne veut rien savoir de moi. » L'autre affirme : « Je l'aime, je n'ai pas du tout honte de lui, je ne l'appelle pas parce que je suis prisonnier de mon mur de pierre. » Louis, l'une de ces chaises représente la réalité (le thérapeute écrit 2+2=4 sur un papier auto-collant) et l'autre, l'imagination (il sort de nouveau une feuille autocollante, mais écrit cette fois 2+2=9). Je veux savoir où je dois poser mes papiers. Quelle chaise correspond au 2+2=4 ?

Louis :

(Réalise qu'il s'agissait de la chaise du père et indique au thérapeute de coller son 2+2=4 sur celle-ci.)

Thérapeute :

(Appose les deux papiers sur les chaises correspondantes.) Louis, tu peux croire que 2+2=9 si tu le veux, mais tu sais que c'est faux. La vérité est que ton père t'aime et qu'il t'apprécie beaucoup, mais il est mal avec lui-même. Tu peux partir d'ici et continuer à t'asseoir sur la chaise qui te raconte plein de faussetés ou tu peux simplement choisir celle de la vérité. Quelle option préfères-tu ?

Le client sort de l'entrevue non seulement avec des mots, mais avec un vécu et des images qui vont lui rester en mémoire et s'intégrer à son bilan personnel.

E X E M P L E   3

| Pour mieux comprendre la réalité du client |

Une cliente de 38 ans se plaignait de l'emprise de ses parents sur sa vie. Le thérapeute avait du mal à bien comprendre comment une femme de cet âge pouvait se retrouver dans un tel état de dépendance, compte tenu de son autonomie financière. Le jeu de rôles a permis d'éclaircir la situation.

Thérapeute :
Annie, j'aimerais qu'on fasse un jeu de rôles ensemble pour m'aider à mieux comprendre tes explications, d'accord ? Je vais être Annie et tu vas jouer le rôle de ta mère. Allons-y !

Annie :
(Spontanément, la cliente s'identifie au personnage du jeu de rôles et s'exprime d'une petite voix tendre.) Chaton, mets tes pantoufles.

Thérapeute :
(Un peu surpris par ce commentaire, mais s'efforce de fournir un modèle d'affirmation Adulte.) Mais, maman, je n'ai pas froid. Je les mettrai si j'ai froid.

Annie :
(Sur un ton un peu plus ferme, comme une mère qui s'adresse à son enfant de deux ans.) Chaton, écoute maman. Mets tes pantoufles, la fenêtre est ouverte et tu vas attraper froid.

Thérapeute :
Maman, je te remercie de te préoccuper de moi mais je t'assure, je préfère rester sans pantoufles. Je suis plus confortable comme cela. Merci quand même.

Annie :
(Cette fois sur un ton très autoritaire.) Chaton, je t'ai dit de mettre tes pantoufles (en disant cela, Annie se lève et empoigne le pied du thérapeute avec fermeté et fait semblant de lui mettre des pantoufles).

Le jeu de rôles a rapidement éclairé le thérapeute quant à la relation qu'Annie vivait avec sa mère. À la fin de cette simulation, il ressentait à peu près les mêmes émotions d'impuissance, de tristesse et de rage qu'Annie vivait dans des moments semblables. Les avantages de faire la collecte de données par ce procédé, plutôt que par questions et réponses, sont multiples. D'abord, c'est plus rapide. Deuxièmement, le thérapeute prend contact avec les émotions vécues par la cliente, ce qui lui permet de devenir plus empathique. Troisièmement, il a une meilleure vision du problème et peut donc être plus efficace pour aider la cliente à le solutionner. Finalement, il peut faire du *modeling* pour enseigner à la cliente comment réagir vis-à-vis de l'autorité de ses parents. Cette dernière peut également s'exercer pendant la séance aux techniques d'affirmation utilisées par le thérapeute et ensuite les reproduire dans son milieu naturel.

十 | Temps

Un homme ne croit plus en lui parce qu'à l'âge de dix ans, il a échoué son année scolaire. Une femme déteste tous les hommes parce que, durant son adolescence, son père a abusé d'elle sexuellement. Une autre ne veut plus avoir d'enfant parce que son premier est décédé dans un accident d'automobile. Voyez-vous une ressemblance entre ces personnes ? Elles ont toutes arrêté de vivre à la suite d'un événement malheureux qui les a affectées. Au lieu de régler leur problème, elles ont simplement coupé avec tout ce qui pouvait réveiller leur atroce douleur. C'est une mauvaise idée. Ces gens se retrouvent rapidement avec deux problèmes : celui d'origine et celui créé par leurs mauvaises stratégies pour faire face au premier.

E X E M P L E
| Couple divisé à la suite d'une aventure |

Le couple décrit ici vivait un véritable enfer depuis huit ans. Monsieur s'était payé des prostituées pendant deux ans pour découvrir enfin la sexualité qu'il avait dû escamoter à l'adolescence, à cause d'une surcharge de responsabilités. Il a décidé, après ses deux années intensives de libertinage, de tout avouer à sa femme. Il était persuadé d'obtenir son pardon compte tenu du fait qu'elle connaissait très bien sa situation d'enfance. Ce ne fut pas le cas. Madame a plutôt formulé de violentes remontrances et, même après ces huit années, monsieur ne pouvait pas entrer dans la maison sans que sa femme ne l'insulte en blasphémant et en criant comme au lendemain de ses aveux. C'était devenu insupportable pour toute la maisonnée.

Thérapeute :

(Il n'a pas le temps de poser la première question : « Quel est le problème ? » que madame prend la parole pour faire entendre sa kyrielle d'injures.)

Cliente :

Je vais vous dire ce qui ne va pas. Vous avez devant vous l'homme le plus dégoûtant, le plus écœurant, le plus dégueulasse de toute son espèce. Ça prend juste un porc, un dévergondé comme lui pour être capable de...

Thérapeute :

(Elle continuait à parler. Comprenant qu'il n'arriverait pas à l'interrompre malgré une certaine fermeté ou plutôt une fermeté certaine, il a décidé de faire sortir le mari qui s'était un peu recroquevillé sur lui-même, encaissant bien sagement sa pénitence. Les criailleries de madame ne servaient qu'à le punir. Elle s'est donc calmée après qu'il eut quitté le bureau, comme le lui avait demandé le thérapeute. Ce dernier a enfin pu commencer à participer à la discussion.) Nicole, en quelle année votre mari vous a-t-il avoué tout cela ?

Cliente :

Le 2 juillet 1992 à 10 h.

Thérapeute :

(Écrit 1992 sur un papier autocollant et le colle sur le dossier d'une chaise.) Nicole, quelle date sommes-nous ?

Cliente :

(Elle le regarde en ayant l'air exaspéré devant la simplicité de cette question.) Le 3 septembre 2000 !

Thérapeute :

(Écrit 2000 sur un autre papier et le colle sur le dossier d'une autre chaise en face d'elle.) Nicole, sur quelle chaise êtes-vous assise ?

La cliente a beaucoup réagi à la suite de cette démonstration... dans le bon sens. Elle a réalisé que depuis huit ans elle n'avait pas bougé de la scène de ce fameux matin du 2 juillet, qu'elle s'était privée de vivre pleinement, d'évoluer, d'apprendre, de rire, d'aimer. Chaque fois qu'elle croisait son époux, qu'elle envisageait de partager quelque chose avec lui, elle revoyait ce 2 juillet. Des projets ensemble ? C'était impensable à cause du 2 juillet. Cette femme, comme tant d'autres, a arrêté de vivre à la suite d'un événement marquant. Ce faisant, elle a perdu huit années de sa vie, non remboursables.

Pour amplifier encore la situation, le thérapeute a sorti sa calculatrice pour convertir ces années en minutes, toujours non remboursables : 8 ans X 365 jours X 24 heures X 60 minutes = 4 204 800 minutes ! C'est beaucoup, beaucoup trop. Après avoir recueilli les commentaires de la cliente, il lui a proposé de l'aider à changer de chaise, mais à deux conditions : pas de jérémiades dans le bureau ni à la maison. Voyant ce qu'il lui en avait coûté depuis 1992, elle a accepté l'offre et l'a respectée.

Renversement des rôles et/ou cothérapie

Trois exemples vous sont proposés pour illustrer les bénéfices associés aux techniques du renversement des rôles.

EXEMPLE 1

| Un secret bien enfoui depuis 50 ans |

Gérald, 65 ans, dit consulter pour motif de croissance personnelle. Après trois ou quatre rencontres, le thérapeute a l'impression qu'il lui cache quelque chose de très important.

Thérapeute :
Gérald, je vous propose un exercice un peu différent aujourd'hui. Venez vous asseoir juste à côté de moi, sur cette chaise. Aujourd'hui, vous allez être mon cothérapeute, et ensemble nous allons essayer d'aider Gérald. D'accord ?

Gérald :
(Assis près du thérapeute, les deux font face à la chaise vide où se trouvait Gérald.) On peut essayer !

Thérapeute :
Que pensez-vous de Gérald ?

Gérald :
(Dans son rôle de cothérapeute.) À mon avis, il a un problème d'estime de lui-même.

Thérapeute :
Oui, c'est également mon opinion. Selon vous, à quoi cela est-il dû ?

Gérald :

Je crois que cela lui vient de son enfance !

Thérapeute :

À quelle période, selon vous ?

Gérald :

Probablement vers l'adolescence !

Thérapeute :

Avez-vous l'impression qu'il dit tout ?

Gérald :

Pas vraiment !

Thérapeute :

Pourquoi à votre avis ?

Gérald :

Peut-être parce qu'il s'imagine que cela ne se dit pas !

Thérapeute :

... que cela ne se dit pas. (Empathique.) Qu'est-ce qui ne se dit pas ? Quelque chose de sexuel peut-être ? Qu'en pensez-vous ?

Gérald :

(Un peu hésitant, la voix tout à coup enrouée.) C'est possible !

Thérapeute :

Avez-vous l'impression qu'il a toujours été persuadé qu'il fallait taire cela et qu'en conséquence, il est resté prisonnier de ce secret toute sa vie ?

Gérald :

(Réfléchit.) Ça ressemble à ça.

Thérapeute :

Pensez-vous que cela lui serait bénéfique s'il le partageait avec une personne de confiance comme moi, par exemple, qui pourrait l'aider à mieux comprendre, à mieux interpréter ce qui s'est passé.

Gérald :

(Semble envisager cette éventualité pour la première fois.) C'est intéressant.

Thérapeute :
Comment pourrait-on l'amener à parler de ce qui lui semble si difficile ?

_____

En somme, le thérapeute peut poser toutes les questions qu'il souhaite. Le client qui devient le cothérapeute ne peut que répondre et fournir des moyens pour arriver au résultat recherché. De plus, son rôle d'aidant l'amène à voir le problème sous un angle tout à fait différent. L'exercice s'avère également profitable à la relation thérapeutique puisque les deux protagonistes partagent pendant un moment une alliance de « connaisseurs ».

E X E M P L E   2
| L'adolescente réfractaire |

La jeune fille apprend qu'elle doit de nouveau déménager à l'autre bout du monde pour satisfaire aux exigences de l'emploi de sa mère, avec qui elle vit seule. Jusqu'à ce moment-là, les déménagements aux deux ou trois ans ne l'avaient pas vraiment perturbée. C'est différent cette fois-ci. Elle a quatorze ans et un bon réseau d'amies qu'elle ne souhaite pas quitter.

_____

Thérapeute :
Bonjour, Sophie, comment s'est passée ta semaine ?

Sophie :
(Fixe le mur, l'air hostile et rébarbatif, comme d'habitude. Elle répond par un haussement d'épaules pouvant facilement être interprété comme du je-m'en-foutisme.)

Thérapeute :
(Comme ils en étaient à leur troisième rencontre et que les deux précédentes n'avaient pas été des plus fructueuses, le thérapeute décide de tenter une nouvelle stratégie. Il se lève pour libérer sa chaise et demande à Sophie de changer de place, sans vraiment lui laisser le choix. Il ne lui donne pas d'explication. Elle se retrouve sur la chaise du thérapeute et celui-ci prend la sienne.) On va faire quelque chose d'un peu différent cette semaine ; tu vas être le thérapeute et je vais faire Sophie.

Sophie :
(Avec force et entêtement.) Ça m'tente pas.

Thérapeute :
Non, non, tu vas voir, ça va aller. Essaie un peu.

Sophie :

(Soupir d'exaspération.) J'sais pas quoi faire !

Thérapeute :

(Avec une complicité inventée.) Dis n'importe quoi. Demande-moi quelle sorte de semaine j'ai passée ou autre chose ! Vas-y, vas-y !

Sophie :

(Autre soupir pénible. Voyant que le thérapeute n'en démord pas, elle décide de s'exécuter.) As-tu passé une bonne semaine ? (L'air peu convaincu.)

Thérapeute :

(Adopte le plus possible l'attitude d'indifférence de la cliente, répond seulement par une bouderie et un haussement d'épaules.)

Sophie :

C'est assommant, et j'sais plus quoi dire !

Thérapeute :

(Reprend de nouveau le même stratagème : « Non, non, vas-y, essaie, tu vas voir, pose-moi telle ou telle autre question. » En fait, il a dû servir cette médecine une bonne dizaine de fois avant que la cliente ne se décide à coopérer. À un moment, elle a vraiment abordé la bonne question.)

Sophie :

(Après un long soupir.) Veux-tu parler de ta mère ?

Thérapeute :

Non ! (Refuse, bien malgré lui, de façon à vraiment calquer le comportement de l'adolescente.)

Sophie :

Pourquoi ?

Thérapeute :

(Haussement d'épaules désintéressé.)

Sophie :

Est-ce que c'est parce que tu penses que ta mère ne t'aime pas parce que tu es une enfant adoptée ?

Inutile de vous dire que le thérapeute a rapidement repris sa chaise après cette révélation. La cliente ne pouvait pas discuter de son sentiment lorsqu'elle était assise sur son propre siège.

Était-ce de l'orgueil, de la fierté, de l'arrogance ? Mais, sur le siège du thérapeute, il lui était possible de formuler des hypothèses !

Même lorsque le client ne livre pas complètement « l'intrigue », comme dans l'exemple précédent, l'application du renversement des rôles est toujours profitable et les bénéfices sont multiples. L'exercice amène le client à être plus actif, à générer des solutions et à se voir de façon plus objective. Pendant qu'il est dans le rôle du thérapeute, il peut fournir des astuces ou un *modeling* à son intervenant pour mieux le rejoindre. Il voit aussi que, sans sa collaboration, le thérapeute ne peut rien faire. On doit cependant poursuivre le jeu de rôles pendant au moins cinq à dix minutes avant que le client ne réalise pleinement tout ce qu'il a à retirer de l'expérience.

E X E M P L E   3
| Cothérapie avec un jeune enfant |

L'enfant de cinq ans est référé au thérapeute scolaire par son professeur. Ses parents se sont récemment séparés et il vit maintenant seul avec son père. Depuis un certain temps, l'enseignant a observé une modification dans le comportement de l'élève. Il ne parle plus aux autres, ni même à son professeur. Il est excessivement distrait en classe et semble se refermer de plus en plus. Le personnel de l'école soupçonne qu'il est victime d'inceste de la part de son père.

Thérapeute :
(Considérant le mutisme du jeune, le thérapeute décide de ne pas l'interpeller directement et fait semblant de s'amuser avec une chaise rouge d'enfant. Pendant ce temps, Félix joue à proximité et porte de temps à autre un œil furtif en direction du thérapeute.) Disons que cette petite chaise est Félix... (s'adressant à lui-même.) Oh ! Il ne parle pas beaucoup ! (Silence.) Avant, il parlait plus. (Silence.) Maintenant, il ne parle plus à personne... du moins à l'école !

Félix :
(Reste dans son coin, en observant du coin de l'œil le jeu du thérapeute.)

Thérapeute :
(Maintient de longs moments de silence entre ses remarques, fixe intensément la petite chaise et laisse Félix jouer en solitaire dans son coin.) J'ignore pourquoi il est devenu comme ça... Les autres voudraient bien être ses amis... Moi, je pense que Félix n'est pas très heureux tout seul... C'est comme s'il avait peur de parler aux autres. C'est peut-être parce qu'il a un secret qu'il ne veut pas dévoiler !

Félix :
(Les mouvements saccadés de Félix pendant la dernière intervention du thérapeute semblent signifier qu'il a touché un point sensible.)

Thérapeute :
(Traite délicatement et affectueusement la petite chaise rouge, comme si l'enfant y était assis. Il feint de toucher tendrement ses genoux, ses mains et sa tête et poursuit son monologue.) Moi, je pense qu'il doit être bien malheureux de tout garder pour lui... Peut-être pense-t-il que c'est la meilleure chose à faire ? Mais, si c'est vraiment la meilleure solution, pourquoi est-il aussi malheureux ? (Silence.) Il doit bien y avoir une autre solution ! (Long silence, puis sort une nouvelle petite chaise, de couleur blanche cette fois, et l'enlace amicalement.) Tiens, on va dire que c'est également Félix. Il a un secret lui aussi... Et il a peur, très peur d'en parler... (Silence.) Mais, il se dit : « Si je n'en parle jamais à personne, je vais rester tout seul avec mon problème, je n'aurai plus d'amis ! Je vais avoir peur et je vais pleurer chaque jour. Non !... je ne veux pas, ce n'est pas agréable ! »

(Le thérapeute continue tandis que Félix l'observe furtivement tout en étant très attentif. L'enfant ne résiste pas puisque le thérapeute ne s'adresse pas à lui directement. Le thérapeute ne fait que verbaliser les différentes possibilités qui s'offrent à Félix dans le but d'amener l'enfant à réfléchir à la question.) Et même s'il a très, très peur d'en parler, il décide quand même d'oser le faire... mais avec quelqu'un à qui il peut faire confiance et qui peut l'aider. Il faut que ce soit un adulte, c'est sûr. Vois-tu pourquoi ? Regarde. (Le thérapeute s'adresse toujours à la petite chaise vide. Il sort un petit sac contenant quelques objets.) Tu vois ce sac ? On pourrait dire qu'il correspond à celui d'un enfant de cinq-six ans. Est-ce qu'un enfant de cinq-six ans sait construire une maison tout seul ? Non ! Est-ce qu'un enfant de cinq-six ans sait faire des multiplications ? Bien sûr que non ! Mais, il est capable de s'habiller tout seul, il est capable d'écrire son prénom tout seul. Bien sûr, il y a des outils dans son sac... mais il n'est pas aussi gros que celui d'un adulte ! (Sort un gros sac rempli à pleine capacité pour symboliser celui d'un adulte.) C'est pour ça que, s'il en parle à un adulte, celui-ci pourra lui donner des trucs auxquels il n'avait pas pensé puisque son sac est encore trop petit. (Le thérapeute insiste pour que l'enfant choisisse un adulte comme confident pour éviter des déceptions chez lui au cas où il aurait tendance à choisir un petit copain de classe.) En plus, il y a des adultes qui, comme moi, ont un sac spécialisé pour aider.

Moi, je pense que s'il disait son secret au moins à une ou deux de ces personnes, il ne serait plus aussi malheureux. Au moins, il ne serait plus seul à porter ce poids. (Le thérapeute fait comme s'il tenait les mains de l'enfant sur la chaise blanche tout en lui parlant de très près, avec une attitude non verbale invitante.) S'il se confiait à moi, par exemple, compte tenu du fait que c'est mon travail, je pourrais lui proposer des idées pour l'aider à mieux se sentir, pour qu'il retrouve ses amis et pour que tous ceux qu'il aime soient heureux (fait allusion à son père).

Le principe ou « la stratégie de vente » que suit le thérapeute est, d'une part, de décrire le plus précisément possible, dans un langage simple, ce que vit l'enfant, de façon à le rejoindre et à ce qu'il se sente compris. D'autre part, le thérapeute tente de décrire les solutions que l'enfant adopte pour régler le problème et les conséquences néfastes et coûteuses de ses choix. Il expose ensuite la même situation, mais réglée avec des solutions différentes et beaucoup plus gagnantes que la première fois, comme celle d'en parler à un adulte qui peut l'aider.

Le langage non verbal entre le thérapeute et les petites chaises permet d'agir sur la relation thérapeutique même si l'enfant refuse de participer. Le thérapeute peut ensuite proposer à l'enfant de garder l'une des chaises, en lui laissant le choix de prendre la rouge ou la blanche. Même si l'enfant continue à se montrer récalcitrant après cette démonstration, le thérapeute peut poursuivre son aide auprès du jeune grâce à ce stratagème. Il l'amène ainsi malgré lui à se dissocier du problème et à le voir de façon plus objective. Il lui témoigne également beaucoup d'affection et de soutien par ses échanges verbaux et non verbaux avec les petites chaises.

Chaises dans le centre

Il a été question dans l'introduction de ce volume de la nécessité de proposer aux clients des outils pour leur permettre de centrer et de maintenir leur attention sur le problème à résoudre. Une chaise vide placée au centre d'un groupe peut remplir cette fonction. Elle peut représenter une émotion, une époque, une personne, un emploi, etc.

Par exemple, si le thème abordé pendant la séance est la colère, au lieu de laisser simplement les participants s'exprimer sur ce sujet, le thérapeute peut placer une chaise vide au centre en disant : « Sur cette chaise est assis quelqu'un envers qui vous ressentez de la colère. » Le simple fait d'ajouter cet élément au processus implique plusieurs avantages. Les réactions du client sont amplifiées. Il ne parle plus uniquement de la façon dont il réagit lorsqu'il est en colère, mais il le devient réellement pendant la séance. Ses réactions sont réelles. L'information se révèle donc plus significative et directement observable.

Il est possible d'accroître encore la banque de données en ajoutant la sculpture à la chaise vide. Cette technique sera abordée dans le prochain chapitre.

⊬ | **Projection dans le temps**

Ed Jacobs disait dans l'un de ses séminaires : « Si on pouvait faire vivre, ne serait-ce que deux minutes, un cancer terminal du poumon avec toute la douleur, l'impuissance, l'assujettissement aux soins médicaux qui y sont rattachés, à une personne qui prend sa première cigarette, il est plus que probable qu'elle ne l'allumerait pas. » La technique qui consiste à se projeter dans le temps est en quelque sorte une tentative pour créer ce genre d'expérience amplifiée et prévenir dans le présent des problèmes qui pourraient se développer dans le futur.

E X E M P L E
| **Repli sur soi à la suite d'un handicap** |

Johanne a subi un grave accident d'automobile et les chirurgiens ont dû lui amputer une jambe pour lui sauver la vie. Deux ans après cet événement, Johanne se refuse toujours à accepter son handicap et à réintégrer la société. Elle passe le plus clair de son temps assise devant son téléviseur, rejetant toute invitation et s'isolant le plus possible. Son entourage se sent aussi impuissant que décontenancé devant ce comportement puisqu'il l'avait toujours connue comme une femme fonceuse, courageuse et déterminée. À un certain moment, elle se voit forcée de rencontrer un psychologue afin de maintenir ses prestations d'assurance.

Thérapeute :
Johanne, vous vivez et passez tout votre temps seule. Votre cerveau n'est nourri que par la télévision et par des pensées de révolte, de tristesse et d'impuissance associées à votre handicap. J'imagine que votre vie, sur une échelle de 0 à 10, doit être autour de 2, dans le plus optimiste des cas. Est-ce que je me trompe ?

Johanne :
(Ne répond pas, maintient son attitude distante.)

Thérapeute :
(Place une chaise derrière la cliente.) Cette chaise représente Johanne avant son handicap. Elle avait donc ses deux jambes (elle écrit « deux jambes » sur une feuille autocollante et l'appose sur la chaise derrière Johanne). On m'a dit qu'elle était aussi fonceuse, courageuse, déterminée (inscrit à nouveau ces mots sur des feuilles distinctes et les colle sur la chaise). Lui trouvez-vous également d'autres caractéristiques frappantes ?

Johanne :

(Se tait toujours, mais on la sent en train de réfléchir.)

Thérapeute :

Était-elle sociable ? Savait-elle s'entourer ?

Johanne :

(Acquiesce, comme si elle revivait cette époque.)

Thérapeute :

(Elle note chacune de ces caractéristiques et place les papiers sur la chaise.) Voyez-vous autre chose qu'on pourrait ajouter à cette chaise pour rendre justice à cette Johanne ?

Johanne :

Elle aimait beaucoup les enfants et s'arrangeait pour jouer avec eux, pour les gâter et les connaître (de plus en plus triste et nostalgique).

Thérapeute :

(Ajoute ce nouvel aspect à la chaise déjà bien garnie.) Autre chose ?

Johanne :

(Fait signe que non.)

Thérapeute :

Très bien. Maintenant, prenons cette autre chaise. (La thérapeute la place à côté de la cliente.)

Admettons qu'il s'agisse de Johanne actuellement. On sait que la jambe qu'elle a perdue dans un accident a été remplacée par une prothèse (elle écrit « une jambe + une prothèse » sur un papier et le colle sur la nouvelle chaise). Mais dites-moi, quelles caractéristiques de Johanne devrions-nous transférer sur cette nouvelle chaise ? Est-ce que l'accident lui a aussi amputé son courage et son amour pour les enfants ? Est-ce que l'accident lui a arraché sa détermination ou est-ce qu'elle a toujours ses caractéristiques antérieures qu'elle garde prisonnières ? (La thérapeute reprend toutes les caractéristiques de Johanne qui étaient collées sur la chaise du « passé », les place dans une enveloppe, la referme et la dépose sur la chaise du présent placée juste à la droite de la cliente. La thérapeute accorde suffisamment de temps à celle-ci pour qu'elle réfléchisse bien à cette question. Elle poursuit, voyant que la cliente ne répond pas.) Il y a aussi cette chaise qui représente Johanne dans cinq ans. (Elle place une autre chaise devant elle.) Dans quelle condition croyez-vous qu'elle sera si elle décide de maintenir son enveloppe fermée jusque-là ?

Johanne :
(Pleure à chaudes larmes pendant un bon moment puis s'exprime avec la voix entrecoupée de sanglots.) Je ne peux pas vivre ainsi avec une seule jambe. C'est trop dur...

Thérapeute :
C'est faux, vous le pouvez très bien... mais il vous faudra retourner à votre enveloppe, l'ouvrir et garder tous ces petits papiers bien en vue. Ils vous appartiennent. (En prononçant ces paroles, elle remet l'enveloppe à la cliente et lui fait signe de l'ouvrir.)

Johanne :
(Contemple longuement l'enveloppe, l'ouvre et s'attarde sur chacun des papiers.) C'est étrange... le simple fait de tenir cette enveloppe et de l'ouvrir, je me sens déjà plus forte, plus prête à redevenir celle que... celle que... celle que je suis, mais avec une jambe en moins.

Thérapeute :
Je crois que pendant trop longtemps vous avez maintenu votre attention sur ce seul papier (met le papier où il est écrit « une jambe + une prothèse » très près de ses yeux, de manière à cacher tout le reste) au lieu de voir l'ensemble (remet le premier papier parmi les autres feuillets indiquant l'ensemble de ses caractéristiques). Qu'en pensez-vous ?

Johanne :
Oui !... c'est vraiment cela !

———————

Les petits papiers ont pris une place importante dans le quotidien de Johanne ainsi que dans les rencontres qui ont suivi. Elle ne s'en séparait plus. Le jeu des chaises a permis d'amplifier la situation et a été un puissant moteur de changement.

Distinguer la réalité des fantasmes

Bien des tourments inutiles sont associés à une imagination trop fertile. Si l'enfant est en retard de deux heures, les parents paniqués s'imaginent qu'il s'est fait enlever. En fait, il s'amusait follement avec des amis et avait simplement oublié l'heure. Le patron est impatient, car avant de quitter la maison il a eu une dispute avec sa femme. L'employé, voyant l'attitude de son employeur, est convaincu qu'il va être congédié avec le résultat qu'il dort mal et digère péniblement pendant trois jours.

Un exercice utile pour aider ces individus à distinguer la réalité du fantasme est de sortir deux chaises dont l'une est identifiée « RÉALITÉ ou 2+2=4 » et l'autre porte la mention « IMAGINATION ou 2+2=9 ». On commence par faire asseoir le client sur la première chaise. L'exercice consiste alors à lui faire exprimer les faits réels entourant le problème en question. Dans un deuxième temps, le client s'installe sur l'autre chaise et voit tout ce qu'il s'est imaginé. Le thérapeute peut profiter de cet exercice pour bien faire comprendre au client le danger de s'asseoir sur la chaise de l'imagination et l'importance de s'en tenir aux faits réels. Il peut aussi faire porter l'exercice sur le développement d'habiletés de communication pour inciter le client à vérifier ses explications hypothétiques dans son quotidien.

La chaise qui réfléchit et celle qui rabâche les mêmes histoires

Une technique un peu similaire à la précédente est celle des deux chaises dont l'une « réfléchit » et l'autre non. La première incarne le rôle de l'Adulte (selon l'Analyse Transactionnelle) qui est celui qui analyse, évalue et est capable d'un jugement honnête et de décisions favorables à son bien-être. La chaise qui « ne réfléchit pas » représente le Parent Critique ou l'Enfant Adapté (concept provenant également de l'Analyse Transactionnelle). Ce sont les dimensions de notre ego qui ne font que répéter ce qu'elles ont entendu ou ce qu'elles ont appris dans l'enfance. Elles ne posent jamais de jugement sur le contenu, mais rabâchent simplement les mêmes histoires, jour après jour, année après année.

L'expérience de s'asseoir sur les deux chaises et d'en ressentir et décrire le contenu cognitif et kinesthésique procure réellement au client des éléments clés pour son cheminement. Le thérapeute peut aussi l'amener à choisir sur quelle chaise il souhaite continuer à mener sa vie, à déterminer celle qui est la plus gagnante et à envisager comment éliminer l'autre. (On peut même aller jusqu'à demander au client de sortir cette chaise du bureau.)

⊢ | Peur du changement

Connaissez-vous le contrat : « Je veux que ça change, mais je ne veux rien changer » ? Je soupçonne que plusieurs ont été confrontés plus d'une fois à ce paradoxe. Mais comment faire comprendre cette antinomie à un client qui est persuadé de sa cohérence ?

EXEMPLE
| L'emboîtement des chaises |

André est le roi des menteurs. Sa mythomanie lui vient des réprimandes fréquentes qu'il a subies tout au long de son enfance. Avec l'expérience, il a compris que, s'il faisait semblant d'être d'accord, les dissensions cessaient automatiquement, ce qui ne l'empêchait pas pour autant d'agir à sa guise dès qu'il en avait l'occasion. À 42 ans, ses tromperies ont pris une telle ampleur qu'il en est maintenant prisonnier. Il dit vouloir en sortir, mais allègue son impuissance.

Thérapeute :

André, laissez-moi vous faire une démonstration de ce qui se passe dans nos rencontres depuis que vous avez commencé votre démarche avec moi. Disons que la chaise sur laquelle vous êtes assis représente André à l'état actuel, celui qui ment quotidiennement.

Cette autre chaise (le thérapeute pointe une autre chaise dans le bureau, d'un format différent de la précédente) représente André qui ne ment plus, qui est résolu à dire la vérité, même si souvent cela lui est difficile. Maintenant, j'aimerais que vous vous accrochiez à votre chaise et que vous veniez vous asseoir sur cette autre. (L'exercice donne lieu à des scènes plutôt cocasses. Le client tente de s'asseoir sur une autre chaise tout en tenant sous lui la première. Évidemment, il se rend vite compte qu'il est impossible de les imbriquer.)

André :

(Après quelques tentatives infructueuses.) C'est impossible. Cela ne peut pas marcher !

Thérapeute :

C'est bien ce que je pensais ! Mais n'avez-vous pas l'impression que c'est ce que vous avez essayé de réaliser depuis les trois dernières rencontres ? (Le client réalise soudainement la signification de l'exercice.) Je pense que la seule façon pour vous de mieux vous sentir est de laisser de côté votre ancien comportement (en disant cela, le thérapeute amène André à lâcher sa chaise) et de faire les pas nécessaires pour apprivoiser une nouvelle manière de faire face aux divergences de vues et aux disputes.

Certains clients auront plus de facilité à comprendre le processus du changement si on y ajoute le côté visuel et kinesthésique, comme dans cet exemple. Le concours de tous les sens peut laisser une empreinte plus forte et donc plus profitable.

Il est souhaitable d'utiliser pleinement la métaphore des chaises pour donner le maximum de signification à l'exercice. Le thérapeute doit donc prendre tout le temps nécessaire pour discuter des réactions émotives et cognitives du client tout au long de l'exercice. Le client expérimente-t-il des sensations de peur, de légèreté ou de joie ? Voit-il des obstacles à l'atteinte de la deuxième chaise ? Le thérapeute peut s'incorporer à la métaphore en donnant la main au client pour l'aider à rejoindre son objectif. Est-ce que le fait de laisser tomber son ancienne chaise provoque un deuil quelconque ? Bref, l'information qui peut être extraite de l'exercice est abondante, variée et riche en contenu pertinent.

⊢ | **Sentiment de vide causé par l'oubli de soi-même**

Pendant cinq ans, Denise, fille unique de la famille, a connu l'inceste avec ses cinq frères. Son seul confident était son journal intime. En rentrant à la maison un jour, elle l'a aperçu dans les mains de son père. Sa mère se tenait juste à côté, en larmes. Les yeux réprobateurs du père ne laissaient aucun doute quant au fait qu'il avait lu le contenu des pages qu'il tenait : il a simplement fixé sa fille avec dureté avant de jeter ses écrits dans les flammes du foyer. La mère était très effacée et soumise. Les frères étaient excessivement misogynes, avec le père comme président de leur club. Denise fut donc ouvertement reconnue responsable de ces cinq années d'abus.

Ses frères l'humiliaient à l'école en disant à tous ceux qui voulaient l'entendre qu'ils avaient « couché » avec elle. Son père ne lui adressa plus la parole pendant de longs mois et commença à développer des rapports plus étroits avec ses fils. L'indifférence et l'humeur rancunière du père se sont transformées au fil des années en châtiment permanent. Bien des années plus tard, il a légué son commerce prospère à ses cinq garçons.

À 40 ans, Denise continue à peiner pour payer son loyer. Elle a réussi avec fierté à se payer une petite voiture neuve, croyant épater ses frères et son père. Ceux-ci, forts de leur récent modèle de luxe, n'ont trouvé qu'à la ridiculiser par toutes sortes de commentaires, refusant même de s'asseoir au volant de sa nouvelle acquisition. Chaque dimanche, depuis qu'elle vit à l'extérieur du foyer familial, elle se fait un devoir de recevoir sa famille à souper dans l'espoir de mériter un jour un compliment ou un remerciement qui se fait d'ailleurs toujours attendre.

Après trente années de vains efforts, allant de faillites en échecs, elle continue toujours à se battre avec acharnement pour regagner l'estime de son père et de ses frères. Son but n'est pas de faire ce qui lui plaît, en utilisant le maximum de ses potentialités, mais plutôt d'impressionner les mâles de sa famille. Comme ils sont les auteurs des messages dévalorisants à son égard, elle croit à tort qu'ils sont les seuls à pouvoir les modifier.

Devant l'échec de ses efforts, elle compense sa colère en volant des fromages au marché. La dépression qui entoure ses insuccès lui coûte des soirées et des nuits entières à pleurer en solitaire. Elle se plaint constamment de maux de tête, d'hypocondralgies et possède déjà un inventaire impressionnant de barbituriques pour faire taire ses malaises physiques qui lui rappellent que « ça ne va pas ». Son obséquiosité dans ses comportements familiaux s'est également généralisée à l'ensemble de son réseau social, la conduisant là aussi à une surexploitation. Plus elle vole, plus elle pleure et plus elle a mal ; plus elle se laisse exploiter, plus elle en arrive à croire que son père avait raison de la dire malsaine.

Thérapeute :

Quel est le prénom de tes frères et de ton père ? (Au fur et à mesure que la cliente les lui indique, elle les inscrit sur une feuille autocollante et les assigne à une chaise. Même chose avec le prénom de sa mère. Elle dispose en cercle les sept chaises, celles des deux parents et des cinq frères, tandis que la cliente se tient debout.) Denise, assieds-toi ici. Voici ton frère Bernard, l'aîné. Mets-toi à sa place. Je voudrais que tu me dises ce qu'il faudrait que tu fasses pour regagner son estime ?

Denise :

Si j'avais un emploi de 150 000 $ à 200 000 $ par année, il me respecterait davantage.

Thérapeute :

(Veut mettre en évidence le fait que la cliente agit en fonction des autres et non pas en fonction d'elle-même, ce qui, à l'avis de la professionnelle, représente un des problèmes majeurs de Denise.) Est-ce que tu poses des gestes pour atteindre cet objectif ?

Denise :

Ouf ! j'en ai fait beaucoup. Je ne compte plus les fois où j'ai lancé une entreprise, où j'ai répondu à des offres d'emploi bidon qui devaient rapporter des 100 000 $ par année. Mais, rien de tout cela n'a fonctionné ! Maintenant je prends des cours à l'université en marketing. Il paraît que c'est un domaine bien payant.

Thérapeute :

Comment te sens-tu sur cette chaise Denise ?

Denise :

(Fait le point.) En tant que Bernard, je me sens au-dessus de Denise, plus forte qu'elle.

Thérapeute :

Est-ce que c'est assez confortable ?

Denise :

Oui et non. Il a raté son mariage et il ne voit plus ses enfants. Son agressivité lui joue souvent des tours.

La thérapeute poursuit de cette façon avec chacun des personnages concernés. La mère veut que sa fille se taise et se conforme, ce que Denise s'efforce de faire même si la soupape menace de sauter à certains moments. Le père, maintenant en institution, exige qu'elle l'appelle tous les jours et qu'elle aille le voir une fois par semaine en plus de l'inviter à souper chez elle le dimanche soir. De plus, il se livre au chantage en exprimant l'idée qu'il l'acceptera davantage et peut-être même qu'il la récompensera financièrement à sa mort, si elle exécute ses ordres. Un de ses frères lui avait même laissé sous-entendre qu'il l'apprécierait plus si elle avait une belle voiture. En investissant tout l'argent qu'elle avait et en empruntant, elle a pu s'acheter une voiture neuve qui ne correspondait évidemment pas à ce qu'il souhaitait. Bref, à la fin de la tournée, la thérapeute a sorti une chaise neutre et a demandé à la cliente de s'y asseoir.

Thérapeute :

Que penses-tu de la vie de Denise ?

Denise :

Je comprends qu'elle soit étourdie !

Thérapeute :

... et en colère, triste et perdue ?

Denise :

(Les larmes aux yeux voyant les rôles qu'elle a tenté de jouer pendant toutes ces années.)

Thérapeute :

Je pense que depuis toujours, il manque une chaise à ce cercle (elle en joint une au cercle déjà formé et l'identifie au prénom de Denise). Que dirais-tu de l'essayer ?

Denise :

(Avec une souffrance mêlée d'une grande fatigue, la cliente s'assoit sur ce nouveau siège et sanglote silencieusement.)

Thérapeute :

(Après un bon moment.) Que dis-tu de cette position ?

Denise :

(Silence.) Je pense ne m'être jamais vraiment retrouvée ainsi. J'ai toujours cherché à satisfaire tout le monde. Non seulement mes frères et mes parents, mais tout le monde... J'ai toujours pensé que la chaise de Denise était épouvantable, incorrecte, mauvaise et terrible. Pourtant ce que je sens maintenant, assise ici, c'est le calme... le silence... la chaleur du repos.

La mise en scène organisée par le thérapeute dans cet exemple peut être développée, analysée, modifiée au cours des trois ou quatre rencontres suivantes ou plus, si nécessaire. Tous les éléments sont présents pour se situer au cœur du problème et retrouver les sensations, les émotions et les idées à travailler. Le thérapeute peut amener la cliente à expérimenter sa relation avec chacun des membres de sa famille d'une façon différente, soit en déplaçant les chaises, soit par des jeux de rôles et de l'enseignement à l'affirmation et à la communication.

⼓ | Participants jouant le rôle d'autres membres

Cette technique ressemble en plusieurs points aux jeux de rôles présentés au début de ce chapitre. Son application en groupe est toutefois considérablement différente.

E X E M P L E   1
| Pour dénouer une impasse en groupe |

Le silence d'un participant, lors de sessions de groupe, peut s'avérer préjudiciable autant pour lui (il finit par se sentir mal à l'aise et quitte la thérapie) que pour l'ensemble du groupe (les autres ressentent un malaise qu'ils parviennent plus ou moins à identifier, ce qui engendre une perte de confiance dans le groupe.) L'approche d'Impact préconise que dans une thérapie de groupe, chacun émette ses opinions ou exprime ses émotions. Par contre, il est clair que certains individus ont plus de difficulté que d'autres à remplir ces objectifs. L'exercice qui suit peut faciliter la participation des membres les plus timides ou trop émus pour s'exprimer verbalement.

_____

Thérapeute :
(La discussion porte sur l'incapacité d'avoir des enfants. Line est en larmes. Tout le monde a le regard rivé sur elle. Elle commence à se sentir mal à l'aise d'être le centre d'intérêt, mais ne parvient pas à calmer ses sanglots.) Line, je vais te demander de venir t'asseoir ici, sur cette chaise neutre, et d'écouter attentivement ce qui va suivre. Les autres, je voudrais qu'à tour de rôle, vous veniez vous asseoir à la place de Line et que vous complétiez la phrase suivante : « Je suis Line et je suis triste parce que... » D'accord ?

Pierrette :
(S'assied sur la chaise de Line.) Je suis Line et j'ai de la peine parce que j'ai l'impression que je ne serai jamais une femme entière si je ne parviens pas à enfanter.

Gisèle :
(Procède de la même façon que la personne précédente.) Je suis Line et j'ai de la peine parce que je ne crois pas que mon couple puisse survivre à cet échec.

Marthe :
(Imite ses deux compagnes.) Je suis Line et j'ai de la peine parce que je me sens inférieure aux autres femmes.

Thérapeute :

(Une fois que toutes les participantes ont effectué l'exercice, il s'adresse de nouveau à Line qui, assise sur une chaise neutre, a pu retrouver son calme.) Line, est-ce que l'une de ces réalités rejoint un peu ce que tu ressens ?

———————————

Il devient plus facile pour la participante de s'exprimer parce qu'elle s'est sentie bien accueillie par les autres et parce qu'elle peut se référer à leurs commentaires respectifs. Par ailleurs, l'exercice s'avère fructueux pour les autres membres du groupe qui ont été actifs pendant son déroulement. L'intervenant peut choisir de développer leurs commentaires au cours de la deuxième partie de la rencontre pour ramener ainsi l'intérêt sur l'ensemble des participants.

E X E M P L E   2
| **Pour développer une vision plus réaliste** |

Chantal vivait une peine d'amour depuis déjà plus d'un an. Elle se privait de sortir, évitait de rencontrer d'autres hommes et refusait toutes les invitations galantes. Bref, elle s'isolait avec sa peine autant qu'elle le pouvait. Chantal idéalisait son ex-conjoint, Bernard, se persuadant qu'il était le seul homme avec qui elle pouvait être heureuse.

Une évaluation plus approfondie a permis d'identifier que Bernard était le deuxième homme que la cliente avait connu. Sa première union avait été un fiasco total. Son premier mari, alcoolique et coureur de jupons, ne lui avait apporté que des soucis. Le seul fait que Bernard ne soit ni alcoolique ni coureur de jupons lui valait les épithètes d'idéal, d'extraordinaire et d'irremplaçable. En y regardant un peu plus objectivement, toutefois, Bernard ne correspondait pas tout à fait au modèle de vertu décrit par Chantal. Il était financièrement irresponsable. Tous les trois mois, il demandait de l'argent à sa mère pour essuyer ses dettes. Il n'arrivait pas à conserver un emploi plus de quatre ou cinq mois. Ses soirées et ses jours de congé étaient consacrés à des équipes de sport. Il n'avait ni temps, ni énergie, ni argent à partager avec sa conjointe.

———————————

Thérapeute :

Chantal, faisons une expérience si vous le voulez bien. J'aimerais que vous me nommiez cinq ou six personnes qui connaissent très bien Bernard.

Chantal :

(Indique six prénoms.)

Thérapeute :

(Le thérapeute place huit chaises en cercle, écrit les prénoms des six personnes sur des chaises distinctes. Les deux autres sont identifiées aux prénoms de Bernard et de Chantal.) J'aimerais que vous commenciez par vous asseoir sur la chaise de Jacqueline qui regarde Bernard. Mettez-vous le plus possible dans sa peau pour me dire ce qu'elle voit de Bernard, ce qu'elle connaît de lui. Jacqueline, que pensez-vous de Bernard comme partenaire de vie ?

Chantal :

(Prend le rôle de Jacqueline.) Moi, je ne pourrais pas le supporter.

Thérapeute :

Pourquoi dites-vous cela ?

Chantal :

J'ai besoin d'un peu de sécurité. Le fait qu'il soit rendu à 43 ans, sans emploi stable et sans ressources suffisantes pour payer le prochain loyer ne me convient pas du tout.

Thérapeute :

(Graduellement, il demande à Chantal de faire le tour et d'incarner les différents rôles. Tous, sans exception, dressent le même tableau de Bernard, c'est-à-dire qu'ils décrivent quelqu'un d'immature et d'irresponsable qui obtient au mieux 3/10 comme compagnon de vie.) Chantal, maintenant je vais vous demander de vous rasseoir sur votre siège et de regarder Bernard à nouveau. Dites-moi ce que vous en pensez.

Habituellement, la perspective de la cliente est diluée par l'accumulation des données qu'elle a glanées pendant l'expérience. Ceci lui permet de commencer à développer une vision plus réaliste de sa situation.

⊢ | **Distance**

La Thérapie d'Impact se consacre à maintenir ou à ramener le client dans la réalité, peu importe qu'elle soit positive ou négative. L'important est de rester objectif et réaliste. Les problèmes de Monique avaient débuté depuis déjà un bon moment. Ils remontaient à l'époque où son père les avait quittés, elle et les siens, alors qu'elle n'avait que six ans. Elle dit se rappeler qu'elle courait après lui sur le trottoir en s'accrochant à sa jambe pour ne pas qu'il parte alors qu'il lui criait : « Laisse-moi tranquille, tu n'es pas ma fille » bien qu'il fût son père naturel.

Quelque 25 années plus tard, Monique continue toujours à espérer quelque chose de lui. Elle lui écrit chaque semaine, lui envoie un peu d'argent chaque mois et des petits cadeaux régulièrement. De son côté, le père ne lui répond pas, ne la remercie pas et continue à l'ignorer comme il l'a toujours fait. Monique n'a jamais accepté ce départ et persiste à investir du temps et de l'argent dans l'espoir d'entendre un jour une déclaration d'amour de la part de son père. C'est là son rêve. Nous croyons qu'il vaut mieux qu'elle s'en tienne à la réalité. Voici donc la mise en scène organisée.

Thérapeute :
(Rapproche le plus possible une chaise de celle de la cliente.) Monique, j'aimerais que vous imaginiez que cette chaise est celle de votre père. Il est près de vous, vous écoute, s'intéresse à vos idées, à vos projets, à votre travail, à votre vie. Il se montre encourageant, aimant, aidant. Il vous fait toutes sortes de petites attentions, manifeste son amour en vous appelant régulièrement et même en vous invitant à l'occasion. (En somme, la thérapeute lui dresse un portrait idéalisé du père qu'elle souhaiterait tant avoir.)

Monique :
(Elle pleure d'envie, de frustration et de peine en écoutant cette description, en imaginant son père à côté d'elle, si enveloppant et sécurisant, avec un amour inconditionnel pour elle.)

Thérapeute :
C'est vraiment le père que vous aimeriez avoir, n'est-ce pas ?

Monique :
(Elle fait signe que oui avec de grands yeux d'enfant rêveuse.)

Thérapeute :
Maintenant, Monique, j'aimerais que vous me montriez où je devrais placer la chaise de votre père pour correspondre à sa position réelle dans votre vie.

Monique :
(Revient tout d'un coup à la réalité.) Par là. Non, un peu plus loin.

Thérapeute :
(Elle a suivi les indications de la cliente et a déplacé la chaise à l'autre extrémité du bureau.) À présent Monique, dites-moi, votre père est-il tourné vers vous ou vers la porte ?

Monique :
(Lasse et triste, elle laisse tomber ces mots.) Vers la porte.

Thérapeute :
(La thérapeute tourne la chaise vers la porte.) S'est-il déjà retourné vers vous depuis les 25 dernières années ?

Monique :

(Fait signe que non en essuyant quelques larmes.)

Thérapeute :

Se rapproche-t-il de vous lorsque vous lui envoyez du courrier, de l'argent, des petites attentions ?

Monique :

(Même réaction de tristesse en reconnaissant qu'il l'ignore toujours, quoi qu'elle fasse.)

Thérapeute :

Diriez-vous que cette petite Monique (sort une chaise d'enfant pour symboliser Monique alors qu'elle était toute jeune) croit que cet homme deviendra un bon père si elle fait tout pour être une bonne fille ?

Monique :

(Commence à comprendre par cette dissociation que sa dépendance vis-à-vis de son père provenait d'une partie d'elle-même.) C'est ce que je commence à saisir...

Thérapeute :

Estimez-vous qu'elle ait raison de croire cela ?

Monique :

Non ! Non seulement cela n'a pas fonctionné depuis 25 ans, mais, en plus, il me semble même que nos relations se soient détériorées.

Thérapeute :

(Elle place la petite chaise entre la cliente et celle du père pour mettre en évidence le fait que la petite contrôle actuellement cette relation.) Voulez-vous encore l'encourager à investir dans cette relation ?

Monique :

Non, je ne le souhaite plus.

Thérapeute :

Je pense effectivement qu'il ne peut pas lui apporter ce qu'elle désire, ni répondre à ses demandes. Que diriez-vous de jouer ce rôle à sa place ? (En prononçant ces paroles, elle retourne la petite chaise vers la cliente au lieu de la laisser en direction du père. Du coup, Monique a ressenti un élan d'affection pour cette petite. Elle a compris que sa responsabilité était de la nourrir et non de chercher satisfaction auprès de son père.)

Techniques d'Impact
utilisant des mouvements

La parole a été conférée à l'homme
afin qu'il puisse cacher sa pensée.

Talleyrand

Nous savons que l'être humain conserve 70 % de ce qu'il met en pratique contre 5 à 10 % seulement de ce qu'il entend. Curieusement, malgré la connaissance que l'on a de ce phénomène, très peu d'approches psychothérapeutiques, visant spécifiquement à créer un changement profond chez l'individu, ont intégré ces données classiques pour rejoindre davantage leurs clients. Peut-être s'agit-il seulement d'un manque d'inspiration ! Les lignes qui suivent proposent des solutions.

Chaise d'enfant

Nous avons vu dans le chapitre précédent plusieurs utilisations de la chaise d'enfant. D'autres applications efficaces, faisant intervenir le mouvement, sont également souhaitables ou au moins possibles.

La chaise d'enfant peut incarner l'Enfant Adapté à l'intérieur de soi, celui qui pose problème, celui qui transporte tous les mécanismes de défense nuisibles à l'équilibre et au bien-être de l'individu (tel que conçu en Thérapie d'Impact). À cause de son immaturité, l'Enfant Adapté provoque fréquemment toutes sortes de conflits dans différentes sphères psychosociales de la personne, que ce soit dans la famille, au travail ou ailleurs. La petite chaise peut donc être utilisée pour illustrer visuellement le rôle de cette partie de l'ego.

EXEMPLE

| Conjoints sous l'emprise de leur Enfant Adapté |

Serge et Marie ont toujours eu comme religion conjugale de se rejeter mutuellement la faute au moindre problème. Après quinze ans de vie commune, la mésentente et le ressentiment sont omniprésents dans leur union. Ils consultent en psychothérapie pour donner une dernière chance à leur couple.

Le thérapeute doit amener ses clients à saisir pleinement que les stratégies auxquelles ils ont recours, lors de chaque désaccord, proviennent de leur plus jeune âge. En plus d'être totalement inefficaces, elles sont immatures et désuètes. L'intervenant peut commencer en sortant deux petites chaises illustrant la partie Enfant Adapté de chacun d'eux.

Thérapeute :

J'aimerais que vous vous imaginiez, assis sur cette petite chaise, à l'époque où vous étiez enfant. (Le fait de poser des questions sur le jeune enfant, de décrire sa coupe de cheveux, son expression faciale... permet d'accélérer et d'approfondir la transe qui unit les deux clients à leur Enfant Adapté.) Dites-moi, que faisait-il pour régler la situation lorsque quelque chose le tracassait ou lorsqu'il était en colère contre quelqu'un ?

Immanquablement, ils relatent les mêmes moyens que ceux qui détruisent leur vie de couple actuelle : « Je boudais », « je gueulais », « je manifestais de l'indifférence », « je faisais des menaces », « je me trouvais des alliés », etc. Il peut arriver que l'un de ces stratagèmes se soit camouflé sous le couvert d'une pseudo-maturité. Mais, il ne faut pas s'y méprendre, il s'agit bel et bien de trucs enfantins.

Le fait de concrétiser ces méthodes (en demandant aux clients de tenir devant eux leur propre petite chaise) provoque chez les conjoints une rapide prise de conscience de la dynamique de leur vie commune. Ils réalisent tous les deux que leur plus gros problème provient beaucoup plus de leur propre petite chaise que de celle de l'autre. Lorsqu'on leur demande de se projeter dans le futur et d'imaginer ce que serait leur existence sans l'emprise de cette partie d'eux-mêmes (en mettant de côté les petites chaises qui les séparent), un soulagement instantané et un nouveau rapprochement d'Adulte à Adulte s'opèrent. Toutes ces sensations agissent comme renforcement pour concrétiser les modifications de leur relation dans le quotidien. Elles leur permettent aussi d'identifier rapidement la source potentielle de leurs futurs conflits.

Les messages transmis dans cet exercice sont multiples. Le plus important est celui qui se rapporte au contrat thérapeutique. Chacun arrive avec le même discours : changer l'autre. Dans l'exemple ci-dessus, on redéfinit le problème. Il ne s'agit plus d'un conflit entre Serge et Marie, mais plutôt d'un manque de contrôle des deux Adultes envers leur Enfant Adapté respectif. Chacun doit ainsi agir sur lui-même et se concentrer sur sa propre évolution plutôt que de garder les yeux rivés sur les attitudes et comportements de l'autre. Ce nouveau mandat favorise grandement la reprise de la communication dans le couple et constitue un projet thérapeutique beaucoup plus viable et profitable.

Médiation familiale

Les deux conjoints se bataillaient pour la garde de leur fils de deux ans, Frédérik, sans tenir compte des armes utilisées. Pour accélérer le processus de prise de conscience, le thérapeute a simplement déposé entre eux deux une petite chaise symbolisant Frédérik et a ajouté : « Que celui qui le mérite le plus le prenne ! » (En désignant la petite chaise.) Ils se sont alors précipités sur elle avec tellement d'énergie qu'ils ont bien failli complètement la démolir. Ils étaient en train de se l'arracher lorsque le thérapeute leur a lancé : « Comment croyez-vous que votre fils se sente actuellement ? »

Grâce à l'image de la petite chaise quasi démolie, ils ont réalisé que Frédérik était la véritable victime de leurs disputes. De là, ils ont complètement modifié leurs comportements.

◎ | Interdépendance

| Enseignement du processus thérapeutique |

Croyez-vous que la majorité des individus qui se présente en thérapie de groupe — et même en thérapie individuelle, familiale ou conjugale — ait une idée précise de la façon dont le changement va se produire ? Plusieurs pensent, en effet, que le simple fait de parler ou d'être écouté leur permettra de guérir leur mal d'être ou leur insatisfaction. La méconnaissance du processus thérapeutique entraîne une sorte de laxisme chez le client et une dépendance envers son thérapeute, d'où la pertinence de l'instruire sur le processus pour s'assurer de sa collaboration.

Par ailleurs, la connaissance du mécanisme d'évolution amènera le client à se responsabiliser davantage pendant la consultation et à être plus centré sur le contenu qu'il apporte. Pour servir ces objectifs, l'exercice suivant est très apprécié, tant par les intervenants que par leurs clients.

Les participants doivent former le plus grand cercle possible. Le thérapeute, qui fait partie du cercle, commence alors à décrire la métaphore tout en l'expérimentant avec les participants.

Thérapeute :

L'exercice que nous allons vivre ensemble vise à vous informer du rôle que vous aurez à jouer dans ce groupe et également à vous faire connaître les différentes étapes d'évolution de nos rencontres. Au tout début, comme maintenant, nous sommes chacun dans notre cellule (il désigne l'isolement de chacun des membres par l'absence de contacts physiques et verbaux entre eux). La seule chose que nous connaissons de l'autre est que lui aussi a des problèmes d'alcool. Le premier geste pour obtenir le changement désiré est de nous donner la main. (Tout le monde s'exécute.) C'est d'ailleurs un peu ce que vous avez fait en venant ici. Vous avez accepté de reconnaître que vous aviez besoin d'aide pour vous défaire de l'alcoolisme. Remarquez que vous n'êtes déjà plus seuls. Ensemble, nous formons une unité. (L'expérience kinesthésique dégagée est effectivement très puissante. Chacun ressent une force, une complicité engendrées par le fait de se donner la main pour s'unir.)

Mais, pour atteindre notre objectif, il va falloir aller plus loin. Chacun devra faire un pas afin de communiquer aux autres son vécu par rapport à l'alcool. (Les participants observent de nouveau la consigne. Ils se retrouvent tous plus près les uns des autres.)

L'intervenant peut décider de la signification et du nombre de pas à faire en fonction du programme suivi ou de son école de pensée. À chaque pas franchi, chacun se retrouve alors de plus en plus près des autres, ce qui solidifie graduellement les liens entre les participants.

Il est important de répéter l'exercice dans une deuxième partie de la rencontre en sélectionnant des participants à qui on demandera de ne pas faire leur pas. (Par exemple, sur un total de huit personnes, on peut en choisir deux, assez éloignées l'une de l'autre, de manière à ce que toutes les autres ressentent la tension créée par leur manque de participation.) Il est recommandé qu'à tour de rôle, chacun vive cette expérience de non-participation. La discussion subséquente, en plus de servir à recueillir les commentaires, peut porter sur les résistances qui pourraient amener certains membres à refuser de faire leur pas. Cet échange s'effectue en petites unités ou avec l'ensemble du groupe.

EXEMPLE 2
| L'interdépendance nécessaire en thérapie conjugale |

L'exercice précédent peut aussi s'adapter à l'intervention auprès de couples alors que, cette fois, on demande aux conjoints de se « sculpter » l'un par rapport à l'autre.

Pensez à la question suivante. Comment placeriez-vous deux conjoints-types pour une consultation conjugale ? Les placeriez-vous proches l'un de l'autre, légèrement en retrait l'un par rapport à l'autre ou encore complètement éloignés ?

Il est fréquent que les deux protagonistes se présentent en thérapie après avoir subi les foudres de l'autre. Ils sont alors tous deux blessés, parfois effrayés et/ou résolus à perdre leur relation conjugale. Dans cette situation, ils se placent de manière à laisser beaucoup de distance entre eux. Souvent même, leur cheminement respectif s'oriente dans des directions opposées.

Dans un premier temps, le but recherché est de faire prendre conscience aux conjoints de l'antagonisme entre l'objectif thérapeutique (se donner une dernière chance) et leur cheminement actuel (en sens opposé l'un à l'autre, du moins lorsque leur position respective, lors de l'exercice, l'indique). Avec la sculpture, il devient beaucoup plus facile de les amener à se retourner l'un vers l'autre et à se rendre compte qu'ils devront faire de réels efforts pour la survie de leur union. Ils peuvent être amenés à comprendre, à la fois par la représentation visuelle de leur position l'un par rapport à l'autre et par les très fortes émotions inhérentes à cette technique, qu'il faudra procéder pas à pas pour se rapprocher l'un de l'autre. Le thérapeute peut désigner chacune des étapes en fonction de son école de pensée.

Personnellement, j'amène le couple à parcourir quatre étapes (elles sont aussi valables pour toute relation interpersonnelle conflictuelle telle que parent-enfant, frère-sœur, employeur-employé, etc.). La première pourrait s'appeler le « cessez-le-feu » : il m'apparaît difficile de reconstruire quelque chose sans avoir interrompu préalablement la guerre. Une deuxième vise à amener les conjoints à reconnaître leur pleine responsabilité dans la dégénérescence du conflit. En général, le souvenir d'une dispute où chacun a renchéri de plus belle avec ses arguments suffit à partager les torts des deux côtés.

Une fois ces échelons gravis, il devient plus facile d'introduire les principes de communication et de gestion des conflits (*problem solving)* avant de faire intervenir la dernière phase, qui nourrit la relation en y incorporant les gestes et les initiatives que chacun offre à l'autre. Cette étape se distingue de la précédente en ce sens qu'elle va plus loin que les mots.

Quel que soit le cadre théorique qui vous guide lors d'interventions dans des relations problématiques, il est toujours intéressant d'amener les clients à exécuter les pas au fur et à mesure de la description des étapes. De cette manière, ils comprennent qu'ils auront à franchir ce trajet, qu'ils auront à bouger, à avancer, et que personne ne peut le faire à leur place. La seule façon de les aider à se libérer du sentiment de colère qui les habite est d'amener chacun à se regarder lui-même plutôt qu'à juger l'autre. Ce nouveau regard redonne à tous deux le pouvoir de modifier leur situation.

Sculpture

La sculpture a été introduite en psychologie par Virginia Satir (1967). Moréno (1964), avec son psychodrame, utilise aussi parfois des techniques similaires et connaît beaucoup de popularité. La façon dont la sculpture est employée en Thérapie d'Impact s'approche sensiblement des techniques élaborées par ces deux thérapeutes, mais en y ajoutant des éléments tout à fait originaux. Les descriptions de cas qui suivent pourront fournir un bon éventail des différentes manières d'adapter ces moyens à des fins d'évaluation et d'intervention.

EXEMPLE 1

| Le jeune hyperactif et le couple fusionné |

Un jeune couple se présente en thérapie avec son enfant unique d'un peu plus de trois ans. Son hyperactivité, son agitation et son besoin de constante attention sont soi-disant inquiétants. En fait, après un peu plus de quinze minutes d'évaluation et d'observation, le thérapeute remarque que la turbulence de l'enfant est essentiellement liée à ses parents. Il croit qu'il s'agit de tentatives du jeune garçon pour devenir le centre d'intérêt de la cellule familiale.

Dès le début de l'entrevue, le grand rapprochement des conjoints et leur proximité physique, comme s'ils étaient soudés l'un à l'autre, sont très apparents. C'est ainsi que l'intervenant a eu l'idée de recourir à un outil bien physique du fait qu'ils semblent déjà, tous les trois, posséder de bonnes aptitudes à s'exprimer de cette façon. Il opte donc pour la sculpture familiale même si l'enfant n'a que trois ans. Les enfants sont de merveilleux candidats pour ce genre de techniques puisqu'ils répondent de façon purement impulsive et spontanée.

Thérapeute :

Ce que je vais vous proposer va nous permettre de sauver beaucoup de temps (il sort une petite chaise). Par exemple, si je vous dis que mon jeune garçon est assis sur cette chaise et que je dois me placer par rapport à lui, je prendrais probablement cette position parce que je sens que j'ai le goût d'être près de lui. (Il s'approche de la petite chaise et l'enlace comme s'il voulait l'étreindre.) Je me laisse simplement aller à la réponse de mon corps. Comprenez-vous ? (Les parents répondent par un signe affirmatif.) Maintenant je vais compter jusqu'à 3, (ils sont à présent debout) et je vais demander à chacun de vous placer l'un par rapport à l'autre. (Habituellement, le thérapeute donne une consigne de base quant à la façon de représenter ce que serait une famille unie. Ce pourrait être, par exemple, un cercle où tout le monde se tiendrait la main. Cette fois-ci, intentionnellement, il a préféré ne pas fournir de modèle de famille puisque les deux conjoints avaient probablement leur propre représentation.) 1-2-3...

Couple :

(Les deux adultes se serrent l'un contre l'autre. La femme a posé sa tête sur la poitrine de son mari. Pendant ce temps, le jeune observe le rapprochement de ses parents et, bien qu'il ne comprenne pas très bien ce qui se passe, il réagit tout naturellement en tentant avec conviction, énergie et beaucoup de persévérance, de prendre sa place entre les deux. Cette représentation de la dynamique familiale permet de comprendre, du moins en partie, les causes de l'agitation de l'enfant.)

Thérapeute :

Qu'observez-vous dans cette sculpture ?

Judith :

Je me suis simplement sentie attirée par Carol et effectivement cela a été plus fort que moi. Je l'ai enlacé d'une façon presque automatique.

Thérapeute :

Et vous Carol ?

Carol :

C'était la même chose pour moi ! C'est étonnant !

Thérapeute :

Et qu'en est-il pour Kevin ? (Leur jeune enfant.)

Carol :

(Songeur.) Bien... je pense que lui aussi s'est laissé guider par son corps et, de cette façon, il s'est glissé entre nous deux.

Thérapeute :

Avez-vous remarqué de quelle façon il s'y est pris ?

Judith :

(Semble tout à coup comprendre.) Oui ! Il a provoqué du tumulte, comme il le fait à la maison... Croyez-vous que son hyperactivité soit en fait une façon de venir chercher de l'attention ?

Thérapeute :

Cela me semble bien possible d'après ce que je viens de voir. Maintenant, il s'agit de déterminer ensemble si cette sculpture est une représentation assez fidèle de ce qui se passe chez vous. Diriez-vous que vous vous retrouvez souvent enlacés à la maison ?

Carol :

(Les deux conjoints se regardent et éclatent de rire.) Oui... c'est vrai. Nous sommes toujours l'un près de l'autre. Même notre famille et nos amis nous disent fréquemment à quel point ils trouvent fantastique de nous voir si amoureux.

Thérapeute :

Lors de l'exercice, vous avez été conscient que Kevin devait agir avec vigueur pour se glisser entre vous. Vous-mêmes l'avez noté. Quelle a été votre réaction vis-à-vis de son attitude ?

Judith :

C'est une bonne question. Effectivement, je ne l'ai pas repoussé, mais je ne lui ai permis de se joindre à nous qu'après qu'il ait fait preuve de beaucoup d'insistance.

Carol :

Oui, comme c'est bête. Moi aussi, j'ai agi comme elle ! C'est toujours difficile de me retirer des bras de Judith. Kevin doit toujours attendre quelques secondes, voire quelques minutes pour que nous nous tournions vers lui lorsque nous sommes enlacés.

―――――――――

Le thérapeute peut poursuivre l'intervention soit en mettant l'accent sur les renseignements recueillis lors de l'exercice ou en le répétant afin que les parents laissent délibérément plus d'espace à Kevin et qu'ils observent les conséquences de leur nouvelle attitude sur le jeune enfant.

La magie de la sculpture familiale est qu'elle apporte énormément d'éléments significatifs qui sont à la fois observables et utilisables par le thérapeute, mais surtout évidents et sentis par les participants.

E X E M P L E 2
| Le père et son fils |

Monsieur Dubé et son fils Marc, dix-neuf ans, arrivent en consultation. Comme c'est souvent le cas lors de problèmes survenus entre les protagonistes, chacun tente de convaincre le thérapeute que l'autre a tort et qu'il doit changer. La sculpture s'avère un outil fort utile puisqu'elle implique que chacun se situe en fonction de sa place spécifique dans la relation. Ils arrivent ainsi à voir clairement la distance qu'ils ont parcourue en sens opposé. Si l'un des deux s'est davantage éloigné du centre, le thérapeute ne peut pas être accusé de parti pris en décrivant les faits, car ce n'est pas lui qui les a concrétisés.

―――――――――

Thérapeute :

(Après quelques minutes de discussion.) Je pense qu'on pourrait sauver beaucoup de temps en faisant un bref exercice. (Il se lève et invite le fils à en faire autant. Ils se retrouvent alors tous les deux au centre de la pièce. Le père demeure assis.) Habituellement, dans une relation interpersonnelle où tout va bien, les deux se tiennent par la main, ce qui indique qu'ils se sentent bien l'un par rapport à l'autre. (Dans ce cas-ci, le thérapeute a pris le rôle du père pour éviter que les deux clients ne se retrouvent main dans la main. La tension était trop forte entre eux. Notez que le thérapeute fait une très brève démonstration.) Dans votre cas, la situation est différente. Vous êtes précisément dans mon bureau parce que vos rapports sont insatisfaisants. Dans un instant, je vais vous demander de vous placer l'un par rapport à l'autre (fait signe au père de se lever). Agissez simplement de la manière qui vous semble la plus naturelle : 1-2-3.

(Le père s'éloigne le plus possible du fils et se place dos à lui. Marc, de son côté, recule de deux ou trois pas, mais reste tourné vers le père.)

L'évidence démontre que pour résoudre le problème, le père aura plus de pas à faire que son fils. Il est plus distant, plus fermé que son fils tandis que celui-ci semble plus enclin à collaborer.

Il est difficile d'expliquer cette interprétation à un client récalcitrant sur la base d'une simple évaluation verbale. Éventuellement, il nierait tout, insulterait le thérapeute ou l'accuserait de connivence avec l'autre. Cette conclusion pourrait sérieusement compromettre la poursuite du cheminement. Par contre, si l'évaluation s'avère judicieuse et que nous possédons un support physique démontré et ressenti par les participants, il devient alors beaucoup plus facile de leur faire accepter nos commentaires.

Thérapeute :
Qu'observez-vous dans cet exercice ?

Père :
Personnellement, j'ai beaucoup donné ! J'ai tout fait pour ce jeune-là. Maintenant je suis rendu au point où je n'ai plus le goût de faire quoi que ce soit. Ça ne sert à rien de toutes façons.

Thérapeute :
Et toi, Marc ?

Marc :
Moi, je ne suis pas d'accord. Si seulement, au lieu de se fermer complètement, il acceptait de discuter ! Je suis prêt à respecter ses besoins, mais je souhaite aussi que les miens soient entendus. Il est possible d'arriver à un compromis.

Thérapeute :
À la lumière de ce que vous m'exposez, il m'apparaît évident que, de votre côté, Monsieur Dubé (le père), vous vous sentez très blessé et peut-être aussi déçu par tous les efforts que vous avez déjà vainement déployés. Mais, si vous voulez vraiment donner une autre chance à votre relation, il va falloir réinvestir de nouveau en elle. Puis, nous verrons ensuite les étapes à traverser progressivement.

———————

Peu importe les réactions ultérieures des participants, le thérapeute peut toujours s'appuyer sur la sculpture pour confirmer son diagnostic et le cheminement nécessaire de chacun des individus pour atteindre le but visé. Ainsi, il conserve une position de neutralité tout en étant plus exigeant pour l'un des deux.

| Divisée entre la carrière et la famille |

Josée était mère au foyer depuis déjà sept ans lorsqu'elle a rencontré son thérapeute pour la première fois. Depuis quelques années, et de façon plus intense depuis quelques mois, elle parlait de retourner au travail. Sa motivation professionnelle était d'actualiser sa maîtrise en droit, obtenue huit ans plus tôt. Elle parlait d'un besoin de se réaliser et de se recentrer sur ses intérêts personnels en temps que femme, au moins pour une portion de son temps. À la lumière des données fournies, il semblait clair pour le thérapeute que Josée avait déjà pris sa décision. Son problème n'était pas tant de décider entre la carrière et la maison, mais plutôt d'apprendre à gérer et à régler la culpabilité liée à la réalisation de son objectif.

———————————

Thérapeute :

Josée, si vous voulez nous allons faire un exercice. Nous allons essayer de voir si nous ne pourrions pas récolter plus d'informations qui nous seraient utiles à tous les deux. (La cliente est vue en groupe. Le thérapeute utilise donc une technique qui permet d'incorporer tous les participants pour leur faire vivre une expérience qui leur sera potentiellement profitable. D'un côté, une participante incarne les soliloques de la cliente concernant sa carrière : « Tu as besoin de ça, tu as déjà donné sept ans à ta famille, tu ne peux pas nier ce besoin ; oui, tu peux le faire », etc. De l'autre côté, quatre personnes interprètent les voix qui représentent le camp du non. L'une joue la belle-mère : « La place d'une bonne mère de famille est chez elle ; tes enfants ont besoin de toi à la maison. » Deux autres personnifient les deux fillettes avec des : « Non, nous voulons que tu restes avec nous sinon nous ne ferons pas nos devoirs. Qui sera avec nous après l'école si toi, tu n'es pas là ? Je ne veux pas aller chez une gardienne. » Finalement, la dernière personne imite le mari : « Allons, chérie, c'est ridicule. C'est de la folie de retourner sur le marché du travail. Reste donc à la maison. Tu es beaucoup mieux ici et les enfants ont besoin de toi. Moi aussi, d'ailleurs. Allons, chérie, oublie ça ! ») Dans un instant, je vais demander à chacun de jouer son rôle, à la fois de façon physique et verbale. De ton côté, Josée, sois simplement toi-même. 1-2-3. (Tout le monde lui exprime en même temps ses arguments en tirant chacun de son côté. Quelques secondes plus tard, elle est en larmes mais ne bouge pas. Le thérapeute leur fait signe d'arrêter et laisse le temps nécessaire à la cliente pour décanter l'exercice.)

Josée :

(S'essuie lentement les yeux.) Je voulais tellement que Julie l'emporte (celle qui jouait le rôle de la carrière).

Thérapeute :

Je pense, Josée, que tu viens d'avoir ta réponse. Il me semble que ta thérapie pourrait s'intituler : « apprendre à gérer la culpabilité liée à mon retour au travail » plutôt que « m'aider à faire un choix ». Qu'en dis-tu ?

Josée :
(Lève le regard avec un sourire d'approbation.)

―――――――――

Il aurait été très difficile d'obtenir aussi rapidement un tel résultat à partir d'une simple conversation. Le fait de vivre le problème et de le représenter avec une sculpture accompagnée d'une mise en scène jouée, fournit réellement la réponse à la cliente d'une façon multisensorielle et claire. De plus, chaque membre du groupe se sent directement concerné par la situation.

E X E M P L E   4

| Médiation familiale ou élastique humain |

Un des problèmes dominants de la médiation familiale provient du fait que les parents tentent, par des moyens souvent immatures, d'obtenir la garde de leur ou des enfants. Leur stratégie, bien que totalement inefficace, est tout de même très populaire. Chacun essaie de discréditer l'autre, de l'accuser, de manière à ce que les enfants choisissent d'habiter avec le « bon parent ». Cette tactique crée malheureusement énormément de tension pour tout le monde ainsi qu'une peur et une anxiété souvent marquantes chez les enfants. L'approche verbale s'avère, en règle générale, stérile pour remédier à ce problème tant les émotions sont fortes d'un côté comme de l'autre. La sculpture réussit souvent là où la discussion a échoué. Elle force les participants à interagir à d'autres niveaux (kinesthésique et visuel plutôt que verbal).

On demande à chacun de se tenir la main. Les parents, placés à chaque extrémité de la chaîne, doivent tirer chacun de leur côté en répétant les arguments qu'ils ressassent habituellement à leurs enfants. Immédiatement, ces derniers revivent la tension secrète qui les habite, mais qui était jusque-là invisible. Le thérapeute développe chacune des métaphores possibles pour donner du poids à l'exercice. Les jeunes expriment leur peur qu'un des liens ne se brise et leur déchirement quant à la direction à prendre. Le thérapeute s'assure que les parents réalisent l'effet de leurs comportements sur leurs enfants et sur eux-mêmes. Le fait de prolonger l'exercice en faisant vivre aux participants l'expérience d'une famille unie, sans tension, où chacun se tient par la main, favorise par ailleurs un début de changement positif. L'image est tellement frappante que plusieurs ont cessé tout chantage par la suite.

EXEMPLE 5
| Aider un participant tout en incluant le groupe |

Les possibilités sont illimitées lorsqu'on fait appel à la sculpture. Son efficacité devient encore plus marquée en thérapie de groupe. Il est très facile de trouver un rôle à chacun même si l'intervention ne vise qu'une seule personne. Ainsi, tout le monde participe et expérimente.

Lucie, 36 ans, assistée sociale, n'arrivait pas à quitter ses parents malgré une profonde insatisfaction relative à l'égard de sa vie commune avec eux. Ils exerçaient sur elle du chantage affectif : « ne pars pas, tu es bien avec nous, tu as tout ce dont tu as besoin, tu ne manques de rien... » Plusieurs autres obstacles l'empêchaient également de poursuivre sa route : sa peur de ne pas se trouver d'amis ni d'emploi, ses craintes financières, l'inconnu de vivre seule et la difficulté de trouver un logement adéquat.

Nous avons décidé de mettre en place sa réalité pour mieux nourrir ses réflexions. Dix participants composaient le groupe. Chacun a été désigné pour jouer un rôle spécifique, à la fois physique et verbal. Deux d'entre eux interprétaient les parents. Ils étaient placés de chaque côté de Lucie et lui tenait le bras. Leur discours reprenait fidèlement les menaces auxquelles elle était habituée. Les autres lui faisaient obstacle, l'un derrière l'autre, selon l'ordre de priorité que Lucie leur avait assigné. Ils incarnaient ses craintes avec les voix qui leur étaient associées dans ses pensées (« Mais qu'as-tu à offrir comme amie ? Tu ne travailles même pas, tu as passé ta vie chez tes parents ! », « Comment pouvez-vous postuler pour cet emploi ? Vous avez à peine une 5e secondaire ! »).

La scène s'anime au signal du thérapeute. Lucie doit passer à travers les différentes entraves pour se rendre jusqu'à l'autre bout de la rangée où l'attend son Enfant Pur qui, depuis le début, lui lance des : « Vas-y, tu en es capable, tu as besoin de ce changement, tu peux y arriver, tu dois le faire... », etc.

Devant l'intensité de cette expérience, la majorité des gens revivent réellement la scène de leur vie en manifestant exactement les mêmes réactions. Dans cet exemple, Lucie s'est tout simplement effondrée, incapable d'avancer, comme elle le fait habituellement. On peut, dans ces circonstances, faire appel à un autre membre du groupe qui lui servira de modèle pour passer à travers les multiples obstacles. Lorsqu'aucun participant n'est volontaire ou lorsque les modèles sont inadéquats, le thérapeute effectue lui-même la démonstration. Par la suite, la cliente dont le rôle est déterminant se reprend.

Bien qu'une seule participante soit directement visée par l'exercice, chacun des membres du groupe en retire énormément de bénéfices.

Je recommande à ceux qui commencent à utiliser ce type de techniques et qui souhaitent développer une méthode intermédiaire ou une adaptation pour l'intervention individuelle, de remplacer les personnages par des chaises sur lesquelles sont inscrits des prénoms.

Cheminement relatif à la thérapie ou à la vie en général

L'exercice du cheminement est toujours fort apprécié. Tous les participants sont placés sur deux lignes parallèles qui forment une route. Chaque participant est invité à y circuler en ayant d'abord pris soin de la modeler pour qu'elle corresponde à ses attentes ou à ses projections. Par exemple, si on définit la route comme représentative de l'évolution d'une thérapie, chaque client doit tour à tour placer les autres le long du continuum, en fonction des obstacles qu'il prévoit avoir à surmonter du début à la fin de sa thérapie. Est-ce une route étroite ou large ? Y a-t-il seulement une embûche au centre ou est-elle truffée de toutes sortes de petits problèmes ? Par la suite, il doit passer à travers ces difficultés pour aller d'une extrémité à l'autre du parcours.

Il est nécessaire de bien préparer les participants. La plupart sont tentés de rire pendant l'exercice, ce qui enlève beaucoup de richesse pour le principal intéressé. Certains y projettent leur propre réalité dans leur positionnement le long de la route plutôt que de respecter les besoins de l'autre. Ceci est également à éviter.

Les données qui jaillissent de l'expérience peuvent être récupérées de multiples façons, toutes plus pertinentes les unes que les autres. Pourquoi les participants voient-ils leur route si sinueuse ? Avec quelle énergie et/ou quelle stratégie ont-ils parcouru leur continuum ? Était-ce une manière gagnante ? Pourrait-il y avoir une méthode plus efficace ? Comment chacun s'est-il senti pendant qu'il servait d'obstacle sur le continuum ?

Malgré le caractère théâtral de l'exercice, il est étonnant de constater à quel point chacun peut y introduire sa touche personnelle. Plusieurs racontent que seul leur corps possédait l'information mise en évidence au cours de l'expérience. Ils n'auraient donc pas pu la verbaliser avant l'exercice puisque leur conscient l'ignorait.

⊚ | Continuum

Le continuum, qui signifie un chemin ou une route à parcourir, profite tant à l'intervention individuelle que familiale, conjugale ou de groupe. Son exécution ne prend que quelques secondes et le matériel significatif qu'on en retire peut être exploité tout au long d'une rencontre.

EXEMPLE 1
| Client non concentré |

Certains débuts d'entrevue n'en finissent plus de commencer. Le client papillonne sur tous les petits détails anodins de sa semaine jusqu'à dérouter complètement son thérapeute. L'heure se termine sans progression de la situation qui pose des problèmes. J'exagère ? Tant mieux si votre réalité n'est pas aussi déconcertante !

Néanmoins, il n'est pas superflu de posséder un instrument efficace pour remettre nos bavards dans la bonne direction, et ce, dès les premières minutes de la rencontre. Un excellent moyen consiste à placer le client dos au mur, à l'extrémité de la pièce. (Cette situation est réalisable même si vous ne disposez que d'un tout petit espace.)

Thérapeute :
Ghislain, l'endroit où vous êtes actuellement représente le point de départ de votre thérapie ou de l'aide que vous venez chercher ici. Le mur devant vous désigne l'atteinte de tous vos objectifs. Montrez-moi où vous en êtes aujourd'hui.

Ce simple exercice amène le client à retrouver les motifs qui l'ont incité à consulter et, par la suite, il peut se placer en fonction du chemin déjà parcouru. Le thérapeute peut demander à son client des clarifications sur ses acquis afin de les consolider et l'inciter à lui fournir une description du prochain pas à franchir. Et nous voilà de retour à l'ordre du jour !

| Le client qui stagne |

Plusieurs autres situations peuvent s'ajouter à l'application précédente. Les clients qui stagnent, par exemple, figurent parmi ceux qui sont le plus susceptibles d'en profiter.

On demande au client, qui s'est placé pour indiquer la distance qu'il a parcourue jusqu'à maintenant dans sa thérapie, de préciser depuis combien de temps il se trouve à ce même niveau d'évolution.

Hugues :

C'est une bonne question ! (Réfléchit.) Je dirais, depuis trois semaines.

Thérapeute :

C'est également mon opinion. As-tu l'impression que, depuis trois semaines, tu te promènes comme ceci (le thérapeute se place à l'endroit où se trouve le client et se déplace de droite à gauche plutôt que de l'arrière à l'avant), sans avancer ni reculer, mais en parlant de tout et de rien ?

Hugues :

Oui ! c'est exactement cela !

Thérapeute :

Hugues, as-tu remarqué aussi que notre relation s'est un peu détériorée depuis ces trois semaines ?

Hugues :

(Un peu gêné de l'admettre.) Ouais !

Thérapeute :

Je me suis questionné à ce sujet. Nous avions d'excellents rapports et puis... Je pense que ça peut être à cause du fait que, moi, je t'entraîne vers l'avant pour suivre l'engagement que nous nous étions donné au départ, à savoir, mieux comprendre ta relation avec ton père. Et toi, tu me tires de côté en me parlant de tes chums ! Ne serait-ce pas là la cause de la tension entre nous ?

Hugues :

(Semble satisfait de cette explication.) Ça a bien du bon sens !

Thérapeute :

Alors, qu'est-ce qu'on fait ? Préfères-tu que l'on renégocie un contrat ou que l'on poursuive celui du départ ?

Hugues :

(Enthousiaste.) Je suis d'accord pour continuer ce qu'on avait convenu.

E X E M P L E   3

| Pour terminer le processus thérapeutique |

Le lien qui se crée entre un client et son thérapeute ressemble parfois à un doux foyer qu'il est difficile de quitter. Le continuum m'est venu en aide plus d'une fois pour préparer une fin de thérapie. Comme dans l'exemple précédent, le client se place de façon à indiquer sa position dans le processus. Lorsqu'il se situe en fin de parcours, l'image lui reste en tête et mûrit dans l'intervalle précédant la rencontre suivante (qui s'avère souvent être la dernière).

Un jour, l'un d'eux m'a dit : « Je suis ici (un seul pas le séparait du bout de sa route), mais je suis ainsi (retourné vers le mur de départ) ! » Éloquent, n'est-ce pas ? Une intéressante discussion s'en est suivie...

E X E M P L E   4

| Savoir choisir |

La technique s'applique chaque fois qu'une décision s'impose : garder un enfant ou le placer, rester marié ou divorcer, etc. Chaque mur du bureau est utilisé pour représenter une option. Quatre directions sont ainsi créées. Le client commence l'exercice au centre du parcours et doit se placer pour indiquer sa position au moment de la rencontre. Nous pouvons aussi lui demander de nous montrer vers quel point cardinal il chemine. L'expérimentation de différents emplacements pourra aussi ajouter des éléments précieux au contenu.

Pour les consultations touchant l'orientation professionnelle, les quatre murs peuvent constituer différentes options de choix de carrière. En ce qui a trait à l'évaluation des options, les multiples trajectoires permettent de sauver beaucoup de temps. D'une part, elles fournissent une représentation visuelle (une image vaut mille mots) et, d'autre part, elles forcent le client à rester centré sur le thème discuté et à rapporter de l'information significative.

| Faire le point sur sa vie professionnelle |

Pour vous situer en regard de votre vie professionnelle, vous pouvez vous placer dos à un mur. (Vous pouvez effectuer l'exercice maintenant si vous le voulez). Le mur d'en face représente l'atteinte de tous vos objectifs et celui auquel vous tournez le dos symbolise le début de votre démarche. Maintenant, déplacez-vous sur ce continuum de manière à illustrer le plus fidèlement possible votre situation actuelle. Une fois cette étape terminée, mettez un pied devant l'autre et questionnez-vous pour savoir quel serait le prochain pas qui vous rapprocherait le plus de la réalisation de vos ambitions professionnelles. Quand le ferez-vous ? Comment vous sentirez-vous après ? (Se mettre physiquement dans la position où le pas serait déjà complété.)

Spontanément (c'est également valable pour les exemples précédents), certaines personnes ressentent le besoin de modifier la consigne de base. Je me réfère à l'exemple d'une femme qui, après avoir travaillé dix-huit ans comme secrétaire dans une école, avait décidé de poursuivre ses études pour devenir travailleuse sociale. Elle n'a pas hésité à désigner deux continuums plutôt qu'un seul. Le premier avait été parcouru jusqu'à la fin alors que le deuxième était à peine commencé. Une telle adaptation ne peut qu'enrichir l'exercice.

| Décrochage scolaire |

Les clients se retrouvent parfois devant différentes avenues. Les adolescents, notamment ceux qui se dirigent vers une route sans issue, peuvent être aidés avec une efficacité accrue si nous concrétisons leur réalité.

Thérapeute :
Judith, j'aimerais que tu te places ici, dans le milieu de la pièce. Plusieurs options s'offrent à toi. Disons que celle-ci (désigne une direction quelconque) représente l'interruption de tes études et celle-ci (choisit une direction opposée) la poursuite de tes études à l'école. Si tu te diriges vers la première, où crois-tu qu'elle te conduise ?

Judith :
Je ne sais pas. Tout ce que je veux, c'est en finir avec les cours, les devoirs et les profs !

Thérapeute :
Mais où est-ce que cela va te mener ? N'est-ce pas la question que nous devons nous poser ? Il est essentiel de s'assurer que ton choix n'envenimera pas ta situation, n'est-ce pas ?

Judith :

Cela ne peut pas être pire que maintenant.

Thérapeute :

Je pense qu'il est possible que les premiers pas sur le chemin de l'abandon de tes études te semblent plus tolérables que ceux de l'autre route. Mais qu'entrevois-tu si tu regardes au milieu et au bout de ce chemin ?

Judith :

On dirait que j'aime mieux ne pas le voir.

Thérapeute :

(Sort une paire de lunettes dont les verres sont totalement opaques. Elle demande à Judith de les porter et de continuer la route.) En somme, c'est ce que tu me dis. Tu préfères ne pas voir où tu vas aboutir ?

Judith :

(S'est arrêtée sur son parcours.) Ouais !... c'est pas très brillant mon affaire !

Thérapeute :

Et si tu regardes de l'autre côté, où crois-tu que ça te mènera ?

Judith :

Ça m'écœure de rester à l'école !

Thérapeute :

Ah ! Tu vois, la situation s'inverse par rapport à la précédente. Cette fois, la première partie t'apparaît rebutante, mais si tu regardes plus loin, que vois-tu ?

Judith :

Je ne sais pas si je pourrai passer à travers ce premier bout !

Thérapeute :

Si le reste de ce parcours t'intéresse, il y a toujours moyen de trouver différentes formes d'aide pour te permettre d'accomplir avec succès cette traversée !

Plusieurs variations de ce type de mouvement peuvent être ajoutées à la démonstration décrite dans cet exemple pour en bonifier l'expérience. Laissez libre cours à votre imagination !

⊚ | « Je ne peux pas ! »

Cette expression est bien familière. Une foule de gens s'empêchent de réaliser leurs ambitions à cause de fantômes persistants. Ginette est l'une de ces victimes. Elle est née dans un petit village où tous les habitants connaissaient bien ses parents, qui affichaient tous les deux un léger retard mental. Son père avait aussi tendance à faire des crises de colère qui étaient associées à la folie par les habitants du village. Victimes de l'effet « Pygmalion » (Robert Rosenthal et Lenore Jacobson, 1968), les douze enfants de cette famille avaient des résultats scolaires catastrophiques. Les professeurs les avaient étiquetés « les fous à Ouellet » dès leur entrée à l'école !

Bien que plusieurs de ses frères et sœurs souffraient du même handicap que leurs parents, Ginette, elle, était intelligente et douée. Son petit minois enjoué et jovial était tout à fait séduisant. Toutefois, même si elle se disait totalement insatisfaite de son emploi, elle refusait d'en chercher un autre. Intérieurement, elle pensait : « En tant que Ouellet, je suis déjà bien chanceuse d'avoir du travail ! » Elle rêvait d'études universitaires et possédait toutes les qualités requises pour les réussir. Mais elle se répétait : « En tant que Ouellet, je suis déjà bien chanceuse d'avoir fini mon cours secondaire ! » De cette manière, elle étouffait toutes ses aspirations jusqu'à devenir dépressive. (Merveilleuse candidate pour l'équation du complexe d'infériorité, voir chapitre 6, p. 254.)

Thérapeute :

(Ginette debout, dos au mur à l'extrémité de la pièce.) Admettons que cette position représente le début de ton cheminement vers ton épanouissement personnel et que le mur d'en face représente le plein développement de ton potentiel. Montre-moi où tu en es. (Elle prend tout son temps pour trouver la position correspondant le mieux à son sentiment intérieur, puis s'arrête au dixième du trajet. On la sent déçue par le peu de parcours réalisé à 33 ans. La thérapeute se place derrière elle et la retient par le bras.) Ginette, as-tu l'impression que quelque chose t'empêche d'avancer actuellement dans ta vie ?

Ginette :

(Tente d'aller plus loin mais se trouve retenue vers l'arrière par la thérapeute.) Oui ! c'est exactement cela !

Thérapeute :

Mais, Ginette, la vérité n'est pas que quelque chose t'empêche d'avancer, mais plutôt que c'est toi qui te freines. (En disant cela, elle bouge un peu la main de façon à ce que ce soit la cliente qui lui tienne le bras et non l'inverse. Ginette devient tout à fait abasourdie par cette révélation entendue et vécue.) Tu peux continuer à t'accrocher à ce passé ou tu peux le laisser tomber et poursuivre ta route. Veux-tu essayer ?

En lâchant le bras de la thérapeute, elle a fait quelques pas vers l'avant tout en vivant un mélange de deuil et de joie à cause de cette nouvelle liberté qui l'envahissait. Elle a beaucoup pleuré. L'expérience a donné lieu à des discussions très fructueuses.

Plusieurs personnes s'accrochent à des : « Je ne peux pas, je suis seule ! » ou à des « je ne peux pas, je n'ai pas d'argent ! » La liste est trop longue pour être énumérée. Dans bien des cas, la technique décrite ci-dessus peut contribuer de façon déterminante au progrès de la thérapie.

Rondes avec ou sans mouvement

Certains outils nous permettent de créer une synergie entre les membres d'un groupe. En voici deux exemples. Dans certains cas, il est possible d'adapter la technique en fonction des conditions de la thérapie individuelle. Il suffit de remplacer les participants par des chaises vides.

| L'effet d'entonnoir |

Le thérapeute anime un groupe d'hommes dont le mandat consiste simplement à discuter ensemble de leur vécu, de leurs problèmes, de leurs joies, de leurs peines et, éventuellement, à essayer d'y voir plus clair et de se soutenir mutuellement. L'un des sept participants, Yves, était confronté à une imminente mutation avec sa famille à l'autre bout du monde. Son beau-père, le président de la multinationale qui l'embauchait, lui avait affectueusement accordé cette importante promotion comme cadeau de Noël. Malgré la reconnaissance d'Yves envers son beau-père, on sentait que quelque chose le tracassait. Ce qu'il exprimait, toutefois, se rapportait plutôt à des préoccupations superficielles.

————————

Yves :

On a mis la maison en vente. On ne va probablement en récupérer que la moitié de la valeur. Mais, 250 000 $, c'est mieux que rien, n'est-ce pas ? (Tout le monde l'écoutait en étant plus attentif à son malaise qu'à ses paroles.) De toute façon, une maison de 450 000 $ fournie par la compagnie nous attend là-bas ! (Il ne parlait que de choses matérielles. Après un certain temps, le thérapeute décide de lui proposer un exercice pour l'amener à toucher l'essentiel ; les autres membres du groupe participent à l'exercice.)

Thérapeute :

Yves, veux-tu que l'on essaie quelque chose de différent ?

Yves :

Bien sûr !

Thérapeute :

J'aimerais que tu apportes ta chaise devant Julien et que tu te déplaces d'un membre du groupe à l'autre en disant : « Concernant ma promotion, je... » et que tu complètes la phrase en disant quelque chose de différent à chacun.

Veux-tu tenter l'expérience ? (Cette technique a l'effet d'un entonnoir. Après quelques répliques, la personne ne peut qu'en arriver au cœur du problème.)

Yves :

D'accord ! Julien, concernant ma promotion, je... je suis très fier que mon beau-père me fasse autant confiance. (Se déplace vers le participant suivant.) Marc, concernant ma promotion, je... je suis un peu inquiet au sujet de la vente de notre maison, puis du changement d'école pour ma fille, tu sais, ce genre de choses ! (Transporte sa chaise jusqu'au prochain.) Paul, concernant ma promotion, je... (hésite un peu), je me questionne quant à l'équipe là-bas.

Comment vont-ils m'accepter ? Ce n'est pas évident. (Après un certain nombre de répliques.) Michel, concernant ma promotion je... (la tête d'Yves tombe lourdement), je ne me sens pas très bien !

Thérapeute :
Veux-tu répéter cela, Yves ? (Dans le but d'approfondir le sentiment qui vient d'émerger.)

Il faut parfois plus de huit ou neuf répliques avant d'arriver à ce résultat. La patience est indispensable. Par contre, il s'agit d'une technique assez puissante qui permet de contourner les mécanismes de défense puisque, très souvent, le client ne voit pas où l'exercice le mène, contrairement à un interrogatoire direct. De plus, cet outil présente l'avantage d'inclure tout le monde, ce qui est essentiel en thérapie de groupe, du moins selon l'approche jacobienne.

EXEMPLE 2
| Mère étouffée par ses pensées au sujet de son fils toxicomane |

Une femme participait à un groupe de rencontre pour mères éprouvant des difficultés avec leur(s) adolescent(s). Son fils, polytoxicomane, en plus d'avoir des idées suicidaires, était confronté à des menaces de mort de la part de ses créanciers. Pendant longtemps, la mère avait épongé les dettes de son fils, mais ses moyens limités ne lui permettaient plus de continuer. Devant son impuissance et sa culpabilité, elle gâchait complètement ses journées par des soliloques condamnatoires et torturants. L'intervention visait à interrompre ses tirades mentales.

Thérapeute :
Yolande, je vais vous demander de reprendre chacune des phrases que vous vous répétez et d'en communiquer une à chacune des participantes en commençant par leur prénom et en complétant la phrase suivante : « Vis-à-vis de mon fils, je... » (S'adresse aux autres participantes.) J'aimerais que vous reteniez ce que Yolande va vous dire. Maintenant, vous pouvez y aller.

Yolande :
(Il y a trois façons de procéder. La première est que la participante reste assise à sa place et s'adresse à tour de rôle aux autres personnes assises en cercle. Une deuxième est qu'elle déplace sa chaise chaque fois qu'elle parle à une nouvelle personne, de manière à toujours faire face à son interlocutrice. Enfin, la participante peut s'asseoir au centre du cercle. C'est l'option qui a été retenue dans le cas de Yolande.) Lucette, vis-à-vis de mon fils, je sens que j'ai été une mauvaise mère. (Fait faire une rotation à sa chaise chaque fois qu'elle change d'interlocutrice.) Marjolaine, vis-à-vis de mon fils, j'ai l'impression que je n'ai pas le droit d'être

heureuse parce que lui ne l'est pas. Chantal, vis-à-vis de mon fils, je me sens responsable de ce qui lui arrive. Michèle, vis-à-vis de mon fils, je me sens impuissante. Lucie, vis-à-vis de mon fils, j'ai peur qu'il meure. (La participante continue ainsi de manière à confier au moins une de ses pensées à chacune des autres femmes.)

Thérapeute :
Yolande, que déduisez-vous de cet exercice ?

Yolande :
Je ne sais pas trop !

Thérapeute :
Peut-être que la deuxième partie de l'exercice sera plus claire pour vous. (S'adresse cette fois à l'ensemble du groupe.) Toutes ensemble, en même temps, vous allez lui répéter le plus fort possible ce qu'elle vous a confié auparavant. Vous n'arrêterez que lorsque je vous ferai signe. Vous transposerez ses propres paroles comme s'il s'agissait d'une voix accusatrice dans sa tête. Par exemple, au lieu de dire : « J'ai l'impression d'être une mauvaise mère », vous direz « tu es une mauvaise mère ». (Le thérapeute donne le signal. Il s'ensuit une cacophonie intolérable à l'image de l'état mental de la cliente assise au milieu du groupe. Après un court moment, Yolande éclate en sanglots. Le thérapeute fait signe aux autres de cesser.)

Yolande :
(Après avoir retrouvé son calme.) Je ne peux plus continuer ainsi !

Thérapeute :
C'est également mon avis. Vous ne pouvez probablement pas changer grand-chose à la situation de votre fils, mais je crois que vous pouvez faire beaucoup pour améliorer la VÔTRE. Je pense qu'il est temps de travailler pour faire taire toutes ces voix, ne croyez-vous pas ?

Yolande :
(Accepte d'un air décidé.)

La magie de cette démonstration provient du fait que l'ensemble des membres du groupe est mis à contribution, bien qu'une seule participante soit directement visée. Toutes les femmes présentes vivent une riche expérience sur le plan personnel. L'exercice peut se poursuivre pour affaiblir les voix préalablement incarnées. Plusieurs des pensées verbalisées par Yolande se retrouvent chez d'autres mères. On aide la plupart d'entre elles en faisant cesser les monologues intérieurs de Yolande. Une façon fort dynamique d'inclure tout le monde dans cette deuxième partie du processus est de demander des volontaires pour faire taire chacune des voix. À défaut d'en trouver, le thérapeute sert lui-même de modèle et il invite ensuite Yolande à l'imiter. L'exercice se poursuit jusqu'à ce qu'elle ait réussi. Les commentaires de chacune peuvent être recueillis tout au long du processus.

⊚ | Refus de collaborer

L'exemple suivant concerne un adolescent de quatorze ans qui ne semblait pas vouloir profiter de l'aide professionnelle de son thérapeute. Après trois rencontres, le jeune faisait fi de tous les contrats thérapeutiques que l'intervenant lui proposait. En fait, il semblait déterminer à maintenir son attitude de gentillesse « fermée » ! Il souhaitait ainsi assouvir sa vengeance vis-à-vis de sa mère, en la contraignant à dépenser 60 $ inutilement chaque semaine.

Thérapeute :

Alexandre, aujourd'hui notre rencontre ne va durer que cinq minutes et sera gratuite. (Le client est totalement surpris.) On s'est vu trois fois jusqu'à présent et, à chaque rencontre, je t'ai offert mon aide. (Le thérapeute est assis à côté du jeune garçon et lui tend les mains pour lui démontrer visuellement ce qu'il exprime.) Je t'ai proposé mon soutien pour améliorer tes résultats scolaires en chute libre. Non seulement tu n'en as pas voulu, mais tu as tapé dessus. (Il tend les mains vers le client et lui demande de taper dessus. Il lui présente encore ses mains afin de lui montrer que, malgré sa réaction, il s'est obstiné à réitérer son offre.) Ensuite, je t'ai proposé de t'aider pour ton bégaiement. Encore une fois, tu as refusé. (Le thérapeute fait encore signe au client de taper sur ses mains. L'intervenant poursuit en énumérant les divers contrats qu'il a vainement essayé d'établir avec lui. Chaque fois, il demande au client de taper sur ses mains pour indiquer que ce dernier est le principal artisan de son marasme affectif.)

Client :

Hé *man*... Prends pas ça personnel !

Thérapeute :

Je ne me sens pas personnellement visé, Alexandre. Mais, à la suite de nos rencontres, ma conclusion est que ta vie gravite autour de 2/10. Tes résultats scolaires n'en finissent plus de dégringoler. Tu n'as pas d'amis. Tu passes tes soirées seul dans ta chambre. Ton bégaiement et ton acné augmentent de jour en jour et tu vis avec un sentiment de colère et de révolte que tu n'arrives pas efficacement à faire taire ni à contrôler. Je crois que tu as besoin d'aide et que tu pourrais très bien t'en servir à profit pour te sentir mieux. Je te laisse sur ces réflexions, Alexandre, et si jamais tu décides qu'effectivement tu accepterais bien un coup de pouce, je serai encore là (le thérapeute tend de nouveau les mains vers le client). Mais, cette fois, je veux que ce soit toi qui prennes contact avec moi, et non ta mère.

Le client avait été un peu assommé par cette intervention. Il a pris cinq mois avant de rappeler sauf que, cette fois, c'était vraiment pour se faire aider.

Je pense que plusieurs clients sont maintenus en thérapie malgré le fait qu'ils n'en retirent absolument rien. Pire encore, on les entend affirmer bruyamment un peu partout qu'ils ont été en thérapie pendant un an et que cela ne leur a rien donné. Avec eux, la tâche du futur thérapeute sera doublement difficile. En effet, il lui faudra d'abord les convaincre qu'il y a encore de l'espoir et qu'il est possible de surmonter leurs difficultés.

Je rêve de pouvoir utiliser cette technique un jour avec des personnes âgées qui ont été placées malgré elles dans des centres d'accueil et qui refusent de sortir de leur chambre ou d'entrer en relation avec leurs nouveaux voisins, amoindrissant ainsi leur vie jusqu'à la rendre misérable ! Tout comme Alexandre, elles refusent l'aide qu'on leur offre. Peut-être ce type d'intervention pourrait-il leur faire réaliser le rôle actif qu'elles jouent dans la désolation qui les affecte à chaque instant.

Le coin

Le coin vise les problématiques de dépression et de suicide. L'un des dénominateurs communs de ces diagnostics est vraisemblablement l'éloignement de soi-même, de ses besoins et de ses aspirations. L'exemple ci-dessous porte sur le cas d'une cliente suicidaire.

Thérapeute :
(Voyant qu'il faudra provoquer un impact pendant cette entrevue pour éviter l'hospitalisation.) Hélène, je voudrais que tu te tiennes debout dans un coin de la pièce.

Hélène :

(Répond à la demande du thérapeute et se place dos à un coin de la pièce.)

Thérapeute :

J'aimerais que tu te places face au coin, s'il te plaît. Maintenant, avance le plus possible.

Hélène :

(Se dirige vers le coin jusqu'à ce que ses pieds, son corps et sa tête ne puissent plus aller plus loin.)

Thérapeute :

Comment te sens-tu dans le coin, Hélène ?

Hélène :

(Prend quelques secondes pour se mettre à l'écoute de son vécu.) Je me sens seule. (Devient de plus en plus attentive à son monde intérieur.) Je manque d'air... J'ai mal à la tête à force de pousser... Il fait noir... Je suis triste parce que je sens que, peu importe la quantité d'énergie que je pourrais mettre pour essayer d'aller plus loin, je n'y arriverai jamais...

Thérapeute :

Est-ce que ça ressemble un peu à ce que tu ressens dans ta vie de tous les jours ?

Hélène :

(Abattue.) Oui... beaucoup.

Thérapeute :

Je pense effectivement que c'est tout à fait ce qui t'arrive. Depuis toujours, tu as suivi une direction qui t'a conduite à une impasse. Ta philosophie est de ne pas dire ce que tu penses, de ne pas écouter tes besoins, de ne pas partager tes opinions, d'aller dans le sens de tout le monde au lieu de t'écouter, toi. Hélène, quiconque suivrait cette direction finirait par aboutir au même endroit. Je ne sais pas qui t'a donné cette recette, mais elle ne mène définitivement pas là où tu le veux. As-tu une idée de la façon dont tu pourrais te sortir de là ?

Hélène :

Je ne sais pas... mais on dirait que lorsque je regarde entre mes pieds, je vois de la lumière !

Thérapeute :

C'est exactement la direction que j'allais te proposer : 180° à l'opposé de ta position actuelle. En d'autres termes, commencer à exprimer tes pensées, à écouter et à respecter tes idées et besoins, à croire en tes aspirations. Fais donc un quart de tour vers moi. (La cliente se retourne un peu.) Comment te sens-tu dans cette position ?

Hélène :

C'est mieux. Il y a plus d'air, je respire mieux. Je vois aussi de la lumière. Je ne suis plus autant prisonnière.

Thérapeute :

Tourne encore un peu. Quelle est ta réaction maintenant ?

Hélène :

C'est bizarre. Un dégagement s'est opéré. J'ai l'impression de découvrir la vie comme le ferait une enfant !

Thérapeute :

Fais donc un pas en avant. (Elle suit les consignes du thérapeute.)

Hélène :

Cela me fait peur.

Thérapeute :

Bienvenue dans le club ! Il est normal d'avoir peur chaque fois que l'on essaie quelque chose de nouveau. C'est encore pire quand il s'agit de dire ce qu'on pense et ce qu'on ressent. Réalises-tu par contre que c'est la seule façon de sortir de ton mal d'être ?

Cette expérience lui fait comprendre qu'il existe une autre alternative au suicide. Elle l'amène aussi à reprendre sa place d'actrice principale dans sa vie et à comprendre qu'elle a le pouvoir de modifier radicalement sa situation. L'exercice propose non seulement une explication étiologique du problème, mais de plus, il offre une solution.

⊚ | Le changement en thérapie

Bizarrement, plusieurs clients croient que le simple fait de venir s'asseoir une heure par semaine dans le bureau du « psy » transformera automatiquement leur vie et qu'en plus, ce changement se fera tout seul ! Peu d'entre eux réalisent qu'ils devront modifier quelque chose s'ils veulent que leur existence devienne plus satisfaisante. Lorsqu'on soupçonne ce genre d'attitude, il vaut mieux tenter d'en faire prendre conscience au client au lieu d'attendre que celui-ci s'en rende compte par lui-même.

Thérapeute :

Benoît, laissez-moi vous expliquer quelque chose. Voyez-vous cette chaise ? Disons qu'elle désigne tout ce qui vous insatisfait. Cette autre (stratégiquement, le thérapeute choisit la plus éloignée de la première dans la pièce), représente ce que vous recherchez, à savoir une vie plus satisfaisante, plus paisible. Je vais vous demander de vous asseoir sur la première (ce que fait le client) et de me dire où vous en êtes dans votre cheminement pour vous rapprocher de votre objectif (pointe la deuxième chaise).

Benoît :

(Semble trouver la question très pertinente, mais doit se rendre à l'évidence qu'il n'a pas du tout progressé.) Je pense que je suis encore ici.

Thérapeute :

C'est également mon avis. Comment expliquez-vous ça ?

Benoît :

Bien, je n'ai pas encore senti de changement.

Thérapeute :

À votre avis, de quelle manière allez-vous vous rendre sur l'autre chaise ?

Benoît :

(Réfléchit.) Quand j'aurai compris tout mon passé ?

Thérapeute :

Voilà, je crois que c'est là le problème. Je pense, Benoît, que la seule façon de mener à terme vos objectifs est d'abord de vous lever. (Le thérapeute incite le client à exécuter ses consignes.) Ceci signifie que vous êtes vraiment prêt à modifier vos comportements et réactions pour vous créer une vie plus satisfaisante. Ensuite, il faudra faire quelques pas vers l'avant, c'est-à-dire qu'il vous faudra commencer concrètement à exercer de nouvelles façons de faire face aux situations et aux gens que vous rencontrez. Par moments, il se peut que ce soit effrayant pour vous, mais hélas ! je ne connais pas d'autres manières d'y arriver ! Puis, vous pourrez vous asseoir sur l'autre chaise et vous habituer tranquillement à son confort et à la nouvelle vue qu'elle vous offre (le client exécute physiquement les consignes du thérapeute tout au long de la description). Je ne suis ici qu'à titre de guide pour vous donner la main si jamais vous trébuchez.

Benoît :

Je réalise que je n'avais pas encore compris cette partie. Je sens déjà qu'aujourd'hui, je vais repartir avec plus d'éléments que lors des autres rencontres. Je saisis mieux ce que j'ai à faire maintenant.

Hiérarchie de Maslow

Un classique ! Plusieurs clients se retrouvent dans la hiérarchie de Maslow (1968). Cette théorie stipule que le développement de la personnalité passe par la satisfaction de divers besoins hiérarchisés :

| besoins physiologiques (soif, faim, sommeil, élimination, sexualité, etc.) ;

| besoins de sécurité (protection physique) ;

| besoins d'amour et d'appartenance (affiliation, appui) ;

| besoins d'estime (réussite, reconnaissance, statut) ;

| besoins d'actualisation de soi (épanouissement personnel, réalisation de soi).

Le principe hiérarchique veut que les besoins d'un niveau antérieur soient comblés avant d'accéder à ceux du niveau suivant. Ainsi, plusieurs personnes se retrouvent coincées au niveau des besoins d'amour et d'appartenance et n'accèdent jamais à l'estime ni à la pleine réalisation d'eux-mêmes. (Pour ceux et celles qui ne sont pas familiers avec cette théorie, il est fortement recommandé de lire sur le sujet avant de l'appliquer.)

L'utilisation clinique que nous en faisons consiste à écrire les cinq niveaux de besoins sur des feuilles séparées et à les disposer à environ deux pieds de distance sur une ligne droite. On expose au client une brève description de chacune des étapes. Puis, on lui demande de se situer de façon représentative par rapport à différentes époques de sa vie.

Thérapeute :

Je vais vous demander de vous situer sur cette échelle pour me montrer où vous vous trouviez il y a trois ans.

Cliente :

Il y a trois ans, j'étais ici, aux besoins d'amour et d'appartenance. Je faisais tout en fonction des autres, pour qu'ils m'aiment et m'acceptent.

Thérapeute :

Et maintenant ?

Cliente :

(Réfléchit.) Je crois que je suis toujours là, mais j'ai un pied devant, vers les besoins d'estime ! Je souhaite poursuivre plus à fond mes études, mais je n'ai pas encore donné mon plein rendement parce que mon mari dit ne plus me comprendre ; nous croyons tous les deux que, si je m'éloigne trop, ce sera la rupture entre nous !

Thérapeute :

Pourriez-vous m'indiquer où est rendu votre mari sur cette échelle ?

Cliente :

Je soupçonne qu'il se situe davantage au niveau des besoins de sécurité. Il se sent financièrement très inquiet pour notre retraite. À mon avis, il s'imagine à tort que nous n'aurons pas assez d'argent et il voudrait épargner davantage et limiter au maximum nos dépenses. Ce point de vue inclut évidemment que je laisse tomber mes études !

Thérapeute :

Comment illustreriez-vous votre dynamique de couple à partir de cette échelle ?

Cliente :

À présent, je vois clair. Il me semble qu'il ne comprend pas du tout mon besoin d'estime et d'actualisation de mes ressources. Il aimerait que je retourne à la case sécurité et que j'y reste. (Silence lourd de réflexions.) Mais je refuse de retourner en arrière. Je veux continuer à avancer et j'ai bien peur qu'il devra me suivre ou rester à se morfondre devant son compte en banque.

Cette démonstration permet à la cliente de développer une nouvelle compréhension de sa situation et de clarifier ses besoins.

Groupe de soutien

L'une des techniques préférées de la majeure partie de ma clientèle est celle du groupe de soutien. Lorsque la problématique traitée le justifie ou le nécessite, j'y ai recours pour convaincre les obstinés qui ne veulent pas entendre parler de thérapie de groupe.

Thérapeute :

Ghislain, je sais que vous êtes convaincu que cette fois, c'est la bonne, que vous ne retoucherez plus jamais à l'alcool, que vous avez plus que jamais compris. Je suis persuadé que vous êtes sincère quand vous dites cela. Mais, je crois que vous sous-estimez peut-être le pouvoir de l'alcool. Faisons un exercice qui pourrait éclaircir mes paroles. Imaginez qu'il y ait une ligne droite sur le plancher de mon bureau. Je vais vous demander de la parcourir aller-retour. Le fait de vous maintenir sur cette ligne signifie que vous demeurez sobre. (Le client commence à appliquer les consignes. Pendant ce temps, l'intervenant marche à ses côtés et répète le discours formulé par le client.) « Je ne veux plus boire. Je ne suis plus capable de boire, chaque fois je fais un fou de moi. Je mens. J'ai failli perdre mon emploi, ma famille, mes amis. Cette période est terminée pour moi. Je ne me ferai plus avoir. » (En disant cette dernière phrase, le thérapeute tire le client hors de son parcours. Celui-ci bascule contre le mur. Il ne semble pas comprendre et reste très étonné.) Vous voyez, là, vous venez de boire ! Vous ne vous attendiez pas à cela, n'est-ce pas ? Vous étiez résolu à ne pas consommer et voilà que malheur ! vous vous retrouvez à vous enivrer avec des amis. N'est-ce pas un peu ainsi que cela s'est déroulé chaque fois ?

Ghislain :
(Reconnaît la véracité de la démonstration.) Ouais !

Thérapeute :
Reprenons l'exemple, mais cette fois en nous faisant aider par un groupe de soutien.

Si l'entrevue se déroule individuellement, le thérapeute place des chaises de chaque côté de la ligne imaginaire pour représenter la protection du client contre l'alcool. S'il s'agit d'une thérapie de groupe, il demande aux autres de former une rangée de chaque côté de la ligne imaginaire et de se donner la main. L'exercice reprend, le thérapeute se tient derrière les barricades humaines et tente d'inciter le client à consommer par des : « Allons, c'est la fête de Jacques, viens avec nous à la brasserie, tu prendras un *seven-up !* » ou « allez, tu ne peux pas refuser, c'est moi qui paie ! »

Contrairement à la démonstration préalable, le client ne succombe pas à la tentation parce que le groupe de soutien l'empêche de s'éloigner de son parcours.

La force de cet exercice provient du fait que le client se sent réellement beaucoup plus solide et en confiance pendant la deuxième démonstration et reconnaît, parce qu'il la vit durant l'expérience, son immense vulnérabilité devant l'alcool lorsqu'il est seul à faire face à son pouvoir d'attraction. Tout le groupe peut bénéficier énormément de cet exercice. On peut même en discuter tout au long d'une rencontre : « Comment vous êtes-vous sentis en tant qu'appui ? Qu'est-ce qu'un appui pour vous ? Quand et comment irez-vous le chercher ? »

⊚ | Obstacles

Très souvent les clients ne font pas de progrès par rapport à leurs objectifs à cause de différents obstacles. Une image de la situation espérée peut s'avérer très rentable. L'utilisation de divers objets (chaises, lampes, tables, poubelles, etc.) concrétise les embûches qui surviennent sur le parcours des clients.

_____

Thérapeute :

Jacques, voici les objectifs que vous voulez atteindre. (Le thérapeute les a simplement écrits sur des feuilles qu'il a affichées au mur.) Je vais disposer des objets entre vous et vos objectifs. Ensemble, nous allons tenter de nommer ce qu'ils pourraient représenter et de déterminer comment vous pourriez les éliminer, les contourner ou les surmonter.

_____

Cette dramatisation amène le client à se mettre devant son problème et à rester centré sur ce thème tout au long de l'entrevue. Le thérapeute peut faire fructifier les images de cette rencontre en y revenant au besoin dans les rencontres ultérieures.

⊚ | Patère

Nos aïeules, en tant que mères, travaillaient sans relâche pour assurer le bien-être de leur grande famille. Les temps ont changé, mais les femmes d'aujourd'hui se retrouvent encore avec de lourdes tâches : se dépasser sur le plan professionnel tout en étant dévouées et irréprochables à la maison. Inévitablement, il vient un moment où les exigences de chacun prennent des proportions envahissantes. La mère traîne les siens en thérapie pour qu'ils apprennent à la respecter. Mais, curieusement, on observe souvent que la mère alimente elle-même la situation qu'elle réprouve ! Dans le cas présenté ci-dessous, le problème avait tellement dégénéré que les enfants et le conjoint n'osaient plus rentrer à la maison de crainte d'entendre la familière kyrielle de plaintes d'Armande.

_____

Thérapeute :

(S'adresse aux enfants et au conjoint.) Je veux vous proposer un exercice qui permettra à tous de mieux comprendre l'insatisfaction que vous vivez à la maison. Je voudrais que chacun se trouve trois ou quatre objets dans la pièce pour représenter les demandes qu'il fait à Armande chaque semaine. Et vous, Armande, j'aimerais que vous vous trouviez aussi quelques objets pour illustrer vos passe-temps personnels ou ceux que vous aimeriez avoir, et un autre pour désigner votre travail (tout le monde s'exécute et explique aux autres la signification des objets recueillis). Maintenant, je vais compter jusqu'à trois, et je demanderai à chacun de donner à Armande, tous en même temps, les objets que vous avez, tout en lui formulant votre demande comme vous le faites dans le quotidien.

(Le père et les trois enfants se dirigent tous ensemble vers la mère, certains plus empressés que d'autres. L'un demande, l'autre exige et un autre négocie. Chacun utilise son style naturel pour obtenir ce qu'il souhaite. Armande leur accorde les faveurs demandées, non sans se plaindre. Après un moment, elle se retrouve avec des objets accrochés un peu partout sur elle, essayant tant bien que mal de les tenir fermement pour ne pas qu'ils tombent.)

L'image de la patère est vraiment frappante et les participants ne peuvent s'empêcher de constater la lourdeur et la difficulté de la tâche pour Armande. Ils veulent tous la soulager, mais la thérapeute les retient.

Thérapeute :
J'aimerais d'abord vous demander ce que vous retirez de cet exercice ?

L'aîné des enfants :
Je pensais que mes deux ou trois petites demandes ne signifiaient pas grand-chose, mais je réalise que tous les autres arrivent avec le même genre de requête et maman doit en assurer la satisfaction.

Un autre enfant :
Je comprends pourquoi elle se plaint constamment !

Le mari :
Est-ce qu'on peut lui en enlever un peu maintenant ?

Thérapeute :
Cela dépend de ce que vous voulez lui reprendre ?

Le mari :
(Réalise qu'il ne s'agit pas que d'un jeu et qu'il devra également s'approprier dans le quotidien ce qu'il décide de récupérer dans l'exercice.) Je ne peux pas faire mon raccommodage, mais je pourrais préparer mes lunchs moi-même (s'empresse de soulager sa femme d'un objet, mais trouve encore la thérapeute sur sa route).

Thérapeute :
Vous êtes bien sûr de vouloir le garder ? Cela signifie qu'à partir de maintenant, tous les soirs, vous devrez consacrer une partie de votre temps à cuisiner votre repas du lendemain midi. Vous réalisez cela, n'est-ce pas ?

(La thérapeute continue à responsabiliser chacun des enfants et le mari vis-à-vis des actes qu'ils posent. À un moment, la mère commence à être dégarnie et affiche sa part de responsabilités dans la dynamique exposée.)

Mère :
Non, je peux faire le lavage et le souper moi-même. Cela ne me dérange pas. (Elle avait déjà refusé de céder l'épicerie, le budget et l'organisation des réceptions d'anniversaires.)

Thérapeute :
Armande, je vous signale que les autres ont déjà offert de vous aider dans plusieurs tâches et que vous avez refusé. Croyez-vous que cette attitude pourrait en partie être à l'origine du problème qui perturbe votre famille ?

Mère :
(Accepte sa part de responsabilités.) Je reconnais que vous avez probablement raison !

La démonstration de la patère est parfaite pour représenter de nombreuses mères, secrétaires, patrons et même certains thérapeutes.

Pour clarifier une situation

Je crois beaucoup à la mise en scène de la situation du client pour faire jaillir une nouvelle information significative, tant pour le client que pour le thérapeute. Un jour, un thérapeute était désespéré de ne jamais parvenir à aider un client qui n'affichait vraiment aucun progrès. Ce jeune de 19 ans semblait décidé à se droguer et à fréquenter les bars douteux et dangereux pour le reste de ses jours. Il avait abandonné l'école, vendait du « pot », vivait de nuit et adorait sa longue couette de cheveux et ses multiples bracelets. Été comme hiver, son habillement se limitait à une paire de bermuda noir, un gilet noir, des bas noirs et des « bottes à cap ». Le thérapeute avait pourtant développé une très bonne relation avec Philippe et il croyait en lui jusqu'à ce que... il finisse par en douter sérieusement ! En dernier recours, il a tenté d'illustrer et de jouer sa situation.

Thérapeute :
Philippe, j'aimerais qu'on essaie de mettre en scène ce qui se passe actuellement dans ta vie. D'accord ?

Philippe :
Ah ! c't'au boutte !

Thérapeute :
Disons que le mur derrière toi représente l'école. Celui qui est devant toi désigne la drogue, tout ce qui est marginalité et illégalité. Moi, je vais être ton père qui tente de te pousser vers l'école. (Son père se donnait beaucoup de mal pour cela. Remarquez que le thérapeute ne lui dit pas comment réagir. La richesse de cette technique provient justement du fait que le client se comporte tout naturellement, ce qui révèle de l'information précieuse. Le thérapeute commence donc à pousser Philippe pour qu'il se dirige vers l'école. Ce dernier s'oppose fortement et il pousse tellement fort que les deux se retrouvent tout près du mur de la drogue. C'est à ce moment que l'exercice a pris fin.)

Thérapeute :
Mais, Philippe, ne vois-tu pas que tu es sur le point de tomber complètement de l'autre côté ? Si le premier mur (celui de l'école) est un zéro pour toi, celui-ci (celui de la drogue) l'est tout autant ! Pourquoi veux-tu aller là ?

Philippe :
Mais, je ne veux pas aller là. J'évite simplement d'aller vers l'école !

Sans trop s'en rendre compte, Philippe exerçait une force diamétralement opposée à celle du père (tous les livres de physique s'entendent pour dire que la meilleure façon de neutraliser une force est d'exercer une autre force, mais dans le sens totalement opposé à celui de la première). Cependant, comme il poussait un peu plus fort que son père, il se déplaçait vers la drogue.

L'exercice a d'abord servi à Philippe. Il s'est lui-même rendu compte qu'il était en train de se faire avoir à son propre jeu et qu'il s'orientait dans un sens qu'il n'avait pas choisi. Pour le thérapeute, cette interprétation concrète a mis fin à ses soupçons quant aux possibilités du client. Par la suite, ils ont travaillé ensemble pour déterminer d'autres manières de faire face à la force du père et pour trouver d'autres directions enrichissantes à explorer. Philippe s'est inscrit à une école de musique, a obtenu son diplôme de parachutiste et, aux dernières nouvelles, il revenait d'un séjour de trois mois en Australie où il avait travaillé dans des champs de fruits et légumes, histoire de se faire un peu d'argent et de connaître un autre coin de pays.

_____

Pour mettre en scène la réalité d'un client, il suffit simplement de s'exercer à penser en images. Comment pourrais-je illustrer son fonctionnement quant à ses problèmes ou à sa vie en général et le reproduire le plus fidèlement possible ?

Soit dit en passant, la meilleure façon d'exploiter cette approche avec les clients est d'abord de faire une liste de vos clients habituels (ou, pour ceux qui ne font que de l'évaluation, une liste des problématiques habituellement rencontrées dans votre travail) et de trouver des images qui pourraient les décrire. On peut ensuite s'exercer à les réaliser en commençant avec les clients dont la problématique est la plus facile à concrétiser. On se sent rapidement à l'aise dans ce type d'intervention.

Parent, conjoint ou patron dominant

Il est possible et surtout très profitable de jouer le scénario qui se déroule dans la dynamique familiale, conjugale, sociale ou professionnelle de l'individu. Prenons l'exemple de Ronald qui se décrit comme un contorsionniste pour arriver à satisfaire les besoins de sa femme et de sa mère. Il se plaint de leur constante insatisfaction.

_____

Thérapeute :
Ronald, laissez-moi vérifier avec les autres comment ils perçoivent ce que vous dites. (Se tourne vers les autres membres du groupe.) Comment réagissez-vous ? Que comprenez-vous de la situation ?

Julie :
J'ai l'impression que Ronald se sent impuissant devant sa femme.

Jean :

Moi, je pense qu'il a peur de sa femme et de sa mère.

Thérapeute :

(Illustre ce que Jean a dit en mettant deux femmes du groupe debout sur deux chaises devant lui.) Ronald, est-ce que ce modèle illustre assez bien votre situation ?

Ronald :

C'est en plein ça. C'est comme si elles étaient toutes les deux devant moi à me dire quoi faire. (Il est possible d'ajouter certains détails à la posture des volontaires pour ajouter du réalisme à la scène. Dans ce cas-ci, Ronald disait que non seulement il les imaginait se tenant debout devant lui, mais qu'en plus, elles le pointaient du doigt d'un air sévère. Le fait de reproduire sa réalité plutôt que de simplement en parler accélère l'accès au sentiment de malaise qui le pousse à consulter et amplifie ce même sentiment.) Je me sens complètement démuni.

Thérapeute :

Qu'est-ce que tu as l'intention de faire à propos de cela ?

À la suite de sa réponse, plusieurs possibilités émergent. D'une part, Ronald soumet éventuellement des solutions qui seront expérimentées illico et qu'il exercera jusqu'à la maîtrise de celles-ci, à partir d'une mise en scène. Il est également envisageable que le groupe propose des stratégies pour surmonter le problème ou que quelqu'un d'autre prenne la place de Ronald et lui serve de modèle pour qu'il dépasse ses difficultés.

Tourner en rond

Les gens possèdent diverses expressions pour expliquer ce qu'ils vivent ! Si on sait les écouter, on peut leur rendre de fiers services. François disait tourner en rond depuis plusieurs mois. Le thérapeute l'a pris au mot.

Thérapeute :

François, avant de poursuivre notre discussion, j'aimerais que vous vous leviez et que vous commenciez à tourner en rond pendant qu'on continue à parler.

François :

Quoi ?

Thérapeute :

(Il se lève et commence à marcher en cercle et invite le client à le suivre.) François, comment vous sentez-vous ?

François :

Il me semble que je ne vais nulle part !

Thérapeute :

Est-ce un bien-être, une lourdeur, ou une légèreté qui vous envahit ?

François :

Non, c'est plutôt une lassitude, un désintérêt.

Thérapeute :

Vous arrive-t-il de penser à sortir du cercle ? (Tout se déroule pendant que les deux marchent en rond.)

François :

J'ai peur juste à l'idée d'y penser. Je n'ai que vingt ans, j'ai arrêté l'école il n'y a que deux ans et je crains déjà de ne plus pouvoir apprendre.

Les questions obtiennent des réponses beaucoup plus détaillées lorsque le client vit la scène de sa vie pendant la discussion. On peut aussi explorer et consolider les solutions possibles dans ce contexte. Dans ce cas précis, François a physiquement tenté de sortir du cercle pour aller explorer un autre coin du bureau et il revenait à sa position initiale pour donner ses impressions. L'expérience s'avère, en règle générale, beaucoup plus marquante et efficace que si l'on se limite à des discussions strictement verbales.

Techniques d'Impact
utilisant des métaphores
et des fantaisies mentales

C H A P I T R E 5

*L'intuition, c'est l'intelligence
qui commet un excès de vitesse.*

Henry Bernstein

Plusieurs intervenants utilisent déjà des métaphores et des fantaisies mentales dans leurs interventions. Bon nombre de celles qui sont présentées dans le présent chapitre me viennent d'ailleurs de collègues. Bien que certaines d'entre elles vous soient peut-être familières, d'autres, j'en suis convaincue, seront pour vous une découverte.

En première partie du chapitre, vous trouverez la description d'une quinzaine de métaphores. Les analogies remplissent plusieurs fonctions pour les clients. D'abord, ces derniers tendent à s'en souvenir facilement parce que, d'une part, elles font appel à des situations ou à des objets qui leur sont familiers et que, d'autre part, elles offrent une façon simple d'expliquer des phénomènes ou des manifestations parfois complexes. De plus, elles ajoutent de la couleur et du dynamisme à l'intervention.

Il m'apparaît pertinent de souligner la différence dans l'utilisation jacobienne (de Ed Jacobs) et ericksonnienne (de Milton Erickson) de la métaphore. Dans le premier cas, elle sert à clarifier l'explication d'une situation tandis que dans le deuxième, bien qu'elle puisse être aussi utilisée à cette fin, elle se rapproche parfois de la périphrase, de la circonlocution pour créer un effet hypnotique déstabilisant, s'adressant davantage à l'hémisphère droit. Cette application n'est aucunement condamnée en Thérapie d'Impact ; elle n'est toutefois que peu employée. Les fantaisies mentales décrites en deuxième partie du chapitre s'inspirent davantage de l'enseignement d'Erickson.

Techniques d'Impact utilisant des métaphores

La paranoïa et les moustiques

Voyez-vous un rapprochement entre la paranoïa et les moustiques ? Serait-ce une aide pour vous si nous limitions les moustiques aux mouches noires et aux maringouins ? Pour les citadins qui n'ont pas bien saisi, voici en quoi les variables « paranoïa » et « moustiques » se ressemblent.

La paranoïa est un comportement qui obsède l'individu. La moindre allusion ou situation — selon le type de paranoïa — prend beaucoup d'ampleur du fait qu'elle est nourrie, déformée et amplifiée par l'imaginaire du patient. Plus il l'alimente, plus elle se développe, souvent démesurément. Il en est de même des moustiques : plus vous faites des gestes pour les éloigner, plus ils vous adorent et... vous savourent ! Par contre, si vous avez la discipline et l'héroïsme de résister aux premières piqûres, ils cessent graduellement de vous importuner — du moins, c'est la croyance populaire ! De même, certaines paranoïas peuvent être maîtrisées si le client domine ses pensées et ne cède pas à la tentation de nourrir l'objet de sa paranoïa.

En guise d'illustration, citons ce cas bien précis. Un homme était totalement obsédé par l'idée que sa femme le trompait. Il croyait qu'elle faisait partie d'un réseau de prostitution depuis au moins vingt ans. Chaque fois qu'il téléphonait au bureau de celle-ci sans obtenir de réponse, il s'imaginait qu'elle était en train de satisfaire un client. Le pauvre homme était constamment envahi par cette idée, mais il ne manifestait aucun intérêt pour identifier les sources psychologiques de son problème. Toutefois, il admettait volontiers que le fait de penser continuellement à sa femme, principal objet de sa paranoïa, l'absorbait entièrement. Cette déconcentration était nuisible à son travail, car il « n'était pas là », la plupart du temps.

Un jour, son thérapeute lui a raconté l'histoire d'un homme qui était tranquillement assis sur son balcon en train de jaser avec des amis. Tout à coup, une nuée de maringouins s'est dirigée vers lui et tourbillonnait autour de sa tête. Ses amis essayaient de lui parler, mais il ne pouvait ni écouter ni répondre à leurs commentaires puisqu'il était trop occupé à chasser les mous-tiques. À un moment donné, il réalisa que ses efforts ne contribuaient qu'à amplifier le problème. Les insectes se faisaient de plus en plus nombreux et de plus en plus voraces. Il décida donc de faire son possible pour porter son attention sur ses invités et non sur ces petites bestioles. Même si cela a été plutôt difficile au début et qu'il a hérité de quelques bonnes piqûres, il s'est senti soulagé parce qu'il avait acquis un contrôle sur lui-même.

Le client a vite compris qu'il s'agissait de sa propre situation. Il s'est mis à l'attaque de « ses » moustiques dans les jours qui ont suivi la rencontre. Du fait que le problème a été abordé par le biais d'une métaphore, les résistances du client n'ont pas eu l'occasion de se manifester avec autant de force qu'avec une autre approche.

Il faut se mouiller si on veut apprendre à nager

Pour devenir nageur, émérite ou non, il ne suffit pas de regarder l'eau, d'observer les autres nager, d'écouter les instructions et de s'imprégner du bruit du clapotis. Il est avant tout essentiel de se lancer à l'eau, de se mouiller, de déployer les efforts nécessaires et de s'exercer suffisamment.

La métaphore illustre bien le cas de plusieurs clients qui, comme Marcel, ne font pas ce qu'ils ont à faire pour obtenir les résultats souhaités. Marcel vient en thérapie pour apprendre à s'af-firmer. Après avoir discuté du problème, l'intervenant dresse avec lui une liste des différents comportements à mettre en application de façon progressive selon le degré de difficulté. Chaque semaine, Marcel prétend qu'il exécutera ses devoirs pour la prochaine rencontre, mais il ne respecte jamais son engagement à cause de sa timidité. L'histoire du nageur a contribué à faire progresser notre timoré.

Une innombrable quantité de variantes peuvent remplacer l'analogie de l'apprentissage de la natation. L'essentiel est de s'efforcer de se rapprocher le plus possible de la réalité du client.

L'art du jardinage

Que faut-il ajouter aux graines pour obtenir une bonne récolte ? Il faut des petits soins, comme sarcler régulièrement le champ et fournir de l'engrais de temps à autre. Un insecticide s'avère parfois nécessaire. Certains plants requièrent beaucoup de soleil ou d'eau, d'autres moins.

Certains ont besoin d'une terre plus riche alors que d'autres s'accommodent d'un sol relativement pauvre. Pour des résultats optimums, il faut aussi prévoir un certain espacement entre les plants et favoriser un voisinage qui améliorera leur rendement.

L'art du jardinage ressemble à celui de la réussite d'une relation ou d'une thérapie. Dans un cas comme dans l'autre, il faut des petites attentions (engrais), une bonne communication (le soleil pourrait symboliser les commentaires affectueux et les paroles de politesse alors que l'eau signifierait se livrer, parler de soi-même, de ses besoins, de ses désirs, de sa couleur...). La communication s'avère d'autant plus importante lorsqu'il y a conflit. Elle agit comme un insecticide en tuant les insectes lorsque ceux-ci envahissent la relation. La promiscuité est également néfaste. Il arrive que, dans un couple ou dans une relation amicale ou parentale, l'une des deux personnes étouffe l'autre, l'empêche de grandir, de s'épanouir. Il est impossible de se réaliser pleinement dans ces conditions. N'est-ce pas comme deux plants trop près l'un de l'autre qui se gênent mutuellement ? À la limite, l'un d'eux ou même les deux peuvent en mourir.

La situation est la même en psychothérapie. Le client arrive avec une graine (son potentiel qu'il veut actualiser ou encore le bien-être qu'il souhaite développer). Il doit apporter la bonne terre. (Se limiter aux informations pertinentes. Il arrive fréquemment, comme dans tous les jardins, que le thérapeute doive enlever de mauvaises herbes de temps à autre, à savoir, éliminer les informations qui ne sont pas pertinentes au cheminement du client.) Puis, il y a l'arrosage et l'ensoleillement qui permettent à notre plante de s'épanouir davantage. (Le client commence à grandir grâce au développement de nouvelles habiletés ou de nouveaux comportements. L'ensoleillement pourrait symboliser le renforcement venant du thérapeute, du milieu de vie ou du client lui-même vis-à-vis des apprentissages nécessaires.) Enfin, il faut de l'engrais. (Le *coaching* ou les ajustements requis pour s'assurer que le client adopte bien les bonnes méthodes. Tout comme l'engrais, ces ajouts permettent d'accélérer le processus thérapeutique et de le rendre plus fort et plus sain.) Tout au long de la croissance, il faut être prêt à utiliser l'insecticide lorsque c'est nécessaire. (L'entourage du client voit parfois d'un mauvais œil les modifications qui s'opèrent au cours de la thérapie. Il est donc important que le client soit appuyé afin qu'il ne succombe pas aux critiques de certaines personnes de son entourage.) La récolte s'avère habituellement fructueuse et durable si tous les soins décrits ci-dessus sont apportés et que l'on sait être patient.

Suivre une diète

Les résultats d'une diète ne sont pas instantanément visibles, dès la première journée de l'essai du nouveau régime alimentaire. Il faut parfois plusieurs jours, voire quelques semaines, avant que le bilan ne devienne positif. C'est comme si une modification de la dynamique interne devait d'abord avoir lieu avant de transparaître à l'extérieur. Si, compte tenu de l'absence apparente de résultat, l'individu décide d'abandonner sa démarche, tout son investissement risque d'être perdu. S'il veut atteindre son objectif, il lui faudra continuer sa discipline et ses efforts pour y arriver.

Dans certaines problématiques, le succès thérapeutique prend aussi un certain temps avant de devenir visible. De plus, lorsqu'il commence à se manifester, il ne faut pas conclure à la fin du processus. Au contraire, il est conseillé de poursuivre l'engagement pour achever et consolider la transformation.

La conduite manuelle ou le ski alpin : ce n'est pas naturel !

Apprendre à s'affirmer, à communiquer, à devenir Adulte, à modifier à peu près n'importe quel comportement n'est pas automatique ni tout à fait naturel au début. Ainsi, plusieurs clients qui s'engagent sur cette route, arrivent quelquefois déçus, désenchantés ou fâchés parce qu'ils croyaient, à tort, que tout se passerait facilement, naturellement. L'image de l'apprentissage du ski alpin ou de la conduite automobile manuelle leur enseigne les nombreuses étapes à franchir avant de parvenir au résultat souhaité.

La première fois que l'on chausse des bottes de ski alpin (que l'on développe un nouveau comportement), ce n'est pas très confortable. On a de la difficulté à marcher (au départ les nouvelles habiletés sont très mécaniques), les chevilles ne contribuent plus au mouvement (on freine sa façon habituelle de faire). Une fois que l'on se trouve en haut de la montagne (lorsque l'on est prêt pour passer à l'action), on a très peur. Puis, vient la descente (on fait ses premiers essais). Le contrôle que l'on exerce sur les skis est assez précaire, ce qui occasionne des chutes régulières. (Au début, l'application des nouveaux acquis est boiteuse et il arrive que l'on commette des erreurs.) On craint les moqueries à cause de sa maladresse. Ce n'est pas vraiment très reposant, ni très amusant (c'est même épuisant pour plusieurs puisqu'il faut constamment tout calculer). Mais, on raffine tranquillement sa technique. La maîtrise qui grandit procure beaucoup de satisfaction. L'exercice devient non seulement relaxant, facile, mais il apporte également du plaisir et de la santé à tout l'être. La gêne éprouvée au début disparaît pour laisser place à l'assurance.

Ceux qui n'ont pas été initiés au ski alpin profiteront davantage d'une analogie plus proche de leur réalité, comme peut-être l'apprentissage de la conduite automobile manuelle.

Les outils du menuisier, les aliments d'une salade ou le verre d'eau de chacun

Que ferait un ouvrier s'il n'avait qu'un marteau et qu'un tournevis dans sa boîte à outils ? Il lui serait absolument impossible de se construire une maison solide, chaleureuse et durable. De même, certaines personnes décident de vivre ensemble en n'ayant comme principaux outils que la bouderie et l'entêtement ; elles s'étonnent ensuite que leur couple ne représente pas le duo idéal. Des jeunes comptent terminer leur cours secondaire outillés de drogue et de révolte. Des parents souhaiteraient avoir des enfants matures et fiables dont ils seraient fiers, mais ils continuent à abuser de leur autorité dans leurs relations avec eux. Pour construire ce que l'on souhaite, il faut s'équiper de bons instruments. Comme le dit la maxime : « Si on n'a qu'un marteau dans sa boîte à outils, il ne faut pas être étonné de traiter la réalité comme un clou ! »

Le choix des aliments nécessaires pour composer une bonne salade est une variante de l'exemple précédent. Une salade préparée exclusivement avec de la chicorée, sans vinaigrette ni décoration, est un peu triste ! Par contre, il ne sert à rien d'y mélanger une foule d'aliments si ceux-ci ne sont pas sains. L'exemple d'une telle préparation se prête merveilleusement bien à l'intervention familiale ou organisationnelle. La salade sera fameuse si tous les membres de la famille ou de l'organisation apportent une partie saine. Mais il suffit parfois d'un seul mauvais élément pour la gâcher complètement. Quel(s) aliment(s) ces membres représentent-ils ? Dans quel état se trouve cet aliment ? Est-il toujours incorporé et dans quelle proportion ? Est-il disposé au fond ou sur le dessus ? Est-ce que la position est importante ? Toutes ces questions enrichissent le processus.

Une autre version peut aussi être employée comme métaphore ou comme exercice pratique. Au lieu de se baser sur l'image de la salade, on utilise plutôt celle du pot d'eau. Chacun doit déterminer si l'eau de son verre est propre et buvable ou si elle contient des parasites et des éléments indésirables (par rapport aux autres). Puis, chacun verse sa contribution dans un grand pot transparent. Le résultat indique clairement le rôle significatif de chacun dans une organisation ou dans un groupe quelconque.

Fauteuil roulant

Les victimes de violence conjugale qui réussissent à échapper à leur agresseur retournent à la réalité à la fois blessées et déstabilisées. Après avoir subi plusieurs années de dénigrement et d'abus de toutes sortes, ces personnes, pour la majorité d'entre elles, éprouvent une profonde mésestime d'elles-mêmes et doutent de leurs capacités à se reconstruire une vie saine et épanouie. En se servant de l'image de la chaise roulante, on peut arriver à leur insuffler un peu d'espoir.

Partons d'un exemple réel. Sylvie, 48 ans, a vécu 30 ans avec son mari, Robert. Elle a accepté de l'épouser pour échapper à l'inceste que son père lui faisait subir depuis dix ans. Robert était un jeune professionnel qui semblait avoir beaucoup d'avenir. Sylvie se sentait extrêmement privilégiée d'avoir pu intéresser un tel homme. Malgré sa beauté, son raffinement et sa jovialité naturelle, elle vivait secrètement avec beaucoup de honte et de culpabilité engendrées par les expériences répétitives d'inceste et les piètres résultats scolaires qu'elle avait accumulés pendant ces périodes d'abus.

Durant les fréquentations, Robert s'était montré un gentleman empressé, séducteur et amoureux. Par contre, à partir du moment où le mariage avait été contracté, la situation avait subi une totale métamorphose. Robert humiliait constamment son épouse en lui interdisant de parler en public pour ne pas qu'elle lui fasse honte. Il amenait d'autres femmes coucher à la maison pendant qu'il la renvoyait, elle, dans le salon. Il la frappait, la traitait de putain et l'accusait d'avoir provoqué les abus de son père. Il abusait aussi d'elle de façon sauvage. Il refusait qu'elle poursuive ses études ou qu'elle fréquente qui que ce soit afin de mieux la maintenir dans son ignorance et ainsi la dominer davantage. Ce fut la déraison, l'enfer, pendant 30 ans. Un beau jour, Robert a décidé de divorcer parce qu'il s'était trouvé une nouvelle proie, plus jeune.

Loin d'être soulagée par cette décision, Sylvie disait ne plus pouvoir vivre sans lui. Elle ne croyait plus du tout en elle, en ses capacités, en ses possibilités. Sa situation était comparable à quelqu'un qui, sans souffrir d'aucun problème ni handicap, aurait passé 30 ans de sa vie dans un fauteuil roulant. Pendant toutes ces années, chaque fois qu'elle avait tenté de se lever pour marcher, elle avait été repoussée dans le fauteuil. Ses idées, ses opinions, les rares manifestations de son tempérament lui avaient valu des menaces de toutes sortes pour qu'elle devienne ou demeure un être inerte, dépourvue d'identité. Après autant de temps, autant d'intimidation et de danger, autant de rêves brisés, elle en était arrivée à croire que non seulement il valait mieux ne pas tenter de se relever, mais qu'en plus, elle n'en était même plus capable. Pire encore, elle en était arrivée à penser qu'elle était réellement handicapée.

L'analogie de la chaise roulante est parfaite pour décrire l'horreur que Sylvie a connue. Ce fut un excellent modèle pour l'aider à s'en sortir. Elle a compris qu'il lui fallait d'abord réaliser que ses jambes étaient intactes et qu'elle pouvait recommencer à s'en servir. Elle était consciente qu'un peu de physiothérapie lui serait utile et nécessaire pour réapprendre à marcher. En d'autres termes, elle savait qu'il lui faudrait d'abord se refaire confiance en se mesurant à de petits défis. Puis, viendraient les randonnées plus longues, les trajets plus difficiles et, enfin, la course et même l'escalade en montagne.

L'expérience pourrait être vécue par la participante (pour ceux qui peuvent avoir accès à une chaise roulante) afin d'amplifier ses réactions et de créer plus d'impact au cours de l'intervention.

La vaccination

Les changements entraînés par la psychothérapie conduisent presque toujours à des remaniements dans le milieu familial, social, et professionnel du client. Cette réorganisation et les résistances de l'entourage immédiat constituent un réel défi. Lors de semaines plus difficiles, il arrive que le client se présente à l'entrevue avec l'impression de reculer plutôt que d'avancer. La comparaison avec la vaccination est idéale pour lui expliquer le processus de son évolution.

La vaccination permet de développer des défenses internes qui confèrent à l'individu une immunité contre différents agents nocifs. Habituellement, peu de temps après avoir reçu l'injection, il se produit autour du lieu d'administration de la piqûre une réaction d'intumescence (enflure) qui diminue progressivement. De même, en psychothérapie, le traitement vise à activer les ressources intrinsèques de l'individu pour l'amener à se construire des modes de réactions plus efficaces, susceptibles d'accroître son bien-être. Toutefois, les premières manifestations du changement provoquent dans l'entourage du client une réaction qui s'estompe habituellement lorsque celui-ci maintient sa position. Des complications ne surviennent que très rarement.

Les rénovations

Les néophytes de la thérapie se pointent habituellement dans le bureau de l'intervenant avec des attentes irréalistes, tant sur la façon d'aborder le problème (ils s'attendent à recevoir une recette) que sur le temps nécessaire au processus (dix minutes leur suffiraient !). Ces candidats ont besoin d'être instruits du fonctionnement de la thérapie pour mieux comprendre leur rôle actif dans ce cheminement.

Dans certains cas, le rapprochement entre les rénovations et la psychothérapie fournit la description d'un processus assez semblable à celui de la thérapie. La première étape est synonyme d'évaluation des plans. Puis, vient la phase de démolition, de désordre et de chambardement du milieu de vie. Il vient un moment où c'est le fouillis total ; on a l'impression de se retrouver en plein capharnaüm... mais, malgré les évidences trompeuses, on progresse toujours. De plus, tout au long des remaniements, il arrive que l'on ait à apporter des ajustements aux croquis originaux, selon ce que l'on trouve ou ce que l'on obtient au fur et à mesure des progrès. Les restructurations nécessitent généralement beaucoup de travail, d'effort, d'énergie et passent souvent par une phase de détérioration avant que la véritable transformation ne se fasse sentir. Habituellement, cette période est reconnue pour être assez épuisante, mais elle fait place à un grand bien-être lorsque les travaux sont bien exécutés. N'est-ce pas une excellente comparaison avec certains cheminements psychothérapeutiques ?

•··| Sac à dos

On entend souvent l'expression « j'ai le dos large » ou encore « j'en ai lourd sur les épaules » ou « j'en ai plein le dos ». Pourquoi ne pas partir des images qui existent déjà dans la tête du client pour le rejoindre sur son terrain ? Ces trois expressions fournissent vraisemblablement plus de renseignements si on les associe à l'analogie du sac à dos. De quelle grosseur est votre sac ? Quel genre d'objets y transportez-vous ? Depuis combien de temps s'y trouvent-ils ? Qui les y a déposés ? Pourquoi y sont-ils toujours ? Avez-vous déjà tenté de les retirer ? Avez-vous l'impression qu'ils se sont modifiés, transformés ou alourdis avec le temps ? Voulez-vous les garder ? Comment pourriez-vous vous y prendre pour les enlever ? Souhaitez-vous recevoir de l'aide ? Quelles en seraient les conséquences si vous les conservez ? Toutes ces questions sont très pertinentes.

L'exercice peut aussi être réalisé en ayant recours à un sac à dos véritable que l'on remplit d'objets plus ou moins lourds pour mieux concrétiser ce que ressent le client. Idéalement, on lui demande de porter le sac sur son dos afin que soit amplifiée la richesse de son expérience et des informations qui en découleront.

•··| Transplanter

Michelle a grandi dans un quartier pauvre où toutes ses ambitions étaient limitées par le manque de ressources financières ou sociales de son milieu. À 30 ans, elle continue à s'imposer des limites, cette fois imaginaires, pour reproduire l'existence qu'elle a toujours connue. J'ai pu lui illustrer sa réalité à l'aide d'une plante dont les racines sortaient par les orifices inférieurs du pot. Les feuilles de cette plante commençaient à se défraîchir et certaines branches étaient même gravement hypothéquées parce que le pot était devenu trop petit pour elle. Elle avait besoin d'être transplantée. Tout en gardant l'ancienne terre (bien que parfois il vaille mieux la changer aussi !), il était devenu nécessaire de lui trouver un autre pot et d'y ajouter de la nouvelle terre, voire un peu d'engrais.

Michelle a rapidement compris qu'elle devait se défaire du schème limitatif de sa jeunesse pour laisser libre cours à ses aspirations et poursuivre son épanouissement. La semaine suivante, elle m'a confié avoir transplanté ses plantes d'intérieur et en avoir ressenti un grand bien-être. Elle a également ajouté que cette activité — qui venait de sa propre initiative — l'avait convaincue d'étendre l'expérience à sa vie personnelle.

Érosion et rouille

Le phénomène d'érosion décrit à merveille le problème de certains couples et de certaines familles. Une usure lente, insidieuse et progressive s'installe et gruge peu à peu la confiance, la complicité et le respect qui existent entre les individus. Parfois, l'un d'eux est le rocher tandis que l'autre représente la vague qui vient lui enlever un peu de son essence, de son contenu, à chaque déferlement. Dans d'autres situations, les protagonistes s'échangent les rôles et la rapidité de l'érosion s'en trouve alors accrue.

Pour d'autres encore, l'érosion commence par un peu de rouille. À long terme, la rouille non traitée s'enfonce encore plus profondément dans le métal. En peu de temps, des petits trous apparaissent qui s'agrandissent si aucun remède n'est apporté. N'est-ce pas un peu ce qui se produit lorsqu'on ferme les yeux et qu'on se bouche les oreilles pour ne pas voir ni entendre nos besoins, nos aspirations ? Au début, on se sent juste un peu fade lorsqu'on se retrouve entre amis ou seul avec soi-même. Puis, on continue à dire non à cette énergie qui nous pousse. Le manque d'estime de soi précède la dépression. À un moment donné, on perd carrément le goût de vivre. Tout comme la rouille et l'érosion, le phénomène devient apparent aussi lorsqu'il s'installe dans la vie de l'individu.

La rouille et l'érosion ressemblent également à un couple ou à une famille qui « manque d'entretien ». Le quotidien est vécu avec des actions, des paroles et des mouvements stéréotypés. Machinalement, on regarde la télévision, on fait l'épicerie, on prépare les repas, on tond le gazon ou on déneige le stationnement. La rouille commence à apparaître. Puis, tout finit par irriter. Même les banalités de tous les jours dégénèrent en lourdeur et en désintérêt. La rouille a réussi à faire des trous ! On accomplit mécaniquement les tâches habituelles. On continue malgré une insatisfaction grandissante parce qu'on se dit : « Il le faut ». Et voilà qu'un jour apparaît une invitation tangible à abandonner cette « petite vie » : le divorce. Finalement, on imagine ce que pourrait être sa propre vie sans ce quotidien répétitif. Les trous s'agrandissent alors jusqu'à devenir monstrueusement gros. Nos idéations se transforment en projets plus concrets. Cette étape correspond habituellement à l'arrivée des clients en thérapie. Ils sont sur le point de fuir. À ce stade, toutefois, le coût des réparations est beaucoup plus élevé !

Les huîtres

Dans certains milieux, la vulnérabilité est mal vue, tout comme la sensibilité et la compassion. Cela fait « faible » et « féminin ». Ceux qui souhaitent demeurer dans le réseau, continuer à être bien vus et s'assurer la collaboration de leurs collègues doivent plus ou moins se conformer aux valeurs du milieu, souvent même en dépit de leurs propres principes moraux. C'est comme si leur identité sociale s'emparait de leur personnalité particulière, comme l'huître qui construirait sa coquille en se nourrissant de sa propre chair. À un moment donné, la vie finit par disparaître. Ce syndrome est très fréquent en début de carrière alors que l'individu est en formation (ou déformation !).

On dit aussi « fermé comme une huître ». Vous reconnaîtrez là assurément certains de vos clients ou des personnes de votre entourage. Pourquoi ne pas leur faire valoir que, pour fabriquer sa perle, l'huître a besoin de s'ouvrir au monde extérieur ? Elle ne peut l'élaborer d'elle-même. Ou encore, si l'huître est atteinte d'un virus quelconque, il faudra nécessairement qu'elle s'ouvre pour chercher un remède, sinon elle risque d'incuber son poison jusqu'à ce qu'il la détruise totalement.

Tennis

Que remarque-t-on au tennis ? D'abord, un minimum de deux joueurs est nécessaire. De plus, il faut continuellement être vigilant lorsque la balle arrive dans notre camp.

Il serait instructif de rappeler à ceux qui ont tendance à accuser les autres d'être à l'origine des empoignades qu'il faut toujours un minimum de deux personnes pour que la partie continue. Habituellement, les provisions de balles sont vite épuisées si elles ne sont lancées que par un joueur et que l'autre ne les lui retourne pas.

Par ailleurs, lorsqu'on se prête au jeu, il est essentiel de savoir qu'un bon match de tennis exige une parfaite maîtrise des techniques. En thérapie conjugale, par exemple, ou dans toutes les relations interpersonnelles, la collaboration des deux partenaires s'avère essentielle. Ils doivent savoir jouer. En d'autres termes, ils doivent posséder un bon contrôle de leurs émotions et savoir parfois être bon perdant (laisser tomber un projet pour plaire à l'autre) ; il leur faut aussi apprendre à connaître le jeu de l'autre et à s'y adapter ; enfin, ils ont besoin d'afficher de bonnes habiletés de communication. Surtout, SURTOUT, il est important de leur rappeler que l'objectif n'est pas tant de gagner que d'être un bon joueur !

Ballon à l'hélium

Avez-vous déjà eu cette impression, sans que vous ne compreniez trop pourquoi, que votre client était prêt à changer sa vie, qu'il connaissait la façon d'y arriver, mais qu'il n'enclenchait pas le processus ? À mon avis, les conversations directes fournissent peu de résultats dans ce cas parce que, bien souvent, le client lui-même ignore ce qui le freine. Par contre, le recours à une analogie permet d'accéder à une autre source de renseignements et fournit généralement des réponses aux interrogations.

Parmi les images les mieux adaptées à cette situation, j'ai trouvé le ballon gonflé à l'hélium qui s'envole librement, à moins que quelque chose ne le retienne. J'ai été très surprise de vérifier le pouvoir de cette métaphore. Un jour, j'ai demandé à une cliente ce qui, à son avis, pouvait retenir son ballon d'hélium au sol. Elle m'a spontanément répondu, avec autant d'étonnement que moi, qu'elle sentait deux poids qui le retenaient au sol. L'un avait une forme carrée. L'épaisseur du cadre de la boîte qui le contenait était telle que son contenu était difficile à atteindre. L'autre avait plutôt une forme ovale et était maladroitement enveloppé avec du papier vert avocat.

Ces images ont révélé que la première boîte se référait à son père, un type très renfermé et autoritaire, et la deuxième, à sa fille de treize ans qui se trouvait concernée par les changements que sa mère s'apprêtait à opérer dans sa vie.

Plusieurs pensent que les réponses sont habituellement connues par les clients, mais pas nécessairement au niveau de l'hémisphère gauche du cerveau ; elles sont donc perçues plus ou moins consciemment. La métaphore réveillerait davantage les données contenues dans l'hémisphère droit du client, c'est-à-dire dans la partie la plus intuitive du cerveau.

Le cerisier qui sent bon : il faut en semer plusieurs graines

On dit qu'une vie sans rêve est comme un ciel sans étoile. Chaque fois qu'on laisse tomber ses aspirations, son idéal, c'est la noirceur et le dépérissement qui s'installent, à moins que l'on ne trouve une nouvelle orientation pour satisfaire ses besoins.

J'ai raconté mon histoire du cerisier à Johanne, qui vivait dans l'obscurité. Après avoir brillamment réussi son cours au conservatoire d'art dramatique, elle avait obtenu quelques petits contrats. Puis, peu de temps après, les offres ont cessé. Pour arrondir ses fins de mois, elle a trouvé un emploi dans une école secondaire comme professeure de théâtre. Au début, malgré son travail, elle a poursuivi ses démarches pour « jouer sur les planches ». Elle a aussi mis à profit ses cours de chant en donnant quelques spectacles ici et là. Son talent dans ces deux disciplines était peu commun. Puis, après quelque temps, elle a complètement laissé tomber ses espoirs de décrocher un rôle. Elle a du coup cessé toute action pouvant l'amener à réaliser ce rêve. En conséquence, la dépression s'est manifestée. L'histoire du cerisier que voici a redonné un peu d'espoir à cette cliente.

Il y avait un cerisier, tout en fleurs, qui embaumait les passants qui circulaient dans son entourage. Lorsqu'ils respiraient son magnifique parfum, les gens se retournaient et, du coup, s'émerveillaient devant l'abondance de fleurs d'un rose tendre qui garnissaient chaque branche de l'arbre. Il y a sept ans qu'il n'a plus fleuri. On dit qu'au début le propriétaire a vainement tenté de disperser de nouvelles graines ici et là. Malheureusement, elles ont toutes atterri sur un sol infertile. Désolé par ce triste résultat, il a cessé d'en semer. Découragé, il les garde maintenant toutes prisonnières dans le fond de sa poche.

Johanne, en artiste née, a pleuré lorsqu'elle a entendu cette allégorie. Elle a compris que, pour avoir de beaux arbres, il faut avant tout persévérer à planter des graines et ensuite s'assurer qu'elles soient dans le bon sol.

Pour mettre de la lumière dans sa vie et des étoiles dans son ciel, il ne lui fallait pas décrocher un contrat pour « jouer ». Il était tout simplement indispensable qu'elle continue à transmettre de différentes façons son aspiration à toujours faire partie du milieu. Ce qui tue quelqu'un, ce n'est pas l'échec, c'est de cesser de croire à ses rêves.

Techniques d'Impact utilisant des fantaisies

Pour l'intervention individuelle tout comme celle en groupe, les fantaisies sont parmi les stratégies les plus efficaces. D'abord, les gens sont souvent très intéressés à entendre celles des autres. La fantaisie fait aussi appel au jeu et active l'enfant à l'intérieur de nous. Elle assure également une détente. Plusieurs personnes entretiennent ce genre d'évasion. Beaucoup d'informations utiles nous parviennent lorsqu'elles acceptent de les révéler. Les propositions ci-dessous permettront d'élargir l'éventail des possibilités. Le point de départ est le même pour chacune de ces fantaisies. Le participant doit d'abord s'installer confortablement (en position assise ou couchée), fermer les yeux (ne pas insister auprès de ceux qui préfèrent garder les yeux ouverts) et se concentrer sur les paroles prononcées par le guide. Celui-ci s'efforcera de rendre ses consignes les plus larges et les plus générales possibles tout en utilisant un vocabulaire adapté à celui du client. Son ton de voix sera quelque peu hypnotique, parfois poétique, tantôt calme, tantôt exalté.

Rencontre avec un sage

Imaginez que vous vous retrouvez dans un sous-bois par un beau soir de clair de lune. L'air est frais et sent bon ; vous vous sentez complètement en paix et en sécurité (ces consignes visent à rassurer les personnes qui pourraient ressentir de la peur à se retrouver seules dans un sous-bois, le soir). Vous portez votre regard autour de vous et vous êtes ébahi par la beauté du décor : les sapins aux longs cônes et aux rameaux d'aiguilles parfumées, les érables avec leur large feuillage transformant le vent en mélodie envoûtante. Tout en haut, des milliers d'étoiles vous accompagnent et rehaussent le spectacle. Vos pieds foulent un tapis de mousse duveteux alors que vous explorez les environs. Les baumes nocturnes, empreints d'un parfum aux effluves enivrants, vous envahissent et vous saoulent de plaisir et de sérénité. De temps à autre, un hibou vous salue au passage et vous sourit, comme s'il était complice de cette harmonie qui vous habite. L'univers qui vous entoure vous emplit entièrement, vous apaise, vous fortifie.

Pendant que vous déambulez dans ce bosquet, une fantaisie vous prend de vous choisir un arbre parmi tous les autres. Votre regard erre dans toutes les directions avant de se fixer sur l'un d'entre eux. Vous vous dirigez vers lui et tranquillement vous l'explorez. Curieusement, une porte se dessine dans son tronc. (Silence.) Vous l'ouvrez et apercevez un escalier. (Silence.) Vous décidez de prendre l'escalier. (Silence.) Arrivé tout au bout, vous découvrez une immense bibliothèque. (Silence.) En vous promenant à l'intérieur de celle-ci, vous apercevez un livre qui porte votre prénom. C'est votre livre. (Silence.) Prenez-le. Ouvrez-le. Regardez ce qu'il y a à l'intérieur. (Long silence.)

Tandis que vous êtes plongé dans la découverte de votre livre, vous ressentez une présence, douce et sécurisante, derrière vous. (Silence.) En vous retournant, vous apercevez une personne sage qui vous regarde avec un sourire affectueux. Elle semble mieux vous connaître que vous-même. Elle vous offre un cadeau. Regardez ce que c'est. (Long silence.)

Au moment où vous souhaitez remercier cette personne, vous vous rendez compte qu'elle a déjà disparu. Mais, vous en gardez un souvenir heureux, un sentiment d'avoir été privilégié de vous être trouvé en sa présence. (Silence.) Vous reprenez le chemin de l'escalier jusqu'à la porte, en emportant avec vous ce que vous avez appris. De retour dans votre sous-bois au ciel étoilé, vous revenez tranquillement vers la clairière, en flânant pour mieux nourrir vos réflexions sur vos nouvelles expériences survenues à la bibliothèque. (Silence.) Puis, vous ramenez peu à peu votre attention dans la pièce (décrire les détails de la pièce où l'exercice se déroule pour aider le client à sortir de son imaginaire).

Il est toujours surprenant de constater les différences qui surgissent entre les individus au cours de la même fantaisie. Pour certains, l'escalier montait, pour d'autres, il descendait. Il arrive parfois que les clients aient anarchiquement décidé de grimper dans l'arbre plutôt que d'emprunter l'escalier ! Plusieurs voient la personne sage de sexe féminin, d'autres de sexe masculin. Comment était ce sous-bois : petit, grand, sombre, clair ? Comment était le livre ? Que contenait-il ? Quel cadeau avez-vous reçu ? Tous les détails que crée la fantaisie fournissent un terrain propice à la découverte du monde intérieur de notre client. Jung disait qu'à l'intérieur d'un seul rêve, on pouvait saisir toutes les différentes facettes d'un individu et sa psychologie propre. L'imagination unique de chacun, les couleurs, les teintes, les objets qu'il choisit, constituent un ensemble d'éléments qui le décrivent fidèlement. Il n'est pas étonnant que la théorie de Jung s'applique aussi aux fantaisies.

Le parent idéal

Un enfant naïf et curieux joue. (Jusque-là, on décrit assez bien la plupart des enfants, en général. Notez qu'aucun détail n'est donné quant au lieu où il se trouve. Le client créera lui-même le décor environnant, ce qui ajoutera de la richesse à l'information recueillie.) Il s'amuse beaucoup. (Silence.) Il imagine une multitude de choses dans sa tête. (Silence.) Il se construit tout un monde avec quelques objets et éléments. (Ces consignes visent à mettre le client en contact avec son Enfant intérieur. Vous pouvez ajouter autant de détails que vous le jugez nécessaire pour vous assurer que le client rencontre bien cet objectif.) Une femme assise à proximité l'observe (on peut le faire aussi avec un homme). Cette femme est une femme exceptionnelle. (Silence.) C'est une mère idéale. (Silence.) Une mère comme il en existe très peu. Elle s'approche de son enfant et lui parle. Écoute bien ce qu'elle lui dit. (Long silence.) L'enfant se sent vraiment très heureux d'être à côté de cette mère formidable. Il décide lui aussi de lui parler. Entend ses paroles. (Long silence.) La mère propose maintenant à son enfant de jouer avec lui. Puis ensemble, ils commencent à s'amuser. Regarde bien ce qu'ils vont faire. (Long silence.)

En général, les individus qui n'ont pas fait la paix avec leurs parents vivent beaucoup d'émotions fortes et trouvent souvent des réponses au cours de l'exercice. Pour ceux qui ont déjà franchi cette étape, l'expérience de cette fantaisie les laisse encore plus sereins.

Se projeter dans un objet

N'importe quel objet peut être utilisé pour offrir aux gens un vaste éventail pour nourrir leur introspection : un oiseau empaillé, une valise, un livre, un cadre, etc. Si vous n'avez jamais utilisé ce genre d'exercice, il est possible que vous soyez d'abord réticent à le mettre en pratique. Cela semble tellement inusité ! Mais, ceux qui oseront le faire seront sans doute ravis et surpris de ce qu'ils récolteront.

Le client doit choisir un objet dans la pièce et s'identifier à lui. Il est nécessaire qu'il parle à la première personne (par exemple : « Je suis une lampe ou je suis une chaise »). Il doit décrire comment il se sent dans « la peau » de l'objet. J'ai été très étonnée par la réponse d'un client à qui je proposais cet exercice pour la première fois. Il a spontanément répondu à l'invitation de la façon suivante.

—————————

Client :
Je suis une filière. Dans mon dernier tiroir se trouve un dossier qui porte le nom de papa...

Thérapeute :
Pouvez-vous me donner d'autres détails ?

Client :
Il est sous clé et n'a pas été ouvert depuis très longtemps. Ce dossier est le plus lourd de tous... Il mesure deux pouces d'épaisseur et contient un tas de renseignements...

Thérapeute :
Il semble qu'il soit difficile de l'ouvrir pour quelqu'un de l'extérieur, mais compte tenu du fait que vous vous y trouvez, pourriez-vous me donner des précisions sur son contenu ?

Le client voit et ressent (j'allais enlever ce verbe, mais je dois le maintenir parce qu'effectivement et étrangement, il décrit bien la réalité du client au cours de l'exercice) les détails de l'objet qu'il personnifie. Chacun a sa porte d'entrée privilégiée. Pour certains clients, ce genre d'exercice constitue la voie d'accès numéro un.

•⋯| La fantaisie du pardon

La fantaisie du pardon est une technique qui a été créée par l'équipe des Simonton (1984) aux États-Unis. Le Dr Simonton pratique l'oncologie et sa femme est psychologue. Les deux professionnels possèdent une clinique spécialisée dans le traitement du cancer. Pour avoir accès aux services de ces spécialistes, il faut avoir un pronostic de six mois de vie ou moins. Le traitement des Simonton, qui remporte beaucoup de popularité partout à travers le monde, consiste à poursuivre le suivi médical de chimio ou de radiothérapie tout en faisant pratiquer activement l'imagerie mentale aux patients. Les visualisations peuvent prendre différentes formes comme, par exemple, celle d'imaginer que les cellules saines sont de gros requins et que les métastases sont de petits poissons rouges qui se font dévorer par les requins.

Une autre de leur création s'adapte très bien à la plupart des gens, atteints ou non de cancer. Il s'agit de la fantaisie du pardon. Le client s'installe confortablement, ferme les yeux, prend quelques bonnes inspirations et expire lentement pour accéder à une détente confortable. Par la suite, il reconstitue le plus clairement possible l'image d'une personne à l'égard de laquelle il entretient de la rancune ou de la colère. Dans l'étape suivante, il imagine que quelque chose de formidable et de bon arrive à cette personne et qu'il s'en trouve réellement très heureux pour elle.

Lorsque la colère et la rancune sont à leur paroxysme, il est nécessaire de répéter cet exercice plusieurs fois par jour pour arriver à visualiser et à ressentir cette scène. Simonton affirme que certains de ses clients ont *guéri* leur cancer à l'aide de cette imagerie.

•⋯| Techniques projectives

Que diriez-vous d'un petit exercice ? Allons-y. Imaginez que vous êtes mort et que vous vous retrouvez au ciel. On vous offre la chance de retourner sur terre, mais seulement sous forme animale. Quel animal choisiriez-vous ? Pourquoi celui-ci en particulier ?

L'interprétation de cette question repose sur le principe suivant : chacun sélectionne un animal dont les caractéristiques correspondent à ce qui lui manque le plus dans sa vie actuelle. Si vous avez choisi un oiseau pour pouvoir voyager, pourquoi attendre une prochaine vie pour connaître cette satisfaction ? Si vous avez préféré le dauphin pour sa liberté et sa souplesse, comment pourriez-vous accroître ces caractéristiques, maintenant, dans votre vie ? Le fait de se prêter à l'exercice suscite souvent une prise de conscience qui favorise les ajustements nécessaires.

Plusieurs utilisations peuvent naître de cette question. En groupe, par exemple, le fait de jumeler un animal à un participant ajoute d'abord un indice ou une couleur supplémentaire à l'individu et améliore la capacité de chacun de se rappeler l'autre. L'exercice engendre aussi une série de réflexions qui peuvent être approfondies pendant la session ou mûries pendant la semaine.

La question peut également être formulée différemment pour créer un autre impact et faire apparaître un nouveau contenu. Au lieu de choisir un animal, on demande aux volontaires de sélectionner une vedette de cinéma ou tout simplement un objet et de justifier leur réponse. Ces simples interrogations génèrent des résultats épatants !

Techniques d'Impact
utilisant l'expression,
l'écriture et les graphiques

C H A P I T R E 6

On ne parle pas de ses tableaux.
On les montre.

Sacha Guitry

Techniques d'Impact utilisant l'expression

Le vote

Si on vous interrogeait sur une émission de télévision populaire pour connaître votre avis sur son contenu, il est possible que vous rétorqueriez que vous la détestez. Mais, si on demandait à 200 personnes que vous aimez et respectez de voter au sujet de cette même émission et que toutes, sans exception, répondaient qu'elles l'adorent, vous seriez alors sans doute amené à reconsidérer votre point de vue ou du moins à visionner de nouveau cette émission pour réévaluer votre réponse. Le fait d'amener des gens, fictifs ou réels, à s'exprimer sur l'opinion ou sur le jugement du client peut l'inciter à modifier son verdict.

Pour le Thérapeute d'Impact, les pensées irrationnelles représentent la source de la majeure partie des émotions malsaines et débilitantes. Le vote peut s'avérer un instrument utile pour remettre en question ces pensées génératrices de malaises et d'émotions négatives. Voici quelques exemples d'application de cette technique.

EXEMPLE 1
| Congédiement mal interprété |

L'exemple qui suit porte sur un groupe de femmes réunies pour discuter des difficultés éprouvées à leur travail.

1re Participante :
(A récemment été mise à pied sans justification. Il semble que son patron cherchait une secrétaire qui pouvait se dédoubler pour devenir aussi sa maîtresse.) C'est de ma faute. Peut-être que si j'avais mieux travaillé ou plus fort... Je ne sais pas... J'ai bien peur que je n'arriverai plus à me trouver un nouvel emploi. Je n'ai pas ce qu'il faut...

Thérapeute :
(Possède, tout comme les autres participantes, beaucoup de renseignements sur l'impeccable histoire professionnelle de Julie.) Un instant, Julie, vous venez de dire quelque chose d'important et j'aimerais vérifier si tout le monde ici est de votre avis. Je demanderai à chacune d'être totalement honnête dans sa réponse. Le but n'est pas de faire plaisir à quiconque, mais de distinguer le vrai du faux. Combien d'entre vous croyez que Julie n'a pas ce qu'il faut pour se trouver un nouvel emploi ?

L'écart entre son point de vue et celui des autres l'a amenée à reconsidérer sa position. La discussion qui a suivi cet exercice a permis aussi de nourrir et de consolider les nouvelles prises de conscience de cette femme.

EXEMPLE 2
| Marthe, 36 ans, dépendante de ses parents |

Depuis toujours, cette cliente avait été piégée ou vampirisée par ses parents qui avaient réussi à lui faire croire que le monde était méchant et qu'il valait mieux qu'elle reste avec eux.

Cliente :

Mais je ne peux pas vivre sans eux ! (Signifiant qu'elle ne pouvait être autonome ou affronter le monde sans ses parents.)

Thérapeute :

Reprenons ce que tu viens de dire, d'accord ? Si je demandais à 1 000 personnes neutres que tu respectes et que tu admires ce qu'elles pensent du fait que tu ne puisses pas vivre sans tes parents, quelles seraient leurs réactions ?

Cliente :

(Perplexe, mais réalise qu'il s'agissait là d'une fausse croyance ancrée dans son esprit et non d'un fait établi.)

Un mot ou une courte phrase

Répondez à la question suivante : quel(s) mot(s) ou quelle(s) phrases utiliseriez-vous pour décrire ce livre jusqu'à présent ?

Cette simple question vous entraîne dans une suite d'opérations mentales où vous passez en revue tous les moments forts, agréables ou désagréables, rencontrés jusqu'à présent dans la lecture de ce volume en vue d'en faire un bilan.

De même, on peut demander au client de donner un mot (nom commun, épithète ou autre) pour décrire son enfance, son adolescence, sa vie à deux ou son emploi. En somme, quel que soit le thème sur lequel vous souhaitez travailler avec lui, vous le verrez se concentrer intensivement sur une époque de son existence et en exprimer une vision globale.

De plus, peu importe que l'exercice soit utilisé en groupe ou non, la personne est tentée d'expliquer la signification de sa réponse.

Cette option ajoute simplement une alternative au format habituel des séances. Elle apporte de la variété et de l'énergie au processus tout en étant efficace.

L'exercice peut aussi être adopté pour clôturer les séances : « J'aimerais entendre un mot ou une courte phrase pour décrire comment vous vous êtes sentis dans ce groupe aujourd'hui » ou encore « un mot ou une courte phrase pour résumer la rencontre d'aujourd'hui ». À la suite de cela, l'animateur peut demander aux participants de commenter leur réponse, lorsqu'il le juge nécessaire ou approprié.

ⅠⅠⅠ | **Un chiffre**

L'échelle de 0 à 10 permet de sauver un temps fou et d'obtenir rapidement l'heure juste. Par exemple, si un client dit avoir passé une semaine normale, à votre avis, veut-il dire un 5 ou un 9, ou même un 7, ou peut-être un 3 ? Il est certain que le fait de donner une réponse plutôt qu'une autre modifiera la suite de la rencontre.

Bref, ce bijou d'échelle permet d'éliminer beaucoup de pertes de temps et de discussions superflues. Plusieurs personnes l'ont d'ailleurs déjà adoptée à la maison et au bureau. Lorsque le mari rentre du travail et dit être à 8/10 de fatigue, sa conjointe comprend que ce n'est peut-être pas le meilleur moment pour discuter de sujets cruciaux. Son utilisation est vaste. On peut l'employer afin d'exprimer la motivation envers le changement, de décrire la difficulté de demeurer sobre ou de parler d'un thème précis. Les possibilités sont illimitées.

Une autre application fort utile de cette échelle est de coter la valeur des opinions ou des principes des parents ou des personnes significatives dans l'entourage du client. Régulièrement, la source des problèmes des clients provient du fait que ceux-ci ont adopté religieusement les consignes ou croyances de ces personnages importants.

Par exemple, je citerais le cas d'un jeune homme qui croyait tout devoir à ses parents puisque ceux-ci lui avaient maintes et maintes fois répété qu'ils acceptaient de se sacrifier pour payer ses études, mais qu'en échange, il devrait lui aussi les aider lorsqu'il serait devenu professionnel. Il avait effectivement obtenu son titre, mais son équilibre était vite devenu menacé. Il ne s'accordait ni congé, ni vacances, ni moment de détente ! Dès qu'il avait un instant de répit, il se dévouait pour aider ses parents. En cotant la valeur du contrat de ses parents sur une échelle de 0 à 10, il a pu remettre en question leurs paroles et ainsi renégocier son engagement sur une base plus adulte.

L'échelle peut aussi amener un client à réévaluer ses parents au plan de la santé mentale ou de l'équilibre psychologique. Il n'est pas rare qu'il décide, à la suite de cette réévaluation, d'abandonner une bonne partie des recommandations ou postulats que ceux-ci ont pu lui transmettre.

En guise d'illustration, citons le cas de ce client qui entendait tous les jours sa mère se plaindre qu'il n'était qu'un paresseux voué à rater sa vie. En demandant au fils de donner un chiffre de 0 à 10 pour évaluer l'équilibre psychologique de sa maman, il répondit 2. Il a admis qu'elle était très dépressive, dépassée et impuissante vis-à-vis de ses dix enfants et de son mari alcoolique. Il comprit dès lors que ses propos provenaient davantage de son état psychologique précaire que de sa pensée rationnelle.

Plusieurs croient qu'il s'agit là de l'outil le plus aidant de notre répertoire. Dans un groupe, il permet de mettre beaucoup de dynamisme, d'aller chercher l'attention des membres, d'obtenir rapidement beaucoup d'information et de laisser à chacun la chance de s'exprimer. Il est par ailleurs toujours possible d'aller chercher plus de précisions lorsque le thérapeute le juge nécessaire. À utiliser *ad libitum !*

lıl | Rondes de « oui-non »

La technique des rondes de « oui-non » s'applique à l'intervention en groupe. Son utilisation remplit au moins deux fonctions : sauver du temps en faisant une radiographie rapide des besoins du groupe et amener les participants à structurer davantage leurs interventions. Ce dernier facteur est fondamental pour assurer longévité et efficacité au groupe.

La façon de faire est de poser simplement une question au groupe et de demander à chaque membre de répondre par oui ou non. Par exemple : « Est-ce qu'il y a un sujet que vous aimeriez aborder ou commenter avant que nous attaquions l'ordre du jour ? » ou « est-ce que certains d'entre vous auraient des questions ? » Si, sur douze participants, tous ont des questions, le leader peut alors leur demander un mot ou une courte phrase pour savoir sur quel(s) sujet(s) portent leurs questions et déterminer ainsi la meilleure façon de procéder. Il peut, par exemple, sélectionner les interrogations les plus urgentes ou celles qui concernent la majorité du groupe et garder les autres pour la fin, si elles n'ont pas été traitées entre-temps. L'avantage de cette technique est qu'après avoir pris le pouls du groupe par les rondes, chacun se sent entendu et, même si toutes les questions n'ont pas encore reçu de réponse, les participants savent que le leader y reviendra sans faute avant la fin de la séance.

lıl | « Ici », « Pas ici » ou « En route »

Une fois de plus, cette technique est surtout pratique pour l'intervention de groupe. Le leader demande simplement à chacun, sous forme de ronde, s'il est « ici », c'est-à-dire si son attention porte sur ce qui est discuté, s'il n'est « pas ici », donc en train de penser à quelque chose qui le préoccupe en dehors de ce qui est abordé à l'intérieur de la séance, ou s'il est « en route », c'est-à-dire sporadiquement présent aux thèmes traités. Le seul fait de procéder à l'exercice suffit généralement à ramener l'attention des participants sur les questions d'intérêt commun.

lıl | Jusqu'à quel point... ?

Lorsque des gens se réunissent à des fins thérapeutiques, ils ne peuvent pas prévoir le comportement des autres. De la même façon, ils ignorent jusqu'à quel point les autres sont prêts à investir dans la démarche et à se laisser aller. Enfin, ils ne savent pas quel degré de confiance ils peuvent leur accorder. Ce questionnement légitime entraîne une attitude défensive de la part de chacun et elle ne se résorbe souvent qu'une fois que chacun a appris à mieux connaître l'autre. Mais, qu'arrive-t-il si cette relation de confiance ne s'installe pas à cause du désintérêt de l'un ou de plusieurs des participants ?

Selon l'approche jacobienne, la démarche thérapeutique avec deux personnes et plus est comparable à un circuit électrique. Dans l'illustration ci-dessous, par exemple, vous voyez un fil d'alimentation relié à une lampe. Tant que ce fil demeure intact, l'électricité arrive jusqu'à la lampe et l'ampoule éclaire. Par contre, si le fil est brisé à un endroit ou à un autre, il est impossible d'obtenir de la lumière. Par analogie, les participants d'une même thérapie constituent le fil d'alimentation. Le cheminement du groupe devient gravement compromis lorsqu'un ou plusieurs membres refusent de s'engager sérieusement dans les rencontres. La majorité des leaders ont d'ailleurs déjà expérimenté l'influence néfaste de ce type de participant à l'intérieur d'un groupe.

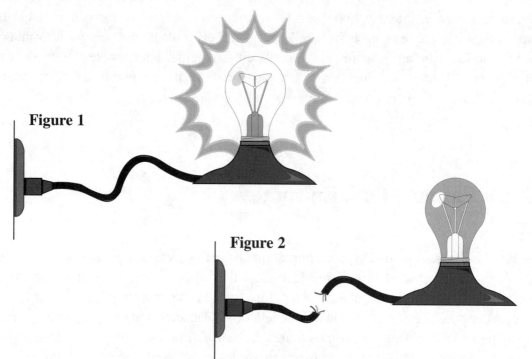

Figure 1

Figure 2

Une façon de prévenir ce problème est de poser aux participants les deux questions suivantes dès la première rencontre.

Sur une échelle de 0 à 10,

> jusqu'à quel point êtes-vous prêts à exprimer vos émotions dans ce groupe ?

> jusqu'à quel point êtes-vous prêts à accueillir les émotions des autres ?

En dépistant rapidement les plus réticents, le leader peut intervenir auprès d'eux et revenir plus tard avec les mêmes questions. Lorsque tous répondent entre 6 et 10, on sent une détente et une ouverture dans le groupe. Ainsi, au lieu de travailler sur l'aspect de la confiance entre les participants, les séances peuvent plutôt porter sur les thèmes de fond.

lıl | Qui suis-je ?

Le « qui suis-je » est un exercice qui a été utilisé par une foule de thérapeutes à des fins souvent entièrement différentes. Il s'agit de placer les clients en équipes de deux et de désigner une personne qui commencera l'exercice en fonction de critères comme la taille, l'âge, la longueur des cheveux ou un autre facteur. Une fois le signal donné, celle qui débute doit, pendant 90 secondes entières, dire à l'autre qui elle est. Il ne s'agit pas de lui dire ce qu'elle fait ou ce qu'elle a, ou de parler de ses enfants ou de son emploi, mais bien qui elle est, avec ses caractéristiques intrinsèques propres. Son coéquipier doit l'écouter sans l'interrompre, ni pour des reflets, ni pour des questions, afin de lui laisser tout le temps d'antenne nécessaire pour s'exprimer. Lorsque le temps est écoulé, on inverse simplement les rôles.

En général, les gens trouvent cet exercice assez difficile. La majorité d'entre nous, influencée par la culture occidentale, tend à se décrire en fonction de son « faire », de son « paraître » ou encore de son « avoir » plutôt que de son « être ». C'est là tout le drame ! Plusieurs s'enlisent dans la dépression parce qu'ils ont perdu leur « avoir » (maison, BMW, commerce, etc.). Leur identité était alors définie en fonction de leur avoir et non de leur être, ce qui est une erreur fondamentale. D'autres ont perdu l'estime d'eux-mêmes parce qu'ils ne « font » plus tel ou tel autre travail. Pourtant le fait de perdre un emploi ne change rien à « l'être » !

L'exercice est souvent décrit comme une façon de revenir chez soi, de se retrouver, de retourner à la source du « qui je suis » réellement. C'est aussi une façon d'apprendre à connaître l'autre d'une manière très privilégiée.

Plusieurs résistances ou réactions peuvent survenir pendant le déroulement de l'exercice. Par exemple, une personne peut se surprendre à ne pas oser donner de description positive de son « être », laissant transparaître des messages incongrus de son enfance. Une autre peut être émue de se retrouver enfin et retomber en amour avec elle-même. Parfois aussi, on assiste à la naissance d'une amitié instantanée et durable entre les deux participants. L'information découlant de cet exercice est donc aussi riche que variée.

Partager un succès

Les consignes pour cet exercice ressemblent à peu près à celles de l'activité précédente, sauf qu'au lieu de se confier sur le « qui je suis », les gens doivent dévoiler un succès qu'ils ont connu, peu importe le type et à quel moment de leur vie il est survenu. Chacun possède quelque part dans son inventaire une mémoire qui contient cette information. Il est préférable de consacrer de 30 secondes à une minute avant de commencer l'exercice pour laisser à chacun le temps de sélectionner le succès qu'il souhaite révéler. Accordez ensuite de 90 à 120 secondes à chacun pour qu'il en livre le contenu. Notez que les équipes peuvent réunir jusqu'à quatre personnes.

L'objectif principal visé est d'abord d'augmenter le niveau d'énergie du groupe. Le fait de revivre un souvenir heureux permet généralement de retrouver les sensations positives associées à l'expérience passée. Comme il a été évoqué plus tôt (p. 248-249), le leader doit constamment être à l'affût du niveau d'énergie du groupe. Plus celui-ci se rapproche du niveau optimum, meilleures sont les chances de participation et d'intégration de chacun. Pour certains, le fait d'identifier un succès ranime une sorte d'espoir, de confiance, de fierté vis-à-vis d'eux-mêmes. L'exercice peut donc s'avérer fort pertinent et utile pour des ateliers sur l'estime de soi.

Certains animateurs demandent de prendre un bref instant avant et après l'application de cette technique pour évaluer le niveau de base de leur énergie et déterminer la façon dont ils se sentent globalement, juste avant et après l'exercice. (Une autre bonne application possible de l'échelle de 0 à 10 !) Ceci permet aux personnes touchées de reconnaître les effets de l'exercice : elles deviennent ainsi plus conscientes de l'influence de leurs discours.

Celui ou celle qui a fait une différence dans ma vie

Une variante de l'activité « partager un succès » est de faire identifier par les membres du groupe quelqu'un qui a fait une différence positive dans leur vie et de les amener ensuite à exprimer à tour de rôle en quoi cette personne a été significative pour eux. La façon de procéder est tout à fait la même que précédemment. Non seulement l'expérience modifie l'énergie du groupe en apportant calme et réconfort, mais elle fournit également un terrain fertile d'exploration. Le fait d'identifier ses circuits neuronaux et les coûts/bénéfices qui y sont associés peut devenir un outil fort précieux. Il peut inciter chacun à assumer la responsabilité de se créer des mémoires positives qui constitueront pour lui un héritage accessible à peu près en tout temps. La modification de ces réseaux et le pouvoir de chacun d'en générer chez les autres représentent également des avenues passionnantes.

|ılı| **Conversation entre parents**

Voici un autre exercice à utiliser en groupe. Les participants sont divisés en groupes de trois à quatre personnes. Chacun choisit l'un de ses parents et doit par la suite l'incarner. Les membres du groupe jouent donc le rôle de leurs parents parlant de leurs enfants — c'est-à-dire d'eux-mêmes ! Par exemple, si un participant prénommé Pierre choisit d'incarner son père, Gérard, on le retrouvera tentant de personnifier Gérard qui parle de son fils Pierre.

Les deux premières minutes se résument souvent à des éclats de rire. Toutefois, lorsqu'on laisse s'écouler suffisamment de temps (environ dix à quinze minutes), il n'est pas rare d'observer des réactions insoupçonnées. En effet, chacun découvre grâce à ce petit jeu théâtral à quel point le parent choisi l'aimait. D'autres comprennent avec un peu plus de sagesse les comportements passés du parent. L'objectif est de fournir un milieu d'expérimentation pour permettre au client de confronter sa double perception de son parent ou des dires de ce dernier, selon qu'il se place du point de vue de l'enfant ou de celui du parent. La perspective du client se limite ordinairement à un seul côté du miroir. Le fait de jouer le rôle du parent amène un élargissement de sa compréhension globale.

Techniques d'Impact utilisant l'écriture et les graphiques

Le recours à l'écriture et surtout aux graphiques représente un point fort de la Thérapie d'Impact. Ce sont par ailleurs des moyens très utilisés, tant par les thérapeutes en général que par les clients eux-mêmes. Leur accessibilité et leur popularité en font des instruments de choix. J'en ai sélectionnés quelques-uns que j'ai retenus pour leur simplicité, leur polyvalence et leur caractère original.

⦀ | Compléter des phrases

Dans un groupe, plusieurs participants se sentent plus ouverts quand ils ont eu la chance de réfléchir auparavant sur le sujet prévu. Le fait de prendre quelques minutes pendant ou entre les rencontres pour compléter individuellement des phrases évite aux plus timides de demeurer muets ou, encore pire, de bafouiller lorsque vient le temps d'émettre leurs commentaires. Au lieu de les inviter à s'exprimer spontanément, on leur demande de lire ce qu'ils ont noté pour telle ou telle phrase. On peut modifier cet exercice en le remplaçant par « faire une liste de » (cela peut se faire individuellement ou en groupe à l'aide d'un babillard), répondre à des questions par écrit, écrire une histoire de vie, un rêve de vie, écrire sur une personne significative, une émotion, etc.

Ce peut être un excellent réchauffement entre les rencontres pour que les participants se préparent, sur le plan émotionnel et psychologique, au prochain contenu à discuter. De plus, ce moyen permet au client de participer activement.

⦀ | Technique de renforcement

Je vous invite à utiliser le prochain exercice avec les membres de votre famille, votre équipe de travail ou votre réseau social en général. Il permet d'introduire une bonne dose de complicité et un vent contagieux d'affection dans le groupe.

C'est très simple. Chacun écrit son prénom en haut d'une page. La personne désignée comme responsable récupère toutes les copies et les redistribue au hasard. Par la suite, chacun doit noter une caractéristique positive du propriétaire de la feuille qu'il détient. On continue ainsi la rotation des pages entre tous les participants de manière à ce que chacun puisse y écrire au moins un qualificatif, et ce, de façon tout à fait anonyme.

Lorsque cette étape est complétée, on redonne sa feuille à chacun des propriétaires. Ils peuvent soit la lire individuellement, soit à voix haute, à tour de rôle, en s'appropriant les qualités qui leur ont été données (c'est-à-dire : « Je suis Normand, je suis généreux, je suis sociable, etc. »).

Des modifications aux règles de base peuvent être apportées. Certains accrochent plutôt un carton dans le dos des participants et chacun y écrit son commentaire pendant que tout le monde danse sur une musique entraînante. Cette stratégie favorise les contacts physiques et permet à chacun de retrouver un peu plus l'Enfant en lui. D'autres pourront le faire par courrier lorsqu'il leur est impossible de se rencontrer.

lll | Conseil d'administration

Prenons une compagnie comme Bell. Elle possède un conseil d'administration composé d'un président, de vice-présidents, de directeurs, de conseillers, etc. Elle devrait normalement être rentable et fructueuse si tous les membres qui siègent au comité sont expérimentés, mentalement et psychologiquement sains, et possèdent les capacités requises par leur poste.

Il en va de même pour la vie de chacun. Insidieusement, il apparaît que plusieurs personnes nous guident dans notre prise de décision, souvent sans que l'on en soit très conscient. Parfois, leur aide s'avère judicieuse, surtout lorsque ces « conseillers » sont « qualifiés ». Malheureusement, la plupart du temps, les membres semblent avoir été élus à vie par un jeune enfant victime de sa naïveté et de son ignorance.

Voyons ensemble l'exemple d'une jeune femme qui s'était présentée en consultation parce qu'elle éprouvait des difficultés sexuelles avec son conjoint. Chaque fois qu'elle ressentait le désir de faire l'amour avec lui ou que ses inhibitions disparaissaient, elle avait l'impression d'être une prostituée. En reconstituant son « conseil d'administration sexuel », la jeune femme s'est très vite rendue à l'évidence que ce qualificatif venait de sa mère, qui avait toujours été jalouse de la beauté de sa fille et de son succès auprès de la gent masculine. C'était même elle qui présidait son comité depuis le début. Il ne lui en fallut pas davantage pour qu'elle congédie sa mère et revienne à une logique beaucoup plus rationnelle et qu'elle reprenne, en fait, la présidence de sa vie sexuelle. Elle a ainsi remplacé les messages de sa mère (« t'es une putain, une chatte en chaleur ») par sa propre voix qui, elle, propageait des messages vrais, favorables à son plein épanouissement.

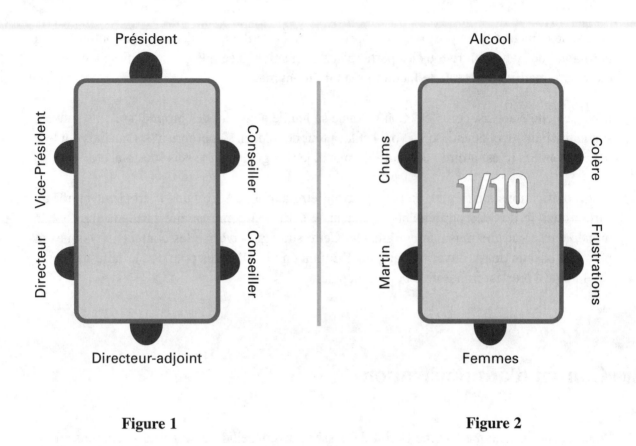

Figure 1   **Figure 2**

Pour que le conseil d'administration d'une personne soit efficace, il doit être composé de personnes mentalement et psychologiquement saines, volontairement choisies à cause de l'amour et du respect qu'elles lui portent.

Voilà un exercice qui se prête à merveille autant à l'intervention individuelle qu'à celle en groupe, couple ou famille ou qui se donne même comme devoir entre les rencontres.

Ⅲ | Équation du complexe d'infériorité

Selon mon analyse, la timidité est un facteur important du sentiment d'infériorité qu'éprouvent plusieurs personnes. Elles omettent de dévoiler leurs habiletés, leur potentiel, et ainsi elles se sentent inférieures puisqu'elles ne montrent que leur mauvais côté.

Toujours selon mon évaluation, l'équation d'une personne équilibrée, heureuse, épanouie, serait la suivante :

$$A + B + C + D + E + F + G = \text{Bien-être}$$

Les lettres représentent tout simplement les diverses ressources des personnes. Plus ces ressources sont mises à contribution, plus le bien-être des personnes augmente. Par contre, l'équation s'écrirait comme suit chez celles qui sont affectées d'un sentiment d'infériorité ou de malaise :

$$A + B = \text{Bien-être} - C - D - E - F - G = \text{Sentiment d'infériorité/malaise}$$

En somme, un individu qui possède de multiples ressources (ABCDEFG), mais qui n'en utilise que très peu sera très insatisfait puisque les ressources laissées pour compte pèseront du mauvais côté de la balance. Par contre, une personne plus limitée, qui dispose des seules ressources ABC, sera moins malheureuse si elle utilise déjà pleinement le A et le B, car seul le C créera une tension négative.

Je crois que cette équation peut expliquer en partie le problème des clients qui se présentent chez un thérapeute à cause de dépression, de fatigue chronique, de mésestime d'eux-mêmes, de problèmes psychosomatiques, etc. Le fait de vivre quotidiennement avec un fort déséquilibre entre les ressources personnelles disponibles et celles qui sont utilisées finit par user la confiance de l'individu et il s'ensuit des coûts qui augmentent graduellement avec le temps.

L'équation peut servir de devoir à réaliser pendant ou entre les rencontres. On peut aussi vérifier la fluctuation de cette équation dans le temps. Nous posséderions la solution à bien des maux s'il était possible de vérifier que la meilleure époque de notre vie correspond aux périodes où nous mettons à profit le maximum de nos aptitudes et capacités.

Ⅲ | Pour établir un contrat

Certains clients se présentent en consultation avec une montagne de problèmes, tous plus compliqués les uns que les autres. Une façon de circonscrire cet incompréhensible fouillis est de dresser un tableau des différents thèmes abordés. Comme il est indiqué ci-dessous, il est suggéré de demander au client de coter sur une échelle de 0 à 10 chacun de ces thèmes en fonction de sa gravité ou de sa lourdeur et de faire de même pour les objectifs qu'il souhaite atteindre en relation avec ces nombreux problèmes.

Le morcellement de la situation problématique du client atténue déjà en partie son malaise. Il réalise qu'il est impossible de résoudre une difficulté titanesque en une seule séance. Par ailleurs, la cotation permet, tant au client qu'au thérapeute, de déterminer le point de départ et le point d'arrivée de la démarche thérapeutique. Cette manière cartésienne d'aborder la situation enseigne au client une méthode efficace de gestion à laquelle il pourra recourir lors de conflits ultérieurs.

	Gravité 0-10	Objectif souhaité 0-10
mère	5	3
argent	4	4
emploi	5	3
femme	9	2
enfants	8	2
autonomie	4	4
maison	2	2
maîtresse	6	1

lıl | Graphiques

Certains arguments sont parfois frappants. Voici quelques exemples qui font appel à des illustrations graphiques de différentes situations.

EXEMPLE 1
| Peine d'amour |

Les victimes de rupture amoureuse ont souvent tendance à idéaliser leur ex-conjoint ou, au contraire, à le diminuer, voire à le vilipender. L'excès de leurs propos trahit un caractère irrationnel, responsable de leur désorganisation. C'était le cas de Michel, 32 ans, dépressif et suicidaire depuis que sa conjointe avait mis fin à leur relation cinq mois auparavant.

Michel :
C'était vraiment extraordinaire avec elle... J'étais tellement bien à ses côtés... Je ne retrouverai plus jamais personne comme elle... C'était la seule femme avec qui je pouvais imaginer avoir un jour un enfant...

Thérapeute :
(Se base sur le fait que la relation ne devait pas être si fantastique puisque sa bien-aimée a choisi de partir. Il commence à tracer le graphique ci-dessous.) Michel, combien de temps a duré votre relation ?

Michel :

18 mois.

Thérapeute :

Sur une échelle de 0 à 10, où placeriez-vous le premier mois, 10 étant super ?

Michel :

10 !

Thérapeute :

(Il inscrit la première donnée sur le graphique et continue au fur et à mesure que les autres données lui sont communiquées.) Qu'en était-il après trois mois ?

Michel :

Vous me faites penser... après trois mois elle m'avait dit qu'il fallait qu'on ralentisse.

Thérapeute :

Qu'on ralentisse ?

Michel :

Oui, nous avions une vie sexuelle très active et elle avait développé un problème de vaginite. Mais, c'était quand même un 8.

Thérapeute :

Et où en étiez-vous après six mois ?

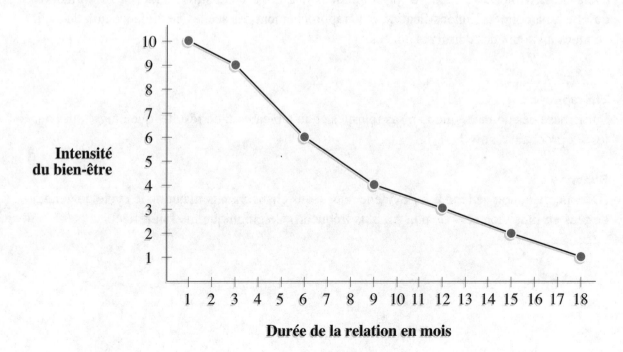

Durée de la relation en mois

Le thérapeute poursuit ainsi la collecte de données jusqu'à la fin de leur union. Il obtient le tableau complet illustré ci-dessus. Dans le cas de Michel, il avait lui-même fourni les données réelles et reconnaissait ainsi que sa relation n'était pas aussi formidable qu'il le prétendait, ce qui lui a donc apporté beaucoup de calme. Dans d'autres cas, il est nécessaire de demander des détails précis du quotidien de l'ex-couple pour dresser un graphique représentatif. L'impact associé à cette image laisse une empreinte puissante dans la tête du client. Il ne peut s'empêcher de la revoir en association avec les pensées liées à son ex-concubine. En résumé, cette schématisation amène une remise en question des croyances irrationnelles et favorise une plus grande ouverture vis-à-vis de nouvelles options.

E X E M P L E   2
| Ces femmes qui aiment trop |

Les femmes qui aiment trop (Norwood, 1986) tout comme celles qui sont victimes de violence répétitive ont tendance à minimiser les problèmes de leur(s) agresseur(s) et adoptent souvent une attitude parentale à leur égard : « Il ne recommencera plus, c'était un accident, il s'est échappé ! »

Suzanne était de celles-ci et, bien que son concubin l'ait frappée à plusieurs occasions, elle continuait à croire que cela ne se reproduirait plus jamais parce qu'il affirmait (encore une fois) avoir compris et se repentait suffisamment. Le thérapeute, qui connaissait le cycle de la violence, ne fut pas convaincu par ce genre d'arguments. Il a choisi de faire voir à Suzanne le cycle de la violence à l'aide d'un graphique. Il a donc reconstitué, grâce à l'information qu'elle lui a donnée, l'intensification et le rapprochement des scènes de violence qu'elle avait connues au cours des dernières années.

Thérapeute :
Sur la base des données que tu m'as fournies et du tableau qui en résulte, que prévois-tu pour les six prochains mois ?

Suzanne :
(Déconcertée, doit se rendre à l'évidence que, sans changements majeurs, le cycle deviendra de plus en plus violent et de plus en plus fréquent.) Ce graphique me fait réfléchir !

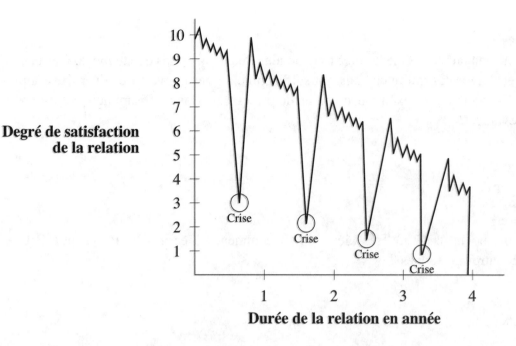

Degré de satisfaction de la relation

Crise

Crise

Crise

Crise

Durée de la relation en année

| Victime de jugements pernicieux |

Il arrive que certains individus soient la proie de personnes déséquilibrées ou malveillantes. Sans une vision objective de leurs commentaires, il s'ensuit un dépérissement moral, affectif et social.

Marthe, une jeune avocate brillante, a eu le malheur, dès son premier emploi, d'avoir une patronne narcissique. Impressionnée par le fait que cette femme était à la tête d'un cabinet d'envergure, Marthe avait tendance à lui accorder beaucoup plus de crédibilité qu'elle n'en méritait. La patronne ne se gênait pas pour humilier la jeune avocate devant les clients et les collègues, à la moindre faiblesse ou erreur. Elle refusait également de répondre à ses questions professionnelles pour éviter de lui faire profiter de son expérience. Elle la gardait ainsi dans un état de vulnérabilité. En fait, tous ces comportements réprobateurs n'étaient pas étrangers au fait que Marthe avait été reçue première de sa promotion universitaire et que son physique était presque parfait. Après avoir subi durant quelques mois ces traitements dévalorisants, Marthe a craqué et a dû quitter son travail. Elle se voyait dès lors incapable de pratiquer le droit à cause de son incompétence et de son inutilité.

Thérapeute :

Marthe, je ne connais strictement rien à ton domaine, mais j'aimerais que tu me donnes le nom d'avocats et d'avocates qui te connaissent suffisamment pour pouvoir t'évaluer dans ta profession. À l'université, par exemple, combien de professeurs t'ont suffisamment côtoyée pour pouvoir t'évaluer ?

Marthe :

10.

Thérapeute :

10 ? (Marthe hoche la tête.) Très bien, 10. (Il commence à écrire P1, P2 jusqu'à P10 au tableau.) D'autres personnes ?

Marthe :

Ma patronne.

Thérapeute :

Très bien (inscrit le nom de la patronne au tableau). Et encore ? Il y a sûrement des collègues de travail qui te connaissent suffisamment pour évaluer tes compétences professionnelles.

Marthe :

Oui, trois collègues du bureau. Il y a également Me Girard et Me Bertrand pour qui j'ai travaillé à titre de stagiaire l'été dernier.

Thérapeute :

(Ajoute ces nouvelles données au tableau.) Maintenant j'aimerais que tu me donnes une note, sur une échelle de 0 à 10, pour représenter l'opinion que ces gens ont de toi au plan professionnel. (Marthe s'exécute et indique les résultats qui apparaissent dans le tableau ci-dessous.) Cette fois, je voudrais que tu me donnes un autre chiffre pour désigner l'état d'équilibre psychologique de ces gens. Personne n'ira voir un professionnel qui a des problèmes de personnalité ou de déséquilibre mental pour se faire évaluer. L'opinion de cette personne ne serait vraisemblablement pas très valable, n'est-ce pas ?

Marthe a offert un 4 à sa patronne sur le plan psychologique. Cette dernière n'avait pas d'amis, n'entretenait pas de bonnes relations avec ses collègues de travail, sauf peut-être avec l'une d'entre elles, et ne se gênait pas pour dénigrer, humilier ou cancaner.

Une fois que l'ensemble des données est obtenu, on calcule d'abord la moyenne de la valeur professionnelle de la cliente. Il est habituellement préconisé de procéder un peu comme aux Olympiques, c'est-à-dire de laisser tomber la note la plus haute et la plus basse. On peut aussi procéder en fonction des cotes relatives à l'équilibre psychologique en conservant seulement les données provenant des personnes équilibrées (c'est-à-dire celles dont la cote d'équilibre mental est supérieure à 6). Avant l'exercice en cours, l'analyse de Marthe comportait deux problèmes : le premier était qu'elle n'avait retenu que les commentaires d'une seule personne, sa patronne, et le deuxième, qu'elle avait choisi la plus déséquilibrée.

Échelle d'équilibre psychologique	9	10	9	10	9	10	9	10	9	10	4	8	7	8	8	7
	1	*2*	*3*	*4*	*5*	*6*	*7*	*8*	*9*	*10*	*Patronne*	*1*	*2*	*3*	*Me Girard*	*Me Bertrand*
Cote professionnelle	9	10	9	10	9	10	9	10	9	10	3	7	7	8	9	9
					Professeurs							*Collègues*			*Superviseurs de stage*	

Le tableau a eu pour effet d'élargir sa vision trop étroite de sa valeur professionnelle. Au lieu d'être centrée exclusivement sur l'évaluation de sa patronne, elle a étendu sa vision à l'ensemble des jugements reçus. Les résultats de l'exercice se sont prolongés bien au-delà de la rencontre. L'image du tableau est venue s'associer aux pensées de Marthe sur sa valeur professionnelle et a servi de blocage à l'irrationalité.

lıı | Notre économie sociale

Il n'est pas superflu de faire le petit exercice ci-dessous au moins une fois par année. Le fait d'organiser l'information mentale en fonction d'un thème et de la transposer sur papier engendre une saine réflexion et induit souvent l'énergie nécessaire pour produire un changement.

Il s'agit de dresser une liste exhaustive des personnes significatives dans votre entourage (au travail, à la maison, les amis, la famille, etc.), de les coter à l'aide d'une échelle de 0 à 10 pour illustrer d'abord ce qu'elles vous rapportent, puis ce qu'elles vous coûtent (ces deux évaluations se font souvent à partir de critères différents).

Voyons l'exemple de cette femme dans la trentaine qui se sentait obligée d'aller visiter sa mère tous les dimanches. Elle continuait à maintenir sa relation avec elle dans l'espoir de recevoir un jour un compliment, qui se faisait d'ailleurs toujours attendre. Pour cette jeune femme, sa mère lui rapportait 0, mais lui coûtait 9 en anxiété et obligations. En choisissant de reprendre le contrôle de sa vie, elle a décidé de modifier son attitude avec sa mère et de réduire ses contacts avec elle. Bien que ces modifications ne lui aient pas permis de rééquilibrer totalement son équation, elles l'ont amenée à regagner quelques points sur son échelle de bien-être. La cliente a, du même coup, décidé de multiplier ses visites chez sa sœur puisque celle-ci ne lui coûtait qu'un seul point et lui en rapportait 8.

L'objectif est de faire la lumière sur nos relations interpersonnelles de manière à entretenir et à développer des rapports gratifiants, « payants » et bénéfiques. Bien que le fait de procéder à cette évaluation ne suffise pas à tout régler, il peut tout au moins nous servir de terrain de réflexion et nous éclairer sur les modifications à entreprendre.

Une bonification peut être apportée en ajoutant une colonne explicative aux cotes données.

Échelle d'économie sociale

	Bénéfices	Dépenses		Résultats
mère	0	9	=	-9
soeur	8	1	=	7
conjoint	7	2	=	5
enfant	10	1	=	9
belle-mère	2	8	=	-6
patron	3	6	=	-3
collègue	5	5	=	0
frère	4	3	=	1
père	3	6	=	-3
			Total :	1

lıl | Les buts visés

Une perte de temps considérable serait évitée si, à chaque rencontre, nous pouvions maintenir le client sur le thème pour lequel il consulte. Dans cette perspective, pourquoi ne pas mettre en évidence, sur un tableau ou sur des feuilles, les objectifs visés par celui-ci ? Le thérapeute pourrait s'y référer dès que le client s'en écarte ou simplement y revenir, notamment au début et à la fin de chaque rencontre, pour s'assurer de maintenir le cap. Non seulement les buts principaux peuvent être inscrits (c'est-à-dire, me trouver un emploi, sortir de ma dépression, améliorer mes résultats scolaires) mais aussi les sous-objectifs préalables au résultat final (me trouver un emploi : lire chaque jour les offres d'emploi dans tels journaux, faire dix appels téléphoniques auprès d'employeurs pour recueillir les informations pertinentes, etc.). Se rappeler que les sous-objectifs doivent être décrits de manière observable et énumérés le plus clairement possible.

Plusieurs clients retrouvent dans cette simple procédure l'encadrement et la motivation qu'ils recherchent.

Ⅲ | Lettres ou notes

Les clients les plus démunis supportent mal les vacances de leur thérapeute. Je suggère souvent aux intervenants de produire un bref résumé de la dernière rencontre, en mettant l'accent sur les éléments positifs et les devoirs à faire, et de poster à leur départ ce document à l'intéressé. Ainsi le client reçoit cette lettre durant l'absence du thérapeute, ce qui lui permet de poursuivre son cheminement.

Ceux et celles qui ont mis cette technique en pratique m'ont assurée que le temps de récupération nécessaire pour rétablir les liens au retour de vacances était écourté comparativement à leur façon habituelle de procéder. De plus, cette stratégie permet au client de se maintenir actif dans le processus pendant la période de relâche. La relation thérapeutique ne s'en trouve qu'affermie.

Le thérapeute peut également demander à son client de s'écrire une lettre à lui-même sur un sujet relatif à sa thérapie et de la lui remettre lors de leur dernière rencontre avant les vacances. Au moment de son départ, le thérapeute se charge de poster cette lettre, annotée ou non, à son client. Les résultats de cette formule sont également très profitables.

Dans un autre ordre d'idées, il est arrivé à maintes reprises qu'un thérapeute écrive une petite note au client pour qu'il l'affiche chez lui. C'est un moyen d'attirer l'attention du client sur le ou les devoirs au sujet desquels ils s'étaient entendus tous les deux. Je suis d'avis que ces simples rappels permettent au client de participer davantage au processus thérapeutique dans lequel il est engagé.

|ı| | **Mouche tsé-tsé d'Afrique**

La technique de la tsé-tsé d'Afrique est un mélange de métaphores et de graphiques. Elle s'adresse aux clients dépressifs ou souffrant de burnout. On dessine le continent africain et le continent nord-américain. L'entrevue se déroule dans un climat de calme et d'empathie.

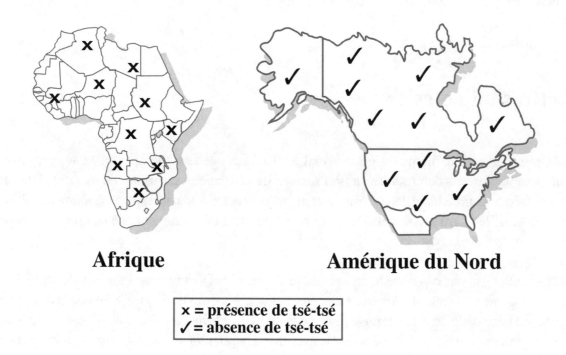

Afrique   **Amérique du Nord**

> ✗ = présence de tsé-tsé
> ✓ = absence de tsé-tsé

Thérapeute :

Gisèle, dites-moi, y a-t-il des mouches tsé-tsé dans ces coins-ci ? (Pointe différentes régions du continent africain.)

Gisèle :

Oui, je crois que oui.

Thérapeute :

(Montre différentes parties du continent nord-américain.) Et par ici, est-ce qu'on retrouve des mouches tsé-tsé ?

Gisèle :

Non, nulle part en Amérique du Nord.

Thérapeute :

En êtes-vous sûre ?

Gisèle :

Oui, tout à fait.

Thérapeute :

C'est ce que je crois aussi. En fait, j'utilise ce petit schéma pour vous aider à mieux comprendre votre situation. Actuellement, vous êtes dans une région où prédominent la fatigue, un fort questionnement existentiel, un désintérêt généralisé, un manque d'appétit, un sentiment que toutes les portes vous sont fermées. Vous n'avez aucune énergie pour remédier à la situation. Tout vous semble noir : le passé, le présent, le futur. Est-ce bien cela ?

Gisèle :

(Hoche la tête avec des larmes dans les yeux.)

Thérapeute :

(Tout doucement.) C'est comme si vous étiez éloignée de votre pays, sans le moindre espoir de pouvoir y revenir. (Silence.) En fait, vous vous sentez loin de vous-même et vous êtes convaincue qu'il vous est impossible de redevenir celle que vous étiez. Il faut que vous sachiez qu'il s'agit là d'une conception erronée, typique de votre état et loin d'être véridique. Maintenant, comme vous le voyez, il y a une certaine distance à parcourir pour retourner chez vous. Le mieux est d'y aller graduellement. D'abord, il faudra vous trouver un avion, faire le voyage, planifier votre arrivée et apprendre à sélectionner plus rigoureusement vos prochaines destinations.

Gisèle :

(Toujours les larmes aux yeux, mais laisse échapper un petit rire amusé.)

En se basant sur le schéma et la métaphore, le thérapeute et la cliente peuvent constamment évaluer l'évolution du cheminement. Au tout début, dans ce genre de problématique, il est fréquent que le client rate son vol ou même quelques vols. En effet, il arrive souvent qu'il ait de la difficulté à s'engager dans le processus et à se conformer aux devoirs prévus. Cette situation est tout à fait normale. Il arrive même qu'il doive abandonner l'avion pour prendre le bateau. C'est beaucoup plus long mais, pour certains, plus efficace et surtout nécessaire.

Cette analogie transmet de l'espoir au client, qui en a grandement besoin. Elle lui permet de reconnaître les diverses étapes par lesquelles il devra passer et de comprendre qu'il est possible de revenir... chez soi.

Élaine, 45 ans, craignait de devenir alcoolique parce que sa mère l'avait été elle-même. Depuis son traitement, cette dernière était hantée par l'idée que sa fille puisse subir le même sort et elle lui répétait sans cesse d'arrêter de boire. Or, Élaine n'était pas alcoolique. Par contre, elle consommait à l'occasion. En fait, elle se limitait à un ou deux verres de vin le soir et les fins de semaine. Les paroles de sa mère avaient eu tellement d'influence sur elle que, dès qu'elle avait le goût d'un verre de vin, elle se croyait alcoolique et voyait sa vie anéantie comme celle de sa mère. La goutte qui a fait déborder le vase est un événement survenu un samedi soir. Son fils de vingt ans est rentré à la maison avec deux copains. Les trois s'étaient acheté de la bière pour la boire durant le film qu'ils projetaient de regarder ensemble. Rien d'alarmant, mais pour Élaine ce fut la preuve flagrante que non seulement elle avait des problèmes d'alcool, mais qu'en plus elle les avait transmis à son propre fils.

_____

Thérapeute :

Élaine, pourriez-vous choisir un objet dans cette pièce qui caractériserait votre mère ?

Élaine :

(Un peu étonnée par cette question mais cherche tout de même un objet symbolique. Elle s'arrête sur un coussin.) Voilà ce qui la représente le plus parce qu'elle a toujours été une femme d'intérieur, très friande de la télévision.

Thérapeute :

Très bien. Maintenant pourriez-vous trouver un objet dans mon bureau qui vous ressemblerait ?

Élaine :

(Elle scrute une fois de plus la pièce et choisit un petit cheval.) C'est moi. J'adore les voyages. Je me promène beaucoup. J'aime travailler. Le fait qu'il est doré me fait penser à mon petit côté raffiné (admet-elle avec une gêne mal dissimulée).

Thérapeute :

Voyez-vous une ressemblance entre ces deux objets ?

Élaine :

(De nouveau surprise par la question.) Hum ! pas vraiment.

Thérapeute :

C'est bien ce que je croyais. Le fait que votre mère et vous soyez de la même famille ne signifie pas nécessairement que vous soyez pareilles. C'est bien là l'erreur que votre mère commet. Le coussin comme le cheval possèdent leur réalité propre. (Et il poursuit en énumérant les différences entre leurs deux réalités, leurs façons et leurs raisons spécifiques de consommer de l'alcool.)

_____

Perspective de la mère   Réalité

Dans ce cas-ci, le thérapeute a également choisi de recourir aux cercles. Pour commencer, il en dessine deux, joints l'un à l'autre afin d'illustrer la perception symbolique de la mère vis-à-vis de sa fille. Puis, il demande à la cliente de dessiner sa propre perception. Le cas échéant, l'intervenant le fera lui-même à partir des données qu'il détient. Dans le cas présent, nous retrouvons deux cercles indépendants, ce qui amène la cliente à reconnaître son idiosyncrasie.

Filage

L'impact de la technique suivante est extraordinaire pour responsabiliser le client. Une mère, au bord de la crise de nerfs, vient en consultation parce que son fils de quatorze ans laisse fréquemment traîner son linge, son sac d'école, ne nettoie pas toujours après ses collations, fait rarement son lit le matin et lance même parfois ses canettes vides sous la haie de cèdres ! À première vue, tout cela apparaît comme une situation normale, mais la dame refuse obstinément de croire qu'elle puisse dramatiser. Elle a voué sa vie à élever ses enfants en pensant que, si elle était une bonne mère, ceux-ci l'écouteraient toujours religieusement. Elle veut de l'aide pour changer son fils.

Thérapeute :
Madame Jourdain, dans une même journée, combien de fois êtes-vous déçue des comportements de votre fils ?

Mme Jourdain :
Au moins 4 à 5 fois !

Thérapeute :
(Indique un cadre vide illustré à la figure 1 de la page suivante.) Disons que ce cadre représente une journée parfaite, sans tache, un 10/10. Je vais maintenant mettre quelques points pour indiquer les déceptions que vous vivez quotidiennement par rapport à votre fils. Prenons une grosse journée où vous éprouvez six déceptions. (Le thérapeute dessine six petits points à l'intérieur du cadre, voir figure 2.) Cette journée devient donc un 8/10. Mais vous me dites que les vôtres ressemblent davantage à un 2/10 !

Mme Jourdain :

Au mieux !

Thérapeute :

Oui, je crois que je comprends pourquoi. À mon avis, le problème provient du fait qu'à chaque fois que vous découvrez, par exemple, une canette que votre fils a volontairement laissée dans la cour (le thérapeute a le crayon sur l'un des points à l'intérieur du cadre et dessine des lignes dans toutes les directions pendant la conversation,) vous commencez à vous dire que vous êtes une mauvaise mère, que votre fils va mal finir, qu'il agit délibérément pour vous faire du mal, etc. En somme, il y a beaucoup de pensées qui circulent dans votre tête, n'est-ce pas ? (La cliente acquiesce.) Et la même chose recommence chaque fois que vous remarquez une indiscipline de sa part, c'est cela ? (La cliente semble encore d'accord.) Voilà donc le résultat : nous avons une journée de 1-2/10 (voir figure 3).

Maintenant vous me demandez de changer votre fils pour faire en sorte d'améliorer votre qualité de vie. Très bien, regardez. Qu'arrivera-t-il si on parvient à obtenir que Martin se comporte parfaitement ? (Le thérapeute efface les six points dessinés au départ, comme le montre la figure 4.) Est-ce bien ce que vous recherchez ?

Mme Jourdain :

(Muette de surprise.)

Thérapeute :

Croyez-vous qu'on aurait plus de chances si on enlevait plutôt le filage ? (Figure 5.)

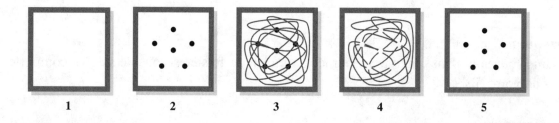

J'ai fait la démonstration de cet exercice dans plusieurs milieux. Certains accusaient leur partenaire, leur employeur, le gouvernement ou la vie d'être responsable de leur misère. En réalité, je ne crois pas que l'être humain soit un pantin pouvant être manipulé si facilement. Personne n'a le pouvoir de posséder notre cerveau, à moins qu'on ne le lui accorde ! De plus, on ne peut pas s'en sortir en se disant que, si l'autre n'avait pas commencé, il n'y aurait pas eu de filage. À moins qu'une personne ne vive seule sur une île déserte, il y aura toujours un « autre » pour défier ses valeurs et ses façons de faire. En somme, le meilleur moyen de se débarrasser du filage est de cesser de le tisser.

❙❙❙ | Échelle de dramatisation

Curieusement, les gens ne semblent pas réaliser que la vie a une fin. Ils attendent. Ils perdent des instants précieux. Tant d'aînés regardent en arrière avec une profonde déception et une grande tristesse, car ils n'ont pas fait ce qu'ils souhaitaient lorsque le moment s'y prêtait. Ils se voient obligés de rêver leurs rêves ou de les nier lorsque cela fait trop mal de regarder la réalité en face.

Pour dramatiser une telle situation, le thérapeute peut sortir sa calculatrice et demander à son client depuis combien de temps dure son laxisme. Il calcule ensuite le nombre de minutes non remboursables qu'il a déjà perdues.

Vous souvenez-vous, au chapitre 3, de cette femme dont le mari lui avait avoué un bon matin, comme pour se faire pardonner, qu'il l'avait trompée à plusieurs reprises avec des prostituées, pendant deux ans ? Bien que cette confidence datait de plus de huit ans, la dame n'avait pas mis un terme à sa colère et continuait à le blâmer vivement et à l'humilier sans pour autant vouloir le quitter. Elle a perdu 8 ans X 365 jours X 24 heures X 60 minutes, soit 4 204 800 minutes, non récupérables, à vivre dans la colère, la rancune et la rage. Voyant qu'elle voulait continuer ses dénigrements, le thérapeute lui a demandé si elle souhaitait se rendre à 5 000 000, auquel cas il lui fixerait rendez-vous deux ans plus tard, ce qui n'a pas manqué de la faire réagir.

Combien de personnes perdent de précieuses minutes à la suite d'un échec, d'un deuil, d'un handicap ? Tôt ou tard, elles finissent par le regretter. Mieux vaut plus tôt que trop tard.

❙❙❙ | Croissance/évolution

Comment dessineriez-vous l'évolution d'une personne, d'une psychothérapie ? C'est important d'avoir une idée sur cette question pour pouvoir tenir le coup lorsque les clients connaissent un épisode de régression. À votre avis, laquelle des deux figures ci-dessous propose le meilleur modèle ?

La figure 2 est représentative de ce que nous vivons généralement. Nous évoluons par palier et le fait de régresser de temps à autre ne signifie pas que tout soit perdu. Il s'agit plutôt d'une période de tension, de fatigue, d'un coup dur qu'il faut encaisser ou simplement d'une phase de décantation pour mieux reprendre des forces.

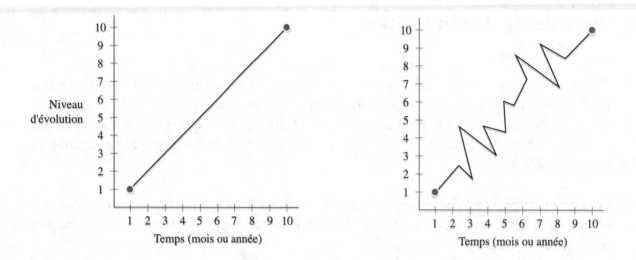

Un jour, une cliente s'est présentée à mon bureau et, contrairement aux semaines précédentes, elle avait régressé. Elle s'en voulait beaucoup et croyait que je serais déçue d'elle. En lui présentant ma figure de croissance/évolution, elle a ressenti un grand soulagement et a pu se réengager plus rapidement dans son cheminement. Il est bon de se référer à un modèle qui permet de garder l'espoir et la motivation, et ce, tant pour le thérapeute que pour le client.

lıı | Cercles de contamination

EXEMPLE 1

| L'enfant persécuté |

Je partage l'opinion de John Bradshaw, à savoir que les enfants sont les meilleures victimes que nous puissions trouver : peu importent l'attitude et les comportements de leurs parents, ils continuent à leur pardonner aveuglément et à tout faire pour mériter leur amour.

En rencontrant les intervenants en milieu scolaire, je réalise la difficulté de leur tâche devant des enfants prisonniers de parents malsains, déséquilibrés ou immatures. Ils doivent sortir leurs gants blancs et être vraiment très habiles pour faire comprendre à l'enfant que son parent est... malade, sans risque de représailles du côté parental ! Parfois le problème se pose aussi vis-à-vis de certains professeurs ou de la direction de l'école. Comment dire à l'étudiant qu'il a raison, que le problème vient réellement de son enseignant, mais sans le lui avouer clairement ? Il est difficile d'imaginer le jeune arriver en classe et dire à son professeur : « Le psy m'a confirmé que c'était toi, le problème ! »

Voici une élégante petite astuce qui pourra vous servir dans pareille situation. Prenons l'exemple d'un enfant qui subit quotidiennement les vociférations et les dénigrements de son père. Malgré les efforts de l'intervenant, le père refuse catégoriquement de se présenter en entrevue. La mère, du genre victime, demeure muette et impuissante. Le thérapeute commence d'abord par mettre l'enfant en contact avec ses propres expériences de colère pour lui montrer que, dans un tel état, il pense et s'exprime autrement qu'en temps normal. Il lui explique avec le dessin ci-dessous qu'il en est de même pour tout le monde (sans pointer le père plus qu'une autre personne). Le premier cercle représente une personne dans son état normal, c'est-à-dire un être relativement rationnel, respectueux de lui-même et des autres, et capable de discuter calmement. Le deuxième indique une personne sous l'emprise de la colère (ou de la fatigue, de la dépression et de la maladie, selon la situation).

Ces états ou ces émotions viennent déformer la situation, modifier le discours, dominer à plus ou moins grande échelle la pensée de l'individu. On peut demander à l'enfant lequel des deux cercles contient les propos hargneux de son père et lui suggérer la technique du filtre (chapitre 1) pour se défendre des paroles blessantes de son père.

Cette méthode préserve la partie saine du père tout en expliquant à l'enfant les raisons pour lesquelles il se comporte de façon agressive avec lui. La plupart des gens généralisent cette leçon à l'ensemble de leurs fréquentations.

EXEMPLE 2
| La fatigue meurtrière |

Voici une autre situation où les cercles de contamination sont très utiles. Il s'agit d'un homme dans la cinquantaine, à la tête d'une très grande entreprise. Il disait vouloir se suicider, non pas par découragement, mais parce qu'il était prêt à quitter ce monde.

Son histoire personnelle révélait qu'il avait toujours été un batailleur. Il travaillait depuis l'âge de neuf ans. À quatorze ans, il avait avancé de l'argent à son père pour que celui-ci s'achète une voiture. Il avait toujours eu des idées plein la tête, un plaisir peu commun à dépasser ses limites, une énergie débordante et une santé de fer. C'était le genre d'individu qui possédait deux à trois entreprises en plus de poursuivre ses études universitaires de façon accélérée. De la dynamite, quoi ! Il ne voulait pas prouver quoi que ce soit aux autres, il aimait simplement la vie. Son optimisme à toute épreuve et sa nature exceptionnelle de fonceur, d'entrepreneur le caractérisaient parfaitement. Il avait servi de modèle à ses deux enfants qui, plus tard, se sont démarqués par l'obtention de bourses exclusives pour poursuivre des études à l'étranger.

Les trois dernières années de Pierre avaient cependant été très difficiles. Elles avaient été marquées par des inquiétudes financières relatives à sa compagnie et avaient exigé des heures inhumaines de travail, pouvant aller jusqu'à vingt heures par jour. De plus, il y avait la cinquantaine ! Somme toute, le diagnostic était que notre ami n'avait pas du tout reçu de révélation concernant l'heure de sa mort, mais présentait plutôt un problème de burnout. Allez faire avaler cela à des abeilles ouvrières !

Thérapeute :
Pierre, regardez bien. (Le thérapeute trace le premier cercle ci-dessous.) Voici Pierre dans son état normal : un gars ambitieux, rempli d'idées, de projets, un gars qui veut toujours aller plus loin avec tout le génie créateur qu'il possède. C'est un amoureux de la vie. Il veut apprendre, créer, se dépasser. C'est dans son essence. Êtes-vous d'accord ?

Pierre :
(Avec un sourire mi-flatté, mi-sérieux.) Oui !

Thérapeute :
Voici à présent Pierre hypothéqué par la fatigue parce que, depuis trois ans, il travaille entre quinze et vingt heures par jour, en plus de supporter toute la pression inhérente à son poste (trace le deuxième cercle). Cet homme tente de me faire croire que la vie n'est pas intéressante, qu'il vaut mieux en finir, qu'il n'a plus le goût de rien. Dites-moi, lequel des deux ai-je dans mon bureau actuellement ?

Pierre :
(Hésite à admettre la réalité ; il regarde le thérapeute avec un petit sourire, comme s'il lui disait : « Échec au roi » !)

Thérapeute :
Pierre, cet homme-là (désigne le deuxième cercle) n'arrivera jamais à me convaincre que celui-ci (indique cette fois le premier cercle) en a assez de la vie. C'est un batailleur dans le sang ; il est né avec ce trait de caractère. (Moment de silence.) Pierre, laisseriez-vous la direction de votre compagnie à un enfant ou à un mendiant ?

Pierre :

Bien sûr que non !

Thérapeute :

Pourquoi ?

Pierre :

Parce que la compagnie fermerait rapidement !

Thérapeute :

J'ai bien l'impression que c'est ce qui vous menace. Actuellement, vous laissez la fatigue gouverner votre vie et les conséquences néfastes en sont déjà nombreuses. Si j'étais vous, je ne la laisserais pas être la présidente de mon conseil d'administration. Elle est très mauvaise conseillère !

Pierre :

(Réfléchit et hoche positivement la tête.)

Thérapeute :

Faisons un arrangement. D'ici les trois prochaines semaines, organisez-vous pour la déloger de votre conseil d'administration ou tout au moins pour la reléguer au second plan. Si vous tenez encore les mêmes propos en revenant, nous en rediscuterons sérieusement. Je tiens quand même à vous revoir pour vous aider à mieux orchestrer votre vie et pour être sûr que vous ne vous ferez plus reprendre.

Pierre :

Mais je ne peux pas prendre de vacances pour l'instant !

Thérapeute :

Dans ce cas, vous sous-estimez le pouvoir de l'épuisement. Très bientôt, si vous ne prenez pas de repos, il vous contraindra à en prendre contre votre gré ! Vous êtes bien placé pour le savoir, n'est-ce pas ?

Pierre :

J'ai bien peur que vous ayez raison. Je n'ai plus le choix.

Pierre est reparti avec le dessin. Il m'a dit l'avoir traîné avec lui durant les deux mois suivants. Chaque fois qu'il entendait une petite voix le pousser vers le suicide, il savait la reconnaître et la faire taire.

lıl | Analyse des dépenses d'énergie

L'un des principaux fléaux dans les milieux de travail est ce que j'appelle le « clan ». Il consiste à transmettre à un grand nombre de collègues une perception (généralement fortement teintée !) négative du patron, d'un autre collègue ou d'une situation particulière et à former ainsi un clan uni par le même préjugé.

Prenons l'exemple de Manon qui emportait avec elle, à son travail, les nombreux soucis liés à la prochaine chirurgie de sa fille de trois ans. Les chances de la petite de conserver l'audition après l'opération étaient minces. Préférant se faire discrète auprès de son entourage professionnel, Manon n'avait glissé mot à personne de cette grave situation, qui perdurait depuis déjà six mois. Néanmoins, son enthousiasme habituel au travail s'était métamorphosé en une indifférence flegmatique. Un bon matin, après avoir tenté à deux reprises d'obtenir un petit bonjour de sa camarade, Charles s'est retrouvé frustré dans le bureau de Monique.

Charles :

As-tu vu Manon ce matin ?

Monique :

Non. Pourquoi ?

Charles :

Tu as de la chance ! Je lui ai dit bonjour à trois reprises (on exagère toujours un peu dans ces moments-là) et elle ne m'a même pas regardé !

Monique :

Oui... moi aussi, elle m'a fait ça dernièrement ! J'ai l'impression qu'elle tente de se détacher de nous !

Charles :

Franchement, je commence à en avoir assez ! Mais pour qui se prend-elle ?

Ginette :

(Fait irruption dans le bureau de Monique, constate qu'elle interrompait manifestement leur conversation.) Oh ! je m'excuse de vous déranger !

Monique :

Non, non ! Tu ne nous déranges pas ! On parlait de Manon. L'as-tu croisée dernièrement ?

Ginette :

Non, pourquoi ?

Monique :

Elle nous ignore complètement !

Ginette :

Vraiment ? Pourtant ce n'est pas son genre !

Charles :

Je pensais également la même chose, mais, depuis un moment, je ne sais pas quelle mouche l'a piquée ! Elle n'est plus du monde !

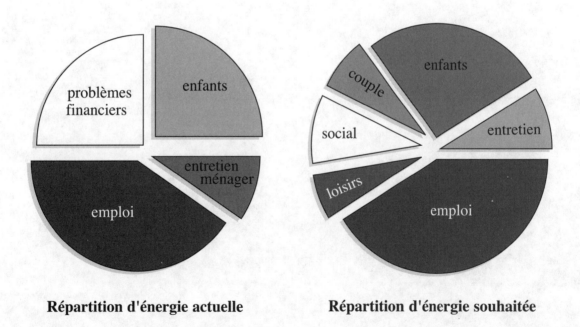

Répartition d'énergie actuelle   **Répartition d'énergie souhaitée**

Généralement, le temps que dure ce type de conversation est proportionnel au ressentiment et à la colère qui s'installent chez chacun des protagonistes, incluant la nouvelle venue, Ginette. Quelle réaction Ginette aura-t-elle, croyez-vous, lorsqu'elle rencontrera Manon ?

L'exemple le plus frappant est celui de Jacques. Un jour, je parlais des conséquences du clan, et il a rétorqué : « Ça y est, je viens de comprendre ! Nous devons changer de directeur général au centre dans deux semaines. En fait, les mauvais commentaires de mes collègues à son égard déteignent tellement sur moi que je le déteste déjà sans même le connaître. Je n'aime pas passer mes journées avec de la tension et de la colère omniprésentes. Ton explication va m'aider à prendre de la distance par rapport aux autres. »

En somme, le clan vient gruger une importante part de nos réserves d'énergie. Un membre actif d'un clan arrive très souvent à la maison « brûlé », épuisé, mais croit que son travail est responsable de son épuisement.

Le clan n'est qu'un parasite parmi tant d'autres de nos ressources énergétiques. Il peut être intéressant d'offrir à nos clients, pendant l'entrevue ou comme devoir à la maison, de répartir leurs dépenses actuelles d'énergie à l'aide d'un graphique en forme de tarte, puis d'en produire un autre correspondant à ce qu'ils souhaitent atteindre.

Plusieurs clients m'ont assuré que l'exercice leur avait permis d'éviter ce « surmenage professionnel » et les avait aidés à développer un meilleur discernement quant à leurs dépenses d'énergie.

Miscellanées

Deux sections principales composent ce chapitre. La première apparaît comme un inventaire d'astuces et de devoirs. Cette liste a été dressée à la suite de lectures, de rencontres diverses et de recherches personnelles. La majorité des astuces présentées est applicable en thérapie de groupe. Les devoirs recommandés sont, quant à eux, plus polyvalents ou hétérogènes.

J'ai consacré la deuxième section de ce chapitre à répondre aux questions que les nouveaux initiés aux Techniques d'Impact formulent le plus souvent. Les réponses fournies contribueront sûrement à relativiser les éventuelles craintes et interrogations à la lecture de certains cas.

| Technique dynamique pour débuter une session avec un nouveau groupe |

Une façon formidable de commencer une intervention avec un nouveau groupe, tout en donnant un ton dynamique à la session à venir, est d'incorporer un jeu au mode de présentation des participants. Il s'agit de placer tous les membres en équipes de deux pour une période de temps variable (d'une à deux minutes) répartie équitablement entre chacun des coéquipiers — qui récolte ainsi la moitié du temps alloué. Durant cette période, chaque personne doit poser le plus de questions possible à l'autre (questions inusitées ou tout à fait sobres selon les instructions reçues) afin de recueillir le maximum d'information. Après une minute, l'animateur lance un signal pour indiquer à chaque participant de se diriger vers un nouveau coéquipier. Le jeu se poursuit ainsi jusqu'à ce que chacun ait eu l'occasion de se retrouver en duo avec tous les autres membres du groupe.

Lorsque cette partie de l'exercice est complétée, on demande aux participants de présenter à tour de rôle chacun de leurs acolytes à partir des renseignements qu'ils ont recueillis. Cet exercice, en plus d'être amusant, favorise la cohésion du groupe et une participation active.

| Pour ajouter à la cohésion du groupe |

La création d'un contact personnel entre chaque membre est la clé pour l'obtention d'une bonne cohésion de groupe. Le fait de placer régulièrement vos participants en sous-équipes plutôt que de les maintenir tous ensemble augmente graduellement leur degré de connaissance. Ils se regroupent donc par deux ou trois afin de discuter d'un thème quelconque. Les sous-groupes sont parfois plus nombreux selon la quantité de participants et la durée de l'exercice. En général, plus le temps d'exercice est court, plus le nombre de membres à l'intérieur des sous-équipes doit être limité.

L'animateur peut laisser le soin à chaque membre de choisir son ou ses équipiers. S'il souhaite diversifier le couplage, il peut organiser une numérotation. Par exemple, il divise un groupe de douze en trois équipes de quatre, en attribuant à chaque membre, à tour de rôle, un numéro de 1 à 4. Ensuite, ceux qui ont reçu le même chiffre se réunissent entre eux afin de discuter du thème choisi.

| Formulations incitatives |

Le pouvoir des mots ne doit pas être sous-estimé. Par exemple, il serait plus profitable de dire : « Préférez-vous parler de vos émotions maintenant ou plus tard ? », au lieu de « préférez-vous en parler ou non ? » Présenter ce choix au client permettrait d'obtenir une plus grande collaboration de sa part. La formule : « Préférez-vous parler de vos émotions de colère ou de peur ? » incite aussi à la coopération. Elle porte le message suivant : « Nous allons en parler ! » La réponse à ces dernières questions conduit à une ouverture au lieu de mener à une impasse.

| Signaux symboliques pour les vastes assistances |

L'intervenant qui fait face à un auditoire considérable doit utiliser un signal efficace pour ramener l'attention de son assemblée vers lui lorsque les membres discutent en sous-groupes. Ce signal permet d'économiser beaucoup de temps et d'éviter à coup sûr... une extinction de voix ! Au moment voulu, l'animateur lève le bras pour demander le silence. Lorsque les participants voient ce geste, ils lèvent le bras à leur tour pour signifier qu'ils ont reçu le message et pour le transmettre à ceux qui ne l'ont pas encore vu. Il se produit un effet de boule de neige de sorte que, même ceux qui font dos à l'animateur retrouvent dans leur champ visuel un participant au bras levé qui leur transmet la consigne. Plusieurs collègues racontent qu'il existe un réflexe conditionné depuis l'école primaire entre le fait de lever le bras et celui de se taire. Essayez-le, vous verrez bien !

| Le pouvoir du regard |

On peut exploiter au maximum le pouvoir du regard, principalement pour encourager un membre timide et réservé à s'ouvrir et à partager avec le groupe. Il s'agit de rester attentif aux messages non verbaux de l'individu, plus précisément à ses signes de tête. Lorsqu'on remarque qu'il réagit au thème discuté, on peut l'encourager du regard pour qu'il prenne la parole, tout en finissant soi-même de formuler la question.

Le pouvoir du regard peut aussi servir à créer une plus grande cohésion dans le groupe, si le leader s'efforce de regarder tour à tour chaque individu plutôt que de fixer celui qui parle. De cette façon, celui qui a la parole est forcé de s'adresser à l'ensemble du groupe plutôt qu'à l'animateur seulement.

| Technique d'amortissement |

La première rencontre soulève habituellement beaucoup d'enthousiasme et de plaisir puisque chacun se présente et rencontre de nouvelles personnes. Les contacts subséquents font place à des témoignages, à des révélations qui génèrent des émotions plus difficiles à vivre pour la plupart, ce qui modifie considérablement l'énergie du groupe. Dès la fin de la première rencontre, il est bon d'en informer préventivement les différents membres. L'intervenant peut aussi leur donner un devoir pour les préparer au prochain thème qui sera discuté. Par exemple, le fait de leur proposer des phrases à compléter sur le sujet qui sera abordé la fois suivante permet à chacun d'identifier ce que cela éveille en lui et ainsi d'être davantage préparé à y faire face le temps venu.

| Quantité optimale de Techniques d'Impact à utiliser |

Une bonne règle à suivre à propos des exercices utilisés dans les groupes est de ne pas trop en faire afin de garder suffisamment de temps pour développer l'information recueillie au cours de chaque exercice.

| Clôture des rencontres |

La clôture de la séance est très importante pour consolider les nouveaux acquis, pour clarifier les réflexions à poursuivre au cours de la semaine et pour préparer la session suivante.

Plusieurs individus ont de la difficulté à résumer succinctement les points traités lors d'une rencontre. Sans synthèse systématique en fin d'entrevue, les clients repartent avec des idées plus ou moins vagues sur le contenu de ce qui a été discuté et sur les conséquences subjectives de l'expérience vécue. Ce genre de bilan favorise non seulement chez les participants une meilleure assimilation des sujets discutés, mais il leur enseigne également à améliorer leur objectivité face aux événements qu'ils vivent. De plus, l'énumération des thèmes dominants facilite et permet de centrer les réflexions pour les jours qui suivent la rencontre.

Par ailleurs, les dernières minutes d'une session représentent aussi le moment idéal pour s'enquérir du niveau de satisfaction de chacun quant au fonctionnement global du groupe, aux échanges verbaux et aux résultats obtenus lors des réunions. Les informations découlant de cette discussion pourront être utilisées par le responsable du groupe pour apporter les modifications nécessaires.

L'une des meilleures façons d'obtenir une radiographie complète et rapide du groupe demeure encore la technique des rondes (chapitre 6). On peut par exemple demander aux participants de compléter des phrases (« une chose que j'ai apprise aujourd'hui, c'est... », « ce que j'ai le plus aimé aujourd'hui, c'est... », « ce que j'ai le moins aimé aujourd'hui, c'est... », etc.), ou leur faire choisir un mot pour exprimer leur niveau de satisfaction relativement au contenu abordé ou à la manière dont le thème a été traité.

Une autre méthode efficace pour faire la collecte des données est le journal intime. Chacun prend quelques minutes à la fin des réunions pour écrire ses commentaires. Cette information peut être parcourue et annotée par l'animateur du groupe. Ce moyen constitue, pour certains, un outil privilégié de communication. Il demeure la propriété du participant à la fin du processus thérapeutique.

∴ Devoirs

Plusieurs des techniques présentées dans les chapitres précédents peuvent servir de devoir à laisser au client. Citons, entre autres, l'exemple du jeu de cartes (chapitre 2). Le client pourrait prendre quelques minutes durant la semaine pour réfléchir aux bonnes cartes qu'il possède, à celles qui lui sont nuisibles, aux raisons d'éliminer ces dernières et d'acquérir celles qu'il recherche et, enfin, à la façon de s'y prendre pour arriver à ce résultat.

Il serait également pertinent de reprendre l'exemple du compte de banque (chapitre 6). Quelles sont les ressources disponibles dans le compte en banque du client ? Quelles sont les personnes qui ont accès à ces réserves ? S'agit-il d'un compte ouvert où chacun puise ? (Ceci décrirait assez bien la situation de certaines mères avec leurs enfants et les membres de leur famille.) Quelles sont les personnes qui y font des dépôts ?

En fait, presque toutes les techniques présentées pourraient servir de devoirs fructueux. Voici quand même quelques suggestions supplémentaires.

| Auto-observation |

L'auto-observation constitue le point de départ de la plupart des thérapies. Elle permet d'obtenir l'heure juste sur les comportements à modifier, c'est-à-dire de savoir quand et avec qui ils se manifestent, leur intensité, leur forme, etc. Pour certains clients, cette étape est déjà bien amorcée lorsqu'ils se présentent en entrevue. Pour d'autres, elle constitue le début de leur cheminement.

Pour s'assurer de la collaboration du client, il est important de constituer une grille de collecte d'information. Elle doit être à la fois complète et non fastidieuse. Elle peut se remplir oralement dans certains cas, mais la forme écrite ajoute souvent de la rigueur et du contenu aux données recueillies. Plusieurs approches favorisent ce type d'intervention. La grille doit tenir compte de la situation en cause, des manifestations verbales et/ou du comportement du client ainsi que des résultats obtenus. Certains ajoutent aussi une échelle d'intensité variant de « faible à fort » ou de « succès à échec » selon qu'elle porte sur les réactions du client ou les résultats observés.

Dans l'approche d'Impact, nous établissons une typologie d'attitudes qui permet d'identifier celles de l'Adulte (réactions où le client est en pleine possession de ses émotions et de son esprit rationnel) et celles de l'Enfant ou du Parent (réactions caractérisées davantage par une perte de contrôle et une émotion envahissante ou guidées par des méthodes inefficaces apprises dans l'enfance). Cette façon de procéder permet à la fois de renforcer l'Adulte du client et de mieux identifier la partie de lui-même qui fait problème. Il s'aperçoit qu'elle n'est qu'une composante de son enfance, teintée d'immaturité, de manque d'habiletés vis-à-vis de fortes émotions ou de situations difficiles. Le contrat est donc d'enseigner à l'Adulte du client de nouvelles façons gagnantes de réagir. Le processus de dissociation entre ces différents états de l'ego doit cependant avoir été établi au préalable.

Par ailleurs, pour la collecte de données qualitatives, nous préférons les chiffres (échelle de 0 à 10) aux mots afin de raffiner la précision des réponses données.

Situation	Enfant/parent (réactions)	Résultats (0 à 10)	Adulte (réactions)	Résultats (0 à 10)
Ma blonde ne vient pas m'embrasser lorsque j'arrive de travailler.	Je boude et réponds agressivement à ses questions.	2/10 Je me sens mal et elle aussi		
Ma blonde arrive en retard et ne s'explique pas.			Je lui demande calmement ce qui lui est arrivé.	9/10 Elle me l'a expliqué. Je me suis senti adulte de m'être contrôlé.

| Écrire le contenu de la cassette |

Nous avons énuméré au chapitre 1 différentes utilisations de la cassette audio. Parmi celles-ci, nous mentionnions la réédition avec rectification des messages enregistrés sur la cassette comme devoir à proposer entre les rencontres. La grille de la page suivante accompagne habituellement cet exercice.

Exemple 1 :

Messages internes *(2 + 2 = 9)*	Auteur(s)	Évaluation psychologique de l'auteur	Rectification *(2 + 2 = 4)*
Tu es un paresseux et un raté.	Père	2/10 *(Le père était alcoolique et violent.)*	Je suis en colère parce que tu ne veux pas aller me chercher de la bière. Je n'ai en fait jamais été suffisamment en contact avec toi pour vraiment savoir qui tu es.

On peut appliquer la grille ci-dessus à un thème en particulier. Dans l'exemple qui suit, le thérapeute avait demandé à la clientèle de fouiller dans ses données internes pour retrouver les messages se rapportant au succès.

Exemple 2 :

Vis-à-vis d'un succès

Messages internes *(2 + 2 = 9)*	Auteur(s)	Évaluation psychologique de l'auteur	Rectification *(2 + 2 = 4)*
Arrête de t'enorgueillir de ce que tu fais !	Mère	3/10 *(La mère a été très malheureuse toute sa vie et impuissante à changer sa situation.)*	Mes parents ne m'ont pas appris à me réjouir de mes succès. Je croyais qu'ils avaient raison. Voyant ce que ça a donné dans ma vie, je suis persuadée qu'ils avaient tort. Le fait de se féliciter de ses succès ne fait pas de soi un être orgueilleux. Au contraire, c'est un encouragement pour s'améliorer davantage.

Disons, à titre explicatif, que le message interne signifie tout simplement le contenu intériorisé des remarques, des consignes verbales et non verbales ainsi que des commentaires enregistrés dans l'enfance. Bien que, dans les exemples précédents, le message interne soit décrit comme un message du père ou de la mère, il arrive très souvent que le client s'approprie les remarques blessantes qui ont été répétitives. Le contenu interne se manifeste alors davantage sous la forme de « je suis un paresseux, un raté, un orgueilleux ». Il est fréquent aussi qu'il y ait plusieurs auteurs ou que l'auteur soit l'enfant lui-même. Ce dernier a pu se servir, après les avoir interprétés, des paroles ou des comportements de personnes significatives dans son entourage pour se construire peu à peu ses propres soliloques.

L'évaluation psychologique de l'auteur devrait traduire sa maturité affective et sa cohérence et non son bon vouloir, sa vaillance ou son engagement social. Si le message qu'il a transmis contient des accusations ou des consignes qui conduisent à la déchéance psychologique, il y a fort à parier que l'auteur affichait un équilibre psychique précaire.

Le 2+2=4 signifie la réédition du message intériorisé avec des modifications pour le rendre vrai. Nous insistons beaucoup sur ce point en Thérapie d'Impact. Le but recherché n'est pas de modifier les enregistrements internes pour les rendre positifs ou plus facilement acceptables. Le but est simplement et uniquement de les rectifier pour les rendre exacts. On invite ainsi le client à reformuler les faux propos entendus et enregistrés durant son enfance (les 2+2=9) pour les rendre clairs et surtout vrais (2+2=4).

Il est possible d'accéder à une plus grande partie du contenu pernicieux de la « cassette » en suggérant au client des thèmes donnés. Par exemple, quels sont les dires liés au succès, à la sexualité, au travail, aux rôles spécifiques des différents sexes ? Ou encore, que dit votre cassette concernant certaines de vos particularités comme votre intelligence, votre physique, votre santé et votre avenir ? Plus l'éventail des thèmes à explorer est large, plus l'archéologie psychologique est complète.

Une variation à cet exercice, dédiée à ceux pour qui la cassette ne représente pas un symbole très révélateur, est d'utiliser le scénario. En langage Transactionnel, il désigne la charte des consignes, obligations et restrictions qu'il faut s'imposer pour réussir dans la vie. On peut aussi utiliser le symbole du livre ayant pour titre « comment vivre sa vie pour la réussir », avec divers chapitres portant sur des thèmes centraux comme :

| Qu'est-ce qu'une famille ?

| Quel y est votre rôle ?

| Qu'est-ce qu'une vraie femme ?

| Qu'est-ce qu'un bon père ?

Le but est toujours de retracer les « commandes » génératrices de mal-être qui s'y trouvent, le ou les auteurs qui en sont responsables, et ce, dans la perspective évidente de reprendre le contrôle de sa propre vie.

| Écrire sur un thème |

Le langage écrit et le langage parlé engendrent des activités cérébrales dans des zones différentes du cerveau. Ce phénomène pourrait expliquer pourquoi plusieurs individus communiquent différemment (par rapport aux thèmes abordés et à la profondeur du discours) selon qu'ils écrivent ou qu'ils parlent. Ainsi, un devoir rédigé sur un thème quelconque peut révéler des éléments inédits, essentiels au processus thérapeutique. Dans la majorité des cas, ce type de démarche ajoute beaucoup de qualité à la relation thérapeutique. Le client se livre sous une facette qui était jusqu'alors maintenue secrète et le thérapeute gagne à découvrir cet aspect inconnu.

Selon les motifs de consultation, les thèmes choisis peuvent varier énormément. Vous pouvez utiliser un devoir d'inspiration adlérienne, par exemple, en demandant au client d'écrire sur la perception que ses parents ont du monde : « Lorsque vous étiez enfant, si votre mère avait eu à compléter la phrase suivante : pour moi, le monde, c'est... ou pour moi, la vie, c'est..., qu'aurait-elle répondu ? » La même question se pose aussi pour le père, puis pour l'enfant qu'il était et pour l'adulte qu'il est devenu. Cet exercice amène le client à mieux prendre conscience de l'effet de contagion que peuvent exercer sur lui les opinions de ses parents et à comprendre plus distinctement, du moins en partie, la source de son malaise.

Un autre exercice du même genre, dans la lignée d'Adler, est de proposer au client d'exprimer par écrit la façon dont il trouvait sa place dans sa famille quand il était enfant. Certains étaient de gros travailleurs, d'autres étaient « de vraies petites mères », d'autres encore étaient des premiers de classe ou des comiques. Les stratégies pour trouver sa place dans la microsociété d'origine déterminent souvent celle que l'on occupe une fois devenu adulte, d'où l'apparition de nombreux problèmes. Si, par exemple, il valait mieux ne pas dire devant le père ce qu'on ressentait et surtout ne jamais rechigner devant un travail démesuré, il est fort possible que ce genre de comportement subsiste encore à l'âge adulte chez le client, à moins que celui-ci n'ait déjà eu la chance de « redécider » cette façon de faire. Une information abondante et très riche peut être tirée de ce type de devoir.

Voici d'autres suggestions de questions, toutes aussi pertinentes que les précédentes.

| Qu'est-ce qui vous empêche de retirer le meilleur de votre vie ou d'en faire ce que vous voulez ?

| Pourquoi estimez-vous certaines personnes ?

| À quoi rattachez-vous votre valeur personnelle ?

Structuration

Certains clients affichent de graves problèmes liés au manque de structuration dans leur vie. Ce déficit sur le plan de l'organisation se manifeste également en thérapie, avec comme résultat des entrevues qui vont dans tous les sens. Une foule de thèmes sont abordés en très peu de temps et le travail productif s'en trouve grandement limité.

Une manière d'enseigner au client à développer en général un meilleur contrôle de sa vie tout en rendant les rencontres plus productives est de lui demander de préparer l'ordre du jour de chaque rencontre, de spécifier les thèmes qu'il souhaite aborder et le temps qu'il veut accorder à chacun d'eux. Le thérapeute peut lui demander d'allouer un certain nombre de minutes pour l'introduction et le bilan de l'entretien. Après quelques essais, le devoir peut s'appliquer non seulement à l'entrevue à venir mais aussi à la planification de la semaine suivant la rencontre. Cette procédure présente l'avantage de responsabiliser le client quant à sa thérapie et à sa vie en général.

Se faire plaisir

Quel thérapeute n'a pas un jour suggéré à son client de se faire plaisir ? Mais comment l'aider à trouver ce qu'il y aurait de plus ressourçant pour lui ? En Thérapie d'Impact, nous nous inspirons souvent d'Adler pour dresser une liste de plaisirs à laquelle le client peut se référer.

Alfred Adler disait que tout ce que nous avons vécu est enregistré dans nos neurones et dans notre corps, et que chacun possède des mémoires sensorielles, affectives et psychosociales de son passé qui sont toujours effectives.

Par exemple, un homme me racontait que, quel que soit l'endroit où il se trouvait, dès qu'il entendait la chanson des « Joyeux Troubadours », il avait l'impression de sentir des patates jaunes, plat que sa mère lui cuisinait tous les midis à son retour de l'école, tandis que la chanson passait à la radio. En le questionnant davantage, j'ai découvert avec lui que non seulement son réseau neurologique relié à cette bonne vieille chanson était associé à une odeur particulière, mais aussi à des sentiments spécifiques de persévérance, de détermination et de sécurité. Je lui ai recommandé de se procurer la version originale de la chanson et de l'écouter de temps à autre pour faire renaître et retrouver ces bons souvenirs.

Nous possédons tous des mémoires qui constituent un véritable « capital-vacances », c'est-à-dire que l'on peut les réactiver pour profiter de tout le bien-être qu'elles peuvent nous procurer. Pour les clients difficiles qui prétendent ne pouvoir se faire plaisir, faute de ressources financières, la méthode adlérienne s'avère être la réponse idéale puisque les évocations de notre passé ne requièrent habituellement que de minimes sommes d'argent.

Mais peut-être serait-ce une bonne idée d'appliquer d'abord à vous-même cette méthode. Que faisiez-vous pour vous ressourcer quand vous étiez plus jeune ? Qu'est-ce qui vous faisait plaisir ? Quels étaient vos plats favoris, vos chansons préférées, où aimiez-vous aller ? Quels étaient vos routines matinales, les livres qui vous ont le plus touché ? Comment trouviez-vous la paix, la joie, le calme ? Les réponses à ces questions devraient vous apporter suffisamment d'éléments pour constituer votre propre liste de petits bonheurs à rechercher aussi souvent que possible.

.:.• Questions, craintes & réponses

J'ai tenté, dans cette partie, de reformuler les questions qui me sont le plus souvent adressées lors des séminaires que je donne en Techniques d'Impact et je me suis efforcée d'y répondre. Peut-être ces questions et réponses vous seront-elles une aide appréciable pour clarifier vos propres interrogations.

| Qu'est-ce que je fais si le client refuse de collaborer ? |

Le plus souvent, la peur d'essuyer un refus de la part du client constitue une projection de l'appréhension du thérapeute devant l'utilisation de techniques nouvelles. Dans certains cas, toutefois, le client peut effectivement s'opposer. À mon avis, deux raisons principales expliquent sa réaction.

Il est possible que le client craigne d'expérimenter ces techniques car elles touchent le cœur du problème et soulèvent des émotions parfois intenses. Dans cette éventualité, je recommande de suspendre l'exercice jusqu'à ce que vous ayez réussi à désamorcer sa peur. Par contre, si vous pensez que sa crainte relève plutôt du fantasme, il serait alors préférable d'insister tout en le rassurant. Un excellent exemple, cité dans le 3e chapitre, est celui de la cliente à qui le thérapeute avait demandé (en regardant la petite chaise) si elle trouvait que l'enfant qu'elle était dans son jeune âge était extraordinaire. Elle s'était alors soudainement tenue la gorge à deux mains comme si elle se sentait étouffée. Ses yeux reflétaient la panique et l'incompréhension. Sachant qu'il s'agissait d'un fantasme, c'est-à-dire de l'intériorisation d'un message (verbal ou kinesthésique) générateur d'angoisse de mort, et non pas d'un signe précurseur d'une mort prochaine, il a demandé à la cliente de changer de chaise pour occuper plutôt une chaise neutre. Ainsi, elle devenait quelqu'un qui ne faisait pas partie de sa famille.

Moins d'une minute plus tard, elle était calme et prête à se réengager dans le processus pour mieux comprendre son vécu.

Le manque de collaboration peut également provenir d'une trop grande timidité ou de la peur du ridicule. Cette réaction survient parfois lorsque l'on invite le client à s'asseoir sur la petite chaise ou lorsque l'on utilise des mouvements ou des techniques de Gestalt. Une explication sommaire des raisons de l'emploi de ces techniques (voir les détails dans l'introduction de ce livre) suffit généralement à rassurer le client. Toutefois, il est essentiel que le thérapeute soit convaincu du fondement conceptuel de leur utilisation. Cette conviction jouera un rôle prépondérant dans sa manière de guider le client, et ce, même si son expérience pour les appliquer est encore restreinte.

| Je ne me vois pas faire ça. J'ai toujours pratiqué la thérapie en position assise et là, il faudrait que je me lève et que je bouge ! |

L'approche d'Impact implique souvent des mouvements et des déplacements. Toutefois, chaque intervenant adapte ces techniques en fonction de ses convictions au plan professionnel et de son style personnel. Faites attention néanmoins à ne pas vous limiter exclusivement à l'expression verbale lors de votre adaptation. Dans ce cas, vous en seriez réduit à une utilisation unisensorielle de la thérapie. En effet, cette façon de procéder diminuerait considérablement l'impact de la technique : supposez, par exemple, qu'un collègue embarrassé de sortir un jeu de cartes pendant l'entrevue demande à son client « d'imaginer » simplement un jeu de cartes devant lui…

Comme toute nouveauté, les Techniques d'Impact demandent à être apprivoisées. Je conseille habituellement aux nouveaux initiés de commencer par intégrer les techniques qui leur semblent les plus accessibles et les plus facilement applicables, sans trop déranger la procédure courante de leurs entrevues. Graduellement, ils en arrivent à prendre plus de risques en fonction des réactions qu'ils observent.

| Je crains de ne pas trouver le bon exercice à faire au bon moment et avec la bonne personne. |

Au début, vous aurez sans doute à vivre cette expérience. Quelqu'un qui apprend une langue étrangère possède-t-il, dès ses débuts, tous les mots et toutes les expressions appropriés et les utilise-t-il toujours adéquatement ? Bien sûr que non. Mais, peu à peu, il devient plus habile. C'est la loi de l'apprentissage. Souvent les gens me disent : « Oui, mais j'ai déjà dix ans d'expérience ! » Si ce genre de techniques est nouveau pour vous, peu importe le nombre d'années d'expérience que vous avez comme thérapeute, aujourd'hui est le jour 1 !

Je me suis amusée à tracer l'itinéraire qu'emprunte un néophyte dans presque n'importe quel processus de familiarisation. Dans le premier tiers du parcours règnent l'inconfort, le malaise, la peur d'échouer, de ne pas savoir quoi faire. Cette étape est la plus difficile. Le deuxième tiers de l'essai est déjà beaucoup plus confortable. On fait moins de faux pas. Un début de spontanéité et d'assurance s'installe. Puis, dans le dernier tiers, c'est la grande joie, voire le risque de prosélytisme. Le temps nécessaire pour traverser les étapes varie selon le rythme de chacun. La seule règle est la suivante : plus les essais sont nombreux, plus il y a de mises en pratique, plus les progrès sont rapides.

| Devrais-je commencer à utiliser ces outils avec mes nouveaux clients seulement ? |

La majorité des clients qui se présentent en entrevue viennent chercher de l'aide. Ils souhaitent que ce soit le plus rapide et le plus profitable possible. Ils se montrent habituellement ouverts à tout outil pouvant aider à remplir ce mandat. Par contre, si l'intervenant se sent plus à l'aise de commencer à intégrer ces techniques avec de nouveaux clients d'abord, ce choix me paraît tout à fait légitime. Je crois qu'il est important de mettre toutes les chances de son côté dans le fameux « premier tiers » d'un nouvel apprentissage.

| J'ai peur que le client ait une forte réaction et de ne pas savoir quoi faire |

Qu'entend-on par forte réaction ? Veut-on dire une décompensation psychotique ? Je crois qu'il s'agit d'une crainte peu fondée. Les décompensations psychotiques se produisent chez un très faible pourcentage de clients et ne sont pas tant provoquées par le type d'outils thérapeutiques utilisés que par un manque d'expérience dans les interventions auprès de ce genre de clientèle ou par le désarroi de vivre une expérience hors de votre contrôle.

Que pourrait-on encore sous-entendre par forte réaction ? Serait-ce que le client ressente de la peur ? de la colère ? de la peine ? Si l'on est soi-même troublé par ces émotions, il y a effectivement fort à parier que des complications surviennent. Dans ce cas, il vaudrait mieux aller d'abord chercher pour soi les outils nécessaires pour leur faire face. Il est prévu dans le code de déontologie de ne pas intervenir dans des problématiques où nous ne nous sentons pas compétents. Il me semble nécessaire de respecter cette consigne pour éviter de nuire à notre client.

Toutefois, le fait de prendre contact avec de la peur, du malaise, de la tristesse ou d'autres affects est précisément l'un des objectifs de la thérapie. Pensez-vous qu'il soit nécessaire d'apprivoiser ces réactions à petites doses ? En ce cas, j'en déduirais que vous estimez qu'elles sont dangereuses. Croyez-vous que ces mêmes émotions seront ressenties moins douloureusement si le client y accède à la suite d'une longue introduction ? Ne pourraient-elles pas, au contraire, être amplifiées par une telle stratégie ?

Je crois que les émotions sont humaines et qu'elles sont souvent plus effrayantes avant qu'on ne les vive que pendant qu'on le fait. Je trouve aussi important de mentionner que notre façon de les aborder crée un précédent pour le client. Il utilisera vraisemblablement la même façon de procéder lorsqu'il aura à revivre des émotions similaires. En d'autres termes, si je m'empêche d'utiliser telle ou telle autre technique pour éviter de provoquer une réaction émotive prématurée chez le client, l'hémisphère droit de son cerveau comprendra que le dénouement des sentiments désagréables est un processus de longue haleine ; il aura alors tendance à reproduire cette recette pour gérer ultérieurement ses émotions. Il choisira donc d'en rester prisonnier plus longtemps avant de les affronter.

Par ailleurs, le fait d'aider le client à accélérer l'expression de ses sentiments et de ressentir les émotions étouffantes qui le perturbent ne signifie pas qu'on ne le respecte pas. Bien au contraire, je crois qu'il s'agit en fait d'une grande marque de considération, d'une façon de l'amener à se sentir bien le plus rapidement possible et de désamorcer la peur mythique et fantasmatique liée à son vécu affectif.

Qu'on le veuille ou non, nous lui transmettons un message. Il s'agit de savoir celui que l'on souhaite lui communiquer. Peut-être qu'une élégante façon de réunir les deux côtés de cette vision thérapeutique serait de citer cette maxime : « Festina lente », qui signifie « hâte-toi lentement ».

Tenez compte que de fortes réactions surviennent régulièrement dans un contexte psychothérapeutique ; elles sont dues non pas tant aux techniques utilisées qu'aux souffrances intimes des clients. Notre mandat en tant qu'intervenant est d'agir comme propulseur et éclaireur pour les amener à mieux comprendre la cause de cette souffrance et pour les aider à utiliser cette compréhension pour grandir. Lorsqu'un client évalue ses cinquante premières années de vie à 2/10, il serait formidable pour lui de pouvoir connaître des années plus épanouissantes et heureuses, soit un 6/10 au moins, sans qu'il lui en coûte encore cinq ou dix ans de sa vie. Si les Techniques d'Impact peuvent favoriser ce progrès, je n'hésiterais pas du tout à les mettre à profit, même si les émotions à traverser peuvent se manifester plus « fortement » que dans un processus plus conventionnel.

Comment vais-je expliquer cela à mes collègues ?

Plusieurs confrères et consœurs ayant participé aux ateliers en Techniques d'Impact m'ont fait le même commentaire : « Je faisais un peu de ça déjà, mais je n'osais en parler à personne de peur que l'on pense que je suis " flyé " ! »

Eh bien, sachez qu'il existe beaucoup de « flyés » qui utilisent certainement des techniques exposées dans le présent ouvrage un peu partout au Canada, aux États-Unis et en Europe. Plusieurs sont atteints de façon tout à fait chronique et irrécupérable (je me situe dans cette catégorie !). Blague à part, il est certain qu'une bonne majorité des Techniques d'Impact ne correspond pas aux méthodes prônées dans l'enseignement de base que la plupart d'entre nous avons reçu. Mais, comme le disait Franklin D. Roosevelt : « Il y a des gens qui voient les choses telles qu'elles sont et se demandent : " pourquoi ? " D'autres voient les choses telles qu'elles pourraient être et se disent : " pourquoi pas ? " ». Pourquoi ne pouvons-nous pas aider les individus davantage ? Que peut-on faire de plus ? Comment pourrions-nous mieux rejoindre le client ?

Ainsi, la question n'est pas tant de savoir ce que vont dire les autres (d'ailleurs, je crois que le fondement conceptuel exposé en introduction pourrait apporter des justifications aux plus sceptiques), mais plutôt de déceler ce qui est le plus efficace. Comment les clients enregistrent-ils l'information ? Comment changent-ils ? Comment apprennent-ils ?

Y a-t-il un volontaire pour nier que les humains apprennent d'une façon multisensorielle ? Il serait bon, si on souhaite aider nos clients davantage, de retenir ce qui suit : être professionnel, c'est comprendre l'individu, son fonctionnement, et savoir respecter ces critères. Il n'y a rien de « flyé » à connaître et à utiliser le fait que l'homme enregistre par tous ses sens et à mettre notre créativité au service du client.

Est-ce que le fait d'utiliser une bouteille de bière pourrait nuire à un client qui essaie d'être abstinent ?

J'ai déjà posé cette question à Ed Jacobs. Je vais le laisser vous répondre. Il m'a dit : « Danie, si le client retombe dans l'alcoolisme parce qu'il a vu une bouteille de bière dans ton bureau, c'est bien évident qu'il serait retombé dans l'alcoolisme de toute façon parce que les bouteilles de bière sont partout, à la télé, dans les journaux, dans les revues, à l'épicerie. Elles traînent même dans la rue. Il y en a partout. Alors, honnêtement, je ne crois pas que le fait de lui montrer une bouteille dans ton bureau puisse lui être préjudiciable. Par contre, je pense que la bouteille elle-même en tant qu'objet peut aider le client à se centrer sur ce qui est discuté et l'amener à mieux entrer en rapport avec son problème et les affects qui y sont liés. »

Est-ce nécessaire de prendre une chaise pour représenter les personnages de l'Analyse Transactionnelle? Ne pourrait-on pas tout aussi bien se servir d'un coussin, d'une patère ou d'un autre objet ?

Oui, bien sûr. Je n'ai pas l'intention de brimer votre créativité à ce stade-ci, MAIS... mais ce n'est pas pareil. Avez-vous déjà vu quelqu'un s'asseoir sur une patère ou s'y accouder de longues heures.

Le coussin ? Oui, on peut s'asseoir sur un coussin, mais généralement les gens s'assoient sur des chaises. En d'autres termes, il est plus facile d'amener la projection lorsque l'on se réfère à un objet qui reproduit la réalité des gens. L'autre avantage d'utiliser les bonnes vieilles chaises est que l'on sait exactement où se trouvent les épaules de la personne virtuelle, ses genoux, ses pieds, etc. Donc, on peut la toucher. Cette information est déterminante lorsqu'on intervient auprès des enfants. Il m'arrive souvent de mettre la petite chaise devant moi, de m'en approcher comme si je touchais les genoux ou les mains de l'enfant tout en lui parlant. Les clients qui n'ont jamais ressenti la chaleur d'un contact humain deviennent très émus ; ils sont touchés et rejoints par ces démonstrations, même s'il ne s'agit pas d'un contact direct. Sans les chaises, il devient plus difficile d'atteindre l'objectif visé avec autant de précision.

Un autre point en faveur des chaises est que leur grandeur peut varier. Selon le format qu'on emploie, le client a tendance à se projeter à diverses époques de sa vie. Par ailleurs, le fait de pouvoir les imbriquer les unes dans les autres permet de les transporter aisément et de libérer de l'espace dans le bureau.

Je ne me vois pas en train de demander aux clients de parler à une chaise vide !

Ah ! la Gestalt ! Je m'étais bien jurée de remettre à sa place le premier illuminé qui oserait me demander de parler à une chaise vide ! Tout de même, me disais-je, il ne faut pas trop exagérer. J'ai raisonné ainsi jusqu'à ce que j'expérimente personnellement la technique. Depuis, j'ai décidé de ne plus priver mes clients d'une technique aussi puissante et efficace.

Il est reconnu que l'être humain réagit davantage aux situations qui lui sont proches. Par exemple, la tragédie du Rwanda n'a provoqué que très peu d'initiatives et d'actions de la part des Canadiens, bien que des centaines de milliers d'innocents aient été torturés et massacrés sauvagement. Par contre, le déluge du Saguenay en 1996 a engendré un vaste mouvement de solidarité.

Ainsi, le fait de parler à une chaise vide recrée le sentiment d'immédiateté, rapproche les événements passés et permet au client de vivre pleinement l'expérience. C'est, sans contredit, l'une des techniques les plus efficaces que je connaisse. Par contre, par souci professionnel, il est essentiel de se familiariser avec l'approche théorique sous-jacente pour manier avec succès cet outil de maître.

| Vous utilisez beaucoup l'échelle de 0 à 10. Moi, je ne me sens pas très à l'aise avec les chiffres. |

L'échelle des chiffres est effectivement très utilisée en Thérapie d'Impact. Contrairement aux mots, les chiffres laissent moins de place à la subjectivité. Cette échelle peut cependant être transformée en mots pour s'adapter davantage aux schèmes mentaux de chacun. Il faut toutefois s'assurer de maintenir les aspects synthétique et informatif de l'échelle.

| Ne dit-on pas que le thérapeute ne doit pas travailler plus fort que son client. Il me semble que l'approche d'Impact amène le thérapeute à être parfois plus actif que lui. |

Je crois qu'il faut être prudent dans l'interprétation que l'on fait de ce principe. Il sous-entend que le thérapeute ne doit pas faire les choses à la place du client. Par contre, sa participation sert de modèle à la personne qui le consulte pour qu'elle s'engage davantage dans le processus thérapeutique… à condition que les manœuvres du côté de l'intervenant soient judicieuses. Je pense qu'on aurait tort de croire qu'une participation active du thérapeute signifie une prise en charge excessive du client qui empêche ce dernier d'assumer la responsabilité de sa thérapie.

Quel que soit le domaine où je consulte un professionnel, je m'attends à ce qu'il soit très actif pour répondre à ma demande. Cela ne signifie pas que je souhaite qu'il gère ma vie à ma place, mais simplement que j'ai besoin de son expertise pour me fournir les éléments que je cherche. Je m'attends à ce que son travail soit rigoureux, efficace, empressé, en un mot, professionnel, pour qu'il mérite son titre et son salaire. Pourquoi serait-ce différent pour les intervenants psychosociaux ou les professionnels en santé mentale ? Pourquoi ne pourrions-nous pas fournir à nos clients une façon enrichie de communiquer grâce à diverses techniques multisensorielles ? Cela signifie à la fois un plus grand engagement et une plus grande participation de la part de l'intervenant ; je crois d'ailleurs que c'est précisément ce que l'on attend de nous.

J'entendais le Dr Lazarus, lors d'une de ses conférences à Las Vegas en décembre 1995, dire à ses auditeurs : « Nous devons fournir un enseignement à nos clients parce qu'ils n'ont simplement pas eu la chance de rencontrer quelqu'un qui pouvait leur apprendre comment réagir dans des situations difficiles, comment communiquer ou comment gérer leurs émotions. »

Comme lui, je suis persuadée que la plupart des clients n'ont pas en mémoire toutes les données nécessaires pour trouver les réponses à toutes leurs questions, ni les solutions à tous leurs problèmes. Croyez-vous que la communication soit spontanée ou croyez-vous qu'on doive l'apprendre ? Pensez-vous qu'il soit automatique pour tous les humains, surtout pour les plus spontanés, de savoir gérer sa colère ou que l'on doive apprendre cela ? Il ne faut pas compter sur le temps pour nous aider à acquérir un tel enseignement. Il n'amène très souvent qu'une détérioration du problème.

La preuve en est que plusieurs criminels, malgré des peines de dix ou vingt ans de prison, continuent à répondre à leur colère de la même façon qu'avant leur emprisonnement et avec les mêmes stratégies inefficaces. Des milliers de femmes aussi continuent à vivre avec leur agresseur, malgré plusieurs séjours en milieu hospitalier pour guérir leurs plaies et fractures. Ce n'est pas qu'elles n'ont pas cherché à se sentir mieux ou à changer leur réalité, mais bien plutôt qu'elles ne disposent pas, dans leur inventaire mental, des méthodes gagnantes pour y arriver. Par contre, elles ont ce qu'il faut pour les apprendre, mais encore faut-il qu'il y ait quelqu'un pour les leur enseigner.

En résumé, je pense que si vous êtes convaincu que le client possède déjà toutes les solutions à ses difficultés, vous le laisserez les trouver et vous agirez comme accompagnateur. Si vous estimez, par contre, qu'il ne les a pas, vous interviendrez comme éclaireur et comme professeur, ce qui vous amènera à être beaucoup plus actif. Il me semble que c'est précisément le point majeur auquel chacun de nous doit s'attacher.

Est-ce que ça marche avec tous les clients ?

Existe-t-il un type de clientèle ou de problématique avec lequel cette approche ne fonctionne pas ou avec lequel il serait préférable d'éviter ces techniques ?

Tous les clients fonctionnent avec le même cadre d'apprentissage : auditif, visuel, kinesthésique. Le fait de tabler sur ces différentes dimensions augmente mathématiquement les chances de succès. Chaque personne possède un profil unique de canaux sensoriels, mais aucune ne se retrouve avec un zéro dans l'un ou l'autre d'entre eux et ce, peu importent le statut socio-économique, l'âge ou l'ethnie. Une approche limitée à la dimension verbale de la communication ne peut que donner des résultats limités, surtout chez ceux qui sont plus visuels ou kinesthésiques qu'auditifs.

Je ne crois pas qu'il y ait de clientèle ou de problématique avec lesquelles il faille se priver de l'approche multisensorielle. Je crois cependant — comme pour n'importe quelle école — que son application doit être éclairée, bienveillante et professionnelle. Je persiste à affirmer que ce n'est pas tant l'approche utilisée qui nuit au client qu'un manque de maturité, d'expérience et d'équilibre psychologique chez l'intervenant.

| Auriez-vous des astuces à me donner pour faciliter l'intégration de ces techniques dans mes interventions ? |

Comme toute nouvelle chose que l'on commence à expérimenter, rien n'est automatique ni spontané dans les premiers temps. Vraisemblablement, il sera nécessaire au début de préparer vos rencontres en assortissant les techniques aux clients ou aux problématiques que vous rencontrerez. De cette manière, il deviendra plus facile pour vous de les intégrer puisqu'elles apparaîtront au dossier avant que vous ne commenciez l'entrevue.

Une autre astuce plutôt pratique est celle de vous évaluer après chaque rencontre. (Une autre bonne utilisation possible de l'échelle de 0 à 10 !) Il vous arrivera certainement de voir, après coup, quelle technique vous auriez pu utiliser pour que votre intervention produise plus d'effet sur le client. Devant une telle constatation, n'hésitez pas à remettre cette technique au programme pour commencer la prochaine entrevue.

| Conclusion |

Mon vœu le plus cher est que ce livre vous ait permis de saisir le cœur de la Thérapie d'Impact. Ce n'est pas une question de techniques, c'est une question d'attitude : une attitude qui reflète l'authenticité, le courage, la simplicité et qui est basée sur la connaissance et le respect du fonctionnement humain. J'ai fréquemment rencontré des collègues sur le point de délaisser leur profession à défaut de pouvoir y ajouter leur couleur et leur identité. Ils s'étaient oubliés pour adopter une position de neutralité. La Thérapie d'Impact met à contribution le thérapeute, ses émotions et sa créativité. Je ne suis plus le thérapeute. Je suis Johanne, Richard, Danielle. Je ne suis pas qu'une oreille. Je suis un allié, un collaborateur avisé, sagace et inventif.

Par contre, si une approche n'avait que des réponses définitives à offrir, elle deviendrait rapidement dogmatique et perdrait à la fois sa capacité d'autocorrection et son essence évolutive. Il reste encore beaucoup à découvrir en psychothérapie pour atteindre plus d'efficacité et de rapidité dans le traitement. Il importe donc de rester à l'affût du moindre outil susceptible d'enrichir nos connaissances cliniques.

Le fait d'écrire un livre et d'y travailler sur une base régulière et prolongée entraîne une certaine myopie chez l'auteur. On en perd le sens général pour s'attarder aux détails. Afin d'améliorer les prochaines éditions, j'apprécierais recevoir vos commentaires, vos suggestions et les résultats de votre expérimentation. Je vous remercie à l'avance de votre collaboration.

Je conclus avec les paroles de Richard Bandler, un clinicien que j'aime beaucoup à cause de sa limpidité :

> *Il y a une immense différence entre apprendre*
>
> *de nouvelles connaissances et découvrir tout*
>
> *ce qu'il nous reste encore à apprendre.*
>
> *C'est la différence qui fait la différence.*

Références et bibliographie

BANDLER, R., *Using Your Brain for a Change,* Utah, Real People Press, 1985.

BERNE, E., *Games People Play,* New York, Grove Press, 1964.

EDELMAN, Gerald M., *The Remembered Present: a biological theory of consciosusness,* New York, Basic Books, 1989, et *Bright Air, Brillant Fire: on the Matter of the Mind,* New York, Basic Books, 1992.

EGAN, G., *Communication dans la relation d'aide,* Montréal, HRW Ltée, 1987.

ELLIS, A., « Must Most Psychotherapists Remain as Incompetent as they are Now ? », dans *Does Psychotherapy Really Help People ?,* J. Hariman (Ed.), Springfield, Charles C. Thomas, 1984.

ERICKSON, M. et E. ROSSI, *Hypnotherapy: An exploratory Casebook,* New York, Irvington, 1979.

ERICKSON, M. et E. ROSSI, *Experiencing Hypnosis: Indirect Approaches to Altered States,* New York, Irvington, 1981.

ERICKSON, M., *The Collected Papers of Milton H. Erickson on Hypnosis,* publiés par Ernest L. Rossi, New York, Irvington, 1980.
      Vol. I :   *The Nature of Hypnosis and Suggestion*
      Vol. II : *Hypnotic Alteration of Sensory, Perceptual, and Psychophysical Processes*
      Vol. III : *Hypnotic Investigation of Psychodynamic Processes*
      Vol. IV : *Innovative Hypnotherapy*

EYSENCK, H.J., « The Battle Over Psychotherapeutic Effectiveness », dans *Does Psychotherapy Really Help People ?,* J. Hariman (Ed.), Springfield, Charles C. Thomas, 1984.

GOULDING, R. et M. GOULDING, *The Power is in the Patient. A TA/Gestalt Approach to Psychotherapy,* San Francisco, TA Press, 1978.

HARIMAN, J. (Ed.), *Does Psychotherapy Really Help People ?,* Springfield, Charles C. Thomas, 1984.

HALEY, J., *Uncommon Therapy,* New York, W.W. Norton and Company, 1993.

HENDRIX, H., *Getting the Love You Want,* New York, Harper & Row, 1990.

ISNARD, G., *L'enfant et sa mémoire, une histoire d'amour,* Paris, Mercure de France, 1990.

ISNARD, G., *La mémoire vivante,* Paris, Éditions du Méridien, 1988.

JAMES, M. et D. JONGERALD, *Naître gagnant,* Paris, InterÉditions, 1978.

JACOBS, E.E., *Impact Therapy,* Florida, Par, 1994.

JACOBS, E.E., *Creative Counseling: An Illustrated Guide,* Florida, Par, 1992.

JACOBS, E.E., R.L. HARVILL et R.L. MASSON. *Group Counseling: Strategies and Skills,* Pacific Grove, Brooks/Cole, 1988.

LOZANOV, G., *Suggestion in Psychology and Education,* New York, Gordon and Breach, 1978.

MASLOW, A., *Toward a Psychology of Being,* édition révisée, New York, Van Nostrand Reinhold, 1968.

MEUNIER-TARDIF, G., *Les auditifs et les visuels,* Montréal, Libre Expression, 1985.

MORENO, J., *Psychodrama: Volume 1,* édition révisée, New York, Beacon Press, 1964.

NORWOOD, R., *Ces femmes qui aiment trop,* Montréal, Stanké, 1986.

OSTER, G.D. et P. GOULD, *Using Drawings in Assessment and Therapy,* New York, Brunner/Magel, 1987.

PASSONS, W.R., *Gestalt Approaches in Counseling,* New York, Holt, Rinehart and Winston, 1975.

PERLS, F., *Gestalt Therapy Verbatim,* Moab, Real People Press, 1969.

PENFIELD, W., *Memory Mechanism. Archives of Neurology and Psychiatry,* vol. 67, 1952, p. 178-191.

ROSENTHAL, R. et L. JACOBSON, *Pygmalion in the Classroom: Teacher Expectation and Pupils' intellectual Development,* New York, Holt, Rinehart and Winston, 1968.

SATIR, V., *Conjoint Family Therapy,* Palo Alto, Science and Behavior Books, 1967.

SCHEELE, P.R., *The Photoreading Whole Mind System,* Minnesota, Learning strategies corporation, 1993.

SIMONTON, C., S. SIMONTON et J. CREIGHTON, *Guérir envers et contre tous,* Paris, Épi, 1982.

WEINER-DAVIS, M., *Divorce busting,* New York, Fireside, 1993.

ZEIG, Jeffrey K., *La technique d'Erickson,* Paris, Hommes et Groupes Éditeurs, 1988.

|Index|

* L'intervention cognitive d'Impact s'inspire de la thérapie cognitive à laquelle nous avons ajouté des outils multisensoriels.

** L'intervention béhavoriale d'Impact s'inspire de la thérapie béhavoriale à laquelle nous avons ajouté des outils multisensoriels.

FORMATIONS

Des séminaires sont offerts tant sur la Thérapie d'Impact que sur les Techniques d'Impact. Ils peuvent aussi être organisés sur demande et modelés à partir de vos besoins spécifiques.

L'auteure est également une conférencière et une auteure réputée. N'hésitez pas à communiquer avec nous pour obtenir les titres et l'horaire de ses conférences ainsi que la liste de ses publications.

Achevé d'imprimer en mai 2005
sur les presses de AGMV-MARQUIS
MONTMAGNY

Académie
IMPACT
PSYCHOLOGIE & PÉDAGOGIE

1020-B, boul. du Lac, C.P. 4157, Lac-Beauport (Québec), G0A 2C0

Tél. : (418) 841-3790 | **Sans frais :** 1-888-848-3747 | **Téléc. :** (418) 841-4491
Courriel : academie-impact@qc.aira.com | **Site Web :** www.academie-impact.qc.ca